FUCKING BERLIN

Vertaald door Katja Hunfeld-Bekker

SONIA ROSSI

FUCKING BERLIN

HET GEHEIME LEVEN VAN EEN WISKUNDESTUDENTE

TM TRADEMARK

TM TRADEMARK

Oorspronkelijke titel: *Fucking Berlin*

Published in 2008 by Ullstein Taschenbuch Verlag

TM Trademark *is een imprint van FMB uitgevers, onderdeel van Foreign Media Group*

Omslagontwerp: Sabine Wimmer/Ullstein en Sandra Taufer/Hilden Design
Omslagbewerking: DPS Design
Auteursfoto: Hans Scherhaufer
Typografie en zetwerk: Peter de Lange, FMB Uitgevers
ISBN 978 90 499 0093 9
NUR 402

www.tmtrademark.nl
www.fmbuitgevers.nl

Voor P.

De meeste in dit boek genoemde namen van personen
en plaatsen zijn om privacyredenen gewijzigd.

INHOUD

INLEIDING

De trein had de Alpen achter zich gelaten en denderde door de maanloze januarinacht. In de wagon floot de wind door de kieren. In de gang sleepte een forse vrouw met een slapende baby op haar arm een koffer op wieltjes achter zich aan.

Voorbij waren de kerstdagen thuis in Italië, bij mijn familie en oude schoolvrienden die het nog steeds op het vulkanische eiland bij Sicilië volhielden waar ik groot ben geworden. Berlijn was nog een eind weg. Nog tien uur door weilanden en slaperige dorpjes, door een land dat ik na vijf jaar op een bepaalde manier beter kende dan de meeste Duitsers. Ik kon niet slapen. Mijn hoofd zat vol onrust. Bovendien was het smalle klapbed niet bepaald gerieflijk.

Er kwam iemand mijn compartiment binnen. Een paar seconden lang werd ik verblind door het vanuit de gang binnenvallende licht. Ik kon twee mannenbenen onderscheiden en hoorde hoe iemand zijn spullen op het bed boven me gooide. De man was halverwege de dertig. Hij droeg een fleurig jack, een versleten Levi's-spijkerbroek en Adidas-sneakers.

Roken was natuurlijk streng verboden in mijn compartiment. Toen ik zin kreeg in een sigaret, griste ik dus mijn pakje Marlboro Light, schoof voorzichtig de deur van het compartiment open en sloop de gang op. Plotseling stond mijn kamergenoot naast me. Hij hield een vuurtje voor mijn gezicht. Zijn haar was ongekamd. Hij was nauwelijks groter dan ik. Met onze peuken in de hand glimlachten we naar elkaar zoals zo veel mensen dat doen als ze in het buitenland iemand tegenkomen. Op zulke momenten was ik blij dat ik ondanks alle waarschuwingen rookte: je kwam zo snel in contact.

We hadden pas een paar trekjes genomen of er begon al ergens een boze vrouwenstem te klagen.

'Ja, ja,' zei de man. 'Kom, we gaan naar de restauratiewagen.'

We gingen aan de bar zitten. Een verveelde serveerster bracht ons twee veel te dure biertjes. De onbekende bleek Jörg te heten en als dakdekker in Zwitserland te werken. Hij was onderweg naar zijn kinderen in Rostock.

Het schoot me te binnen dat ik Jörgs aansteker in mijn zak had gestoken, een vervelende tic van me. Ik bekeek de aansteker nog eens goed voor ik hem teruggaf. Op de achterkant stond in blokletters MANUELA gegraveerd.

'Je vrouw?' vroeg ik nieuwsgierig.

'Ex,' zei Jörg met gebogen hoofd.

'O. Het spijt me.' Ik hoopte dat hij niet in huilen uit zou barsten.

'Ja, mij ook. Maar het is alweer een tijdje geleden. We zijn al een jaar uit elkaar.'

Hij zweeg even en dronk een slok bier voor hij verder praatte. 'We hadden op een gegeven moment alleen nog maar ruzie. In het begin hielden we waanzinnig veel van elkaar. Maar toen begonnen de problemen. Zij bleef met de kinderen thuis en beschuldigde mij ervan dat ik alleen nog maar met mijn gabbers op pad was. Ik zat gewoon de hele week op de steigers en ik kwam elke avond om zes uur thuis. Alleen op vrijdag gingen we na het werk een biertje drinken. Daar heeft een hardwerkende vader toch recht op, of niet?' Zo te horen schaamde hij zich.

'Natuurlijk,' antwoordde ik. 'Maar het gaat hier om de vraag: wanneer kon zij na haar werk eens een biertje gaan drinken?'

Opnieuw zwijgen. Een dronken man in de hoek van de wagon lalde: 'Allemaal smeerlappen, daarboven!' en meer van dat soort dingen. Jörg en ik moesten erom lachen.

'Ja, je hebt gelijk,' zei Jörg. 'Maar wat mij betreft had ze op zaterdagavond best uit mogen gaan. Dan had ik wel op de kinderen gepast. Alleen, daar had ze op de een of andere manier nooit zin in. Haar vriendinnen zijn ook allemaal moeder en die gaan ook nooit uit.'

Ik wist wat er nu ging komen.

'Weet je, ze deed vroeger zo veel moeite. Ze had rood, lang haar en als ze naar de disco ging, trok ze van die zwarte, strakke jurkjes met kant aan. Helemaal mijn ding, gewoon.' Hij keek alweer schuldbewust. Ik glimlachte koeltjes. 'Ze had ook een hartstikke goed figuur. Slanke sportieve benen, smalle taille. Ongeveer net als jij.'

'Dank je,' zei ik. 'En nu is ze niet knap meer?' Het was meer een retorische vraag.

Jörg dacht na. 'Als ze een beetje moeite zou doen, is ze nog steeds mooi. Maar ze gaat niet meer naar de kapper, ze maakt zich niet meer op en ze loopt alleen nog maar in van die flodderbroeken rond. Ze is een paar kilootjes te zwaar, van de zwangerschappen, je weet wel. Dus stelde ik voor om samen naar fitness te gaan. Het was gewoon aardig bedoeld. Begon ze tegen me te kijven dat ik haar niet accepteerde zoals ze was, enzovoort. Dus heb ik het maar opgegeven. Weet je, ik hou eigenlijk nog steeds van haar...'

Inwendig moest ik lachen. Dit verhaal had ik al zo vaak gehoord.

'Snap je?' vroeg Jörg.

Ik knikte. 'Ik ken veel mensen bij wie het net zo gaat. Ik ben een soort zielenknijper, weet je?'

Onze glazen waren leeg. We lieten een fles prosecco brengen.

'En wat doe jij?' vroeg hij.

Ik zweeg. Ging ik deze dakdekker uit Rostock wijsmaken dat ik een wereldwijze studente was die al wat ervaring met het andere geslacht had? Een hardwerkende barkeepster misschien, die altijd trouw naar de dronken verhalen van eenzame mannen luisterde om van de fooi die dat opleverde op vakantie naar huis, naar Italië, te kunnen? Erover liegen was altijd het moeilijkste. Veel mensen die ik kende dachten inderdaad dat ik in de horeca werkte. Je moet weten tegen wie je eerlijk bent.

Gek, dacht ik. We leven in de eenentwintigste eeuw en toch zitten we nog steeds met dezelfde taboes als eeuwen geleden. Zeker als we elkaar in een trein ontmoeten en aan de bar prosecco zitten te drinken. Maar op dat moment kon het me niet schelen. Over een paar uur zouden we afscheid van elkaar nemen en elkaar nooit meer zien. Bovendien was ik aangeschoten genoeg. Dus keek ik hem recht in de ogen en zei: 'Ik ben hoer.'

Jörg werd knalrood. Het was heel stil. Je hoorde alleen de barmuziek op de achtergrond en het ritmische geratel van de wielen over het spoor.

'Tja... ik bedoel... Hoe is dat voor jou?' vroeg Jörg na een veel te lange stilte.

'Alles went,' zei ik grijnzend.

Aan het begin van mijn carrière als hoer had ik die woorden wel duizend keer van andere vrouwen gehoord: van de brutaaltjes, van de onverschilligen en van degenen die deden of het ze koud liet, maar die hun gevoelens gewoon niet toonden. En nu gebruikte ik ze zelf. Ik vond ze wel lekker. Ik voelde me er zelfverzekerder door.

'Ik had nooit gedacht...' Jörg kauwde nerveus op zijn onderlip. Hij had hartvormige, ietwat asymmetrische roze lippen die helemaal niet bij zijn stoere ongeschoren gezicht en zijn sterke bovenlichaam pasten. Ze gaven hem iets zachts. Ik kon me goed voorstellen dat zijn vrouw op die mix verliefd was geworden. Ik vond hem zelf ook aantrekkelijk, misschien wel omdat ik de meeste mannen had leren kennen als ambigue, gespleten wezens. Ze hebben liefdesverdriet en zoeken troost bij een hoer die hun, in het positiefste geval, niet kan schelen. Ze naaien je voor geld en barsten midden in de daad opeens in tranen uit. Ze spuiten je mond vol en zeggen drie seconden later dat je goed voor jezelf moet zorgen, dat je je studie moet afmaken, een goede baan moet zoeken en met een aardige vent moet trouwen, iemand als zij.

'Bijna niemand vermoedt het,' zei ik. 'Je zou versteld staan als je wist hoeveel vrouwen het doen. Meer dan je denkt. Wat dacht je van het meisje bij de bakker, waar je elke ochtend je broodjes haalt? Of van die aardige, alleenstaande moeder die boven je woont en waar het elk weekend zo heerlijk naar zelfgebakken taart ruikt? De bijstand is niet meer wat het geweest is, hoor. En er is geen snellere manier om aan geld te komen dan...'

'Nee...' stamelde Jörg. 'Ik kan me niet voorstellen dat iedere vrouw zoiets zou doen. Mijn vrouw, of mijn zusje? Nee, die gaan nog liever dood.'

'Ik zou er maar niet zo zeker van zijn,' zei ik. 'Als je maag begint te knorren, vallen geestelijke bezwaren snel weg. Sneller dan je denkt. Verbazingwekkend snel. Voor mij was het ook een taboe. Ik kom uit een keurig, burgerlijk gezinnetje. Ze zouden een hartinfarct krijgen als ze het thuis wisten.' En ik dacht aan mijn oma die onder de kerstboom appeltjes voor me had geschild.

Jörg bekeek me nu met andere ogen. Een paar minuten geleden was ik nog een aardige medepassagier geweest met wie je gezellig kletsend de tijd kon doden. Nu zag ik wantrouwen, nieuwsgierigheid en medelijden in zijn blik.

'Weet je,' zei hij met onzekere stem, 'eigenlijk wilde ik nog wat slapen vannacht. Maar wat geeft het! Vertel me je verhaal.'

Ik keek naar de klok. Middernacht. Nog zeven uur tot Berlijn. Jörg bestelde de tweede fles prosecco. Hij luisterde naar me tot de trein Berlijn Centraal binnenreed.

1 EINDELIJK: BERLIJN

Ik kom uit een heel gewone burgerlijke Italiaanse familie en heb een redelijk beschermde jeugd gehad op een van de Liparische Eilanden bij Sicilië. Mijn vader had een klein hotel en mijn moeder werkte als bibliothecaresse.

Ik was nog maar net achttien toen mij dit wereldje te klein werd. Ik had het gevoel dat de liefde en zorg van mijn ouders me verstikten en ik verlangde naar vrijheid en avontuur, kortom, naar alles wat ik in de benauwdheid van mijn geboorteplaats niet kon krijgen. En van alle steden die in aanmerking kwamen voor een nieuw leven, leek Berlijn me het meest veelbelovend.

In de zomer van 2001 kwam ik met weinig bagage aan op het Berlijnse Bahnhof Zoo. De eerste weken in Berlijn bracht ik door in een soort trance. Ik was gefascineerd door de vreemde cultuur, de feestjes en de exotische mannen die ik in disco's ontmoette. Langer dan een nacht bleven die gelukkig nooit, want een vaste vriend was op dat moment het laatste waar ik opuit was. Het was de bedoeling na een jaar met mijn studie wiskunde te beginnen. Daarvóór wilde ik zo goed mogelijk Duits leren spreken. Dus kocht ik een woordenboek en zat ik elke avond als een bezetene woordjes te leren. Ik moest en zou die vreemde taal Duits ooit net zo goed beheersen als mijn moedertaal.

Ik had een goedkoop appartementje gehuurd in de niet bepaald chique wijk Moabit en slaagde erin met allerlei baantjes net het hoofd boven water te houden; in het begin vol enthousiasme, later steeds ongemotiveerder. Eerst werkte ik in een café in Charlottenburg, een keurige wijk in West-Berlijn, voor vijf euro per uur.

Daarna werd ik babysitter bij een familie in Grunewald, een van de rijkste buurten van Berlijn. De vijf kinderen waren luidruchtig en verwend. Hun moeder zat onder een witte parasol in de tuin verveeld in tijdschriften over gezonde voeding of het verzorgen van exotische planten te bladeren, terwijl ik het kroost moest zien te onderhouden met pedagogisch verantwoorde spelletjes en opvoedkundige verhalen. Daar waren de vijf koters niet echt voor te porren. Ze zaten liever voor de tv snoep en chips naar binnen te werken in plaats van biologisch geteelde appels en ze gooiden het porselein aan gruzelementen. Na een paar kritische opmerkingen van de moeder over mijn gebrek aan enthousiasme, gaf ik ook dit baantje op en ging ik weer in een kroeg werken, deze keer in de wijk Wilmersdorf.

's Avonds ging ik meestal dansen. Er waren genoeg clubs in de stad. Op een van die discoavonden stond ik, gekleed in een rood T-shirt, een leren broek en met mijn haar los, weer eens in gedachten verzonken wat rondjes om mezelf heen te draaien, toen er opeens een jongen voor me stond met twee glazen Campari Orange. Hij was nauwelijks groter dan ik en hij droeg een uitgerekt legersweatshirt met capuchon, baggy pants en veel te grote kistjes. Zijn gezicht was smal en zacht. Alleen zijn ogen stonden helder, alert bijna. Kattenogen, was het eerste wat ik dacht: blauw en opdringerig als schel licht dat na een nacht dansen plotseling in je ogen wordt geschenen. Hij duwde een net op me af dansende biker opzij en kuste me. Dat vond ik meteen zo sexy dat ik het liet gebeuren. Zijn tong smaakte zoetig en zijn adem rook aangenaam naar alcohol. Vier weken geleden waren kamikazepiloten twee wolkenkrabbers in New York binnen gevlogen. De wereldeconomie stond op instorten, de werkloosheid steeg drastisch en ik stond hier zorgeloos te dansen en te zoenen met een volslagen vreemde jongen. Ik voelde me zo licht als een veertje door mijn sterk stijgende alcoholpercentage.

'Verwacht niet te veel van hem,' fluisterde een meegekomen collega me half serieus toe terwijl we aan de bar champagne zaten te drinken. 'Hij is een Pools straatkind. Oké voor de seks, maar word niet verliefd op hem.'

'Ach, onzin,' zei ik, een beetje vermoeid door al haar goedbedoelde adviezen. Ik ging bij het kleine mannetje op schoot zitten en we knuffelden tot sluitingstijd, vroeg in de ochtend.

De rit naar mijn appartementje leek eeuwig te duren. Ik keek naar de kerktorens die in rode wolken verdwenen en naar leuke vaders die om die tijd al op weg waren om verse broodjes voor het zondagse ontbijt te halen. Mijn begeleider zweeg. Zijn ogen zagen er nu anders uit: melancholiek, bijna koud. Hij keek me strak aan, alsof ik de enige mens op deze wereld was die hij kon vertrouwen. Hij leek me anders dan mijn vroegere minnaars. De meeste mannen vertellen meteen wat ze allemaal voor geweldigs doen in het dagelijks leven en overdrijven daar ook nog bij. Maar de jongen naast me vertelde me nog niet eens hoe hij heette. Dat wist ik ook nog niet toen we met elkaar naar bed gingen bij mij thuis en ik voor het eerst sinds ik in Berlijn was zoiets als geluk door mijn aderen voelde stromen.

Ik werd wakker van de zonnestralen die door de stoffige blauwe gordijnen in mijn gezicht schenen. Ik was meteen zenuwachtig. Zou hij opstaan en weggaan zonder iets te zeggen? Of zou hij stomme smoesjes verzinnen? Ik hoopte dat hij zich snel zou aankleden en uit mijn leven verdwijnen zonder smoesjes te verzinnen. Ik had zo'n hekel aan dat domme *morning after*-gezwets. Alsof ik de avond ervoor niet had geweten dat het alleen om seks ging.

Hij stond in de keuken met zijn blote voeten op de gele tegels koffie te zetten. Zijn haar zat nog in de war.

'Ik dacht, misschien heb je wel zin om met me mee te gaan naar de kermis,' zei hij, terwijl hij een koekenpan met boter insmeerde. 'Ik heb afgesproken met een vriend.'

Even dacht ik dat ik het niet goed had verstaan. Het bleef even stil, afgezien van het sissen van de boter en het op een oude locomotief lijkende puffen van mijn koffiezetapparaat.

'Moet je niet naar huis?'

'Hoezo? Ik heb er niet echt zin in. Ik wil liever met jou ergens heen.'

'Hoe heet je eigenlijk?' vroeg ik.

Hij keek me vermoeid en gelukkig tegelijk aan. 'Ik heet Ladislav, Ladja voor jou.'

We wandelden hand in hand door de bladeren in pretpark Länterwald. Ladja keek me van opzij verliefd aan. De lucht rook warm en zoet, het was een heerlijke herfstdag. Iedereen wilde kennelijk genieten van de laatste warme zonnestralen, want het park wemelde van de mensen. Overal gezinnetjes met ongeduldig op en neer springende kinderen die stonden te wachten bij worstkraampjes, of bij het reuzenrad, of om op de foto te mogen met een clown.

Bij de ingang van het park hadden we de man ontmoet met wie Ladja had afgesproken. Ik schatte hem in de dertig. Hij had stijl, dat zag je meteen. Hij droeg een smalle zonnebril, een witte polo en witte gympen. Het verschil met Ladja, nog moe van de lange nacht, was groot. Vergeleken met de man zag Ladja er haveloos uit. Ik vroeg me af wat die twee verbond.

Ladja's kennis betaalde de entree voor het park. 'Dat doet hij altijd als we samen op pad zijn,' fluisterde Ladja me in het oor.

Ik dacht dat het misschien een sympathieke Berlijnse gewoonte was. Wie geld heeft, betaalt voor zijn vrienden. De volgende keer zouden Ladja en ik hem op een biertje trakteren, nam ik me voor. Prima regeling eigenlijk.

'Hier zijn mijn spullen,' zei Ladja toen hij de volgende dag op de stoep stond en deed alsof het volkomen normaal was dat hij bij me introk. In zijn rugzak zaten een paar sokken, een T-shirt van de Loveparade 2001, een walkman zonder batterijen en een schroevendraaier.

'Ik heb nog meer, hoor,' zei hij bijna verontschuldigend. Zelf had ik ook niet veel uit Italië meegenomen. Toch zagen al mijn kleren die over de vloer verspreid lagen er vergeleken bij zijn schamele spullen uit als pure rijkdom. Je koopt en verzamelt voor de eeuwigheid en dan sterf je en komen je spullen bij het Leger des Heils of op de zolder van het een of andere kleinkind terecht. Daarom was mijn motto altijd geweest: licht reizen. Toch had ik geen afscheid kunnen nemen van mijn boeken, waaronder de geschriften van Karl Marx, *Die Leiden des jungen Werther*, *Le Petit Prince*, *Jonathan Livingstone Seagull* en de drie delen *Hogere wiskunde*.

Ladja las niet, ontdekte ik al snel. Lezen verveelde hem. Hij kocht ook nooit een krant en hij had geen enkele politieke mening. Hij leefde er maar wat op los. Dat kende ik zo niet, maar zijn levensstijl had iets ongebondens en dat vond ik wel mooi. Hij vertelde dat hij een paar jaar geleden een zomer lang door Polen was gelift. Als hij geld nodig had gehad, had hij autoramen gewassen. Bij de toeristen hadden zijn kinderlijke gezicht en zijn beleefde manier van doen het goed gedaan. Hij was nooit langer dan drie dagen in een stad gebleven en zodra het saai werd, was hij naar de volgende plaats getrokken. Ik stelde me hem voor: de wind in het haar, de nachten in het bos onder de sterrenhemel, eigen baas, geen binding, zo vrij als een vogel... Ik bewonderde en benijdde hem hierom.

Ladja woonde nu bij mij. Officieel hadden we dat nooit besloten, maar hij nam zijn rugzak gewoon nooit meer mee als hij het huis verliet. Wat hij precies deed de hele dag wist ik niet. Als ik hem ernaar vroeg, kreeg ik vage antwoorden als: 'Ik heb met wat mensen afgesproken.' Ik wist niet precies of ik nou blij moest zijn met mijn nieuwe relatie of niet, want ik was eigenlijk naar Berlijn gegaan om onafhankelijk en mogelijk ook ongebonden te zijn.

Op de koude herfstnamiddagen die nu kwamen wandelden we vaak langs de Kurfürstendamm. Op weg naar huis kregen we het koud en dan kookten we samen goulash, of aardappelsoep. En stukje bij beetje ontstond er ergens tussen mijn maag en mijn hoofd, ongemerkt en stilletjes, een vreemd gevoel van volkomenheid.

Met Ladja blowde ik voor het eerst van mijn leven. We zaten op de vensterbank in mijn kamer en keken naar de sterren. Dat had ik niet meer gedaan sinds mijn vertrek van het zwarte vulkaaneiland in de Middellandse Zee dat mijn thuis was. In Berlijn keek ik alleen nog maar naar de hemel als het regende of als er een vliegtuig wel heel lawaaiig overvloog.

Na een paar trekjes werd ik duizelig en ongelooflijk moe. Ik bedacht dat mijn leven altijd een warrige kluwen gedachten, theorieën en ideeën was geweest en dat alles nu in rook opging. Alles was weg en het enige wat bleef waren de stilte van de winternacht en Ladja's kattenogen.

'Je leert het nog wel, Sonia,' zei Ladja. 'Blowen is net als seks. Het duurt even voor je ervan kunt genieten.'

De dagelijkse joint werd ons gezamenlijke avondritueel. Af en toe zaten we ook bij Ladja's beste vriend Tomas. Hij had een zonovergoten tweekamerwoning in Charlottenburg, met zorgvuldig uitgezochte meubels en een professioneel soundsysteem. In zo'n woning zou je de manager van een Aziatisch bedrijf verwachten en niet een Pool zonder verblijfsvergunning. Tomas werkte twee keer in de week in een kroeg en verdiende er veel geld, zei Ladja. En hoewel ik het een vreemd verhaal vond, stelde ik geen vragen.

Tomas was het tegendeel van Ladja. Hij was open, goed gebekt en hij had altijd een stralend humeur. En hij was gefixeerd op vrouwen. Hij had ontelbare ex-vriendinnen, onder wie een rijke hoteleigenaresse die hem zelfs een aanzoek had gedaan. Het ging mis doordat Tomas in de disco iemand anders had leren kennen.

'Als ik met d'r getrouwd was, had ik nu een dikke Mercedes onder mijn reet en een tweede huis op Rügen. Maar zal ik je eens iets vertellen? Zonder liefde is het leven droevig, een feestje zonder muziek,' zei hij op een zondagnamiddag bij koffie en taart, nadat we de hele nacht hadden geclubd. We gingen bijna elk weekend naar Tresor of naar SO36. Daar was de muziek het vetst: techno, trance en house.

Ik werkte nog steeds in mijn kroeg in Wilmersdorf, maar echt enthousiast was ik niet. Als ik om vijf uur 's middags klaar was, stond Ladja meestal al op me te wachten. Hij kwam vaak een halfuur vroeger om een kop koffie met mijn Italiaanse baas te drinken. Pino was ongeveer vijftig, deed of hij veertig was, woonde al dertig jaar in Berlijn en had drie zwaktes: sportauto's, Braziliaanse vrouwen en cocaïne. In mij zag hij een soort nichtje, een lief meisje zonder familie in de grote stad over wie hij zich moest ontfermen.

'Eigenlijk is het shit waar je mee bezig bent, meisje. Als ik je vader was kreeg je om je oren. Je bent nog zo jong en dan met die asociaal...' zei hij op een dag tegen me terwijl ik net het bestek stond af te drogen. Omdat ik niet reageerde, deed hij er nog een schepje bovenop. 'Waar denk je dat die Ladja zijn geld mee verdient? Iedereen weet dat hij een schandknaap is. Of denk je dat hij een normaal baantje heeft?'

Ik stond midden in het café en kon geen woord uitbrengen. Ik kon Ladja niet verdedigen omdat ik echt niet wist wat hij de hele dag uitspookte. Ik rende zonder een woord te zeggen naar buiten en ademde de koele, natte novemberlucht in tot mijn longen nog meer pijn deden dan mijn hart. Zeg dat het niet waar is, dacht ik, alsjeblieft. We kenden elkaar nu zes weken en ik had misschien wel iets vermoed, maar ik had er niet verder over na willen denken.

Die avond kwam Ladja niet en ook de dag erna niet. Ik had geen idee waar hij zat en ik had ook geen telefoonnummer. Ik zat bij het raam en zag hoe in de andere flats de lichten aangingen. Ik stelde me voor hoe de gezinnetjes aan tafel zaten te eten en te kletsen over wat ze die dag hadden beleefd. En ik was alleen. De vrijheid die twee maanden geleden nog zo fijn was geweest, deed nu alleen nog maar pijn. Ik dacht aan Ladja, die in de koude nacht over straat zwierf en de weg naar huis niet vond. Was er misschien iets met hem gebeurd?

Ladja bleef een paar dagen weg. Ik ging elke ochtend gewoon werken, keek voortdurend op het display van mijn mobieltje en moest de hele tijd van mijn collega's dingen aanhoren als: 'Je hebt beter verdiend,' of: 'Zet er een punt achter, dan kom je er wel overheen.'

Ik ging bij Tomas langs om te vragen of hij wist waar Ladja was. De muziek stond keihard aan, het rook zoetig naar wiet en twee onbekende meisjes zaten halfnaakt op de bank te lachen. Ik vroeg hem naar Ladja, maar Tomas haalde zijn schouders op alsof ik het over een wildvreemde had.

Een week later ging op een ijzige donderdagavond de bel. Ladja stond voor de deur. Met bloemen. Hij kuste me verlegen op mijn wang. Hij had een nieuw blauw pilotenjack aan en hij rook naar straat en regen, naar natte hond.

Ik smeet de rozen op de grond en marcheerde naar mijn kamer. Het laatste wat ik wilde was een kitscherige scène. Maar toen Ladja me aankeek, biggelden de warme tranen over mijn wangen.

Ladja kwam niet met excuses. Misschien gooide ik hem er daarom wel niet uit. Het was zoals het altijd zou gaan als ik ruzie met hem had. Ik wist dat ik het niet met hem uit kon of wilde maken, hij moest gewoon alleen niet meer weggaan. Die nacht voelde ik voor het eerst heel duidelijk iets wat ik niet kende, maar waarvan ik wist dat ik mijn energie verspilde als ik ertegenin ging.

De volgende ochtend, op weg naar de trein, vertelde Ladja voor het eerst iets over zijn verleden. Zijn vader was timmerman, zijn moeder kokkin. Hij had een oudere broer met een eigen gezin, en een zusje dat jonger was dan hij. 'Als het weer beter wordt, kunnen we wel een keer naar Polen gaan. We hebben een klein tuinhuis waar je kunt barbecueën en naar de zwaluwen kijken. Hoe ze hun nest bouwen.'

Ik luisterde nauwelijks. In mijn oren klonk de hele tijd: denk je dat hij normaal werkt voor z'n geld? Ik moest het gewoon vragen.

'Ben jij een schandknaap?'

Ladja bleef staan en keek me aan. 'Pino heeft iets gezegd. Klopt het?'

Ik ging steeds harder praten. Een paar mensen op straat draaiden zich al naar ons om.

Ladja pakte me bij de schouders en duwde me tegen een muur. 'Ja, ik ben een schandknaap,' siste hij. Zijn keiharde blik doorboorde me. 'Maar alleen vanwege het geld. Ik heb geen andere keus.'

Mijn hoofd barstte zowat uit elkaar. Ik kreeg bijna geen lucht meer. Het ergste was dat ik me bij het begrip prostitutie alleen maar vreselijke dingen kon voorstellen. Ik zag Ladja voor me, hoe hij op het station oude, lelijke mannen aansprak om daarna met ze naar een goedkoop pensionnetje te gaan. Wat ze dan met hem deden, daar wilde ik al helemaal niet aan denken.

We waren op een parkbankje gaan zitten en ik staarde naar een huis aan de overkant, waar in grote rode letters tussen twee ramen gekalkt stond: FUCK THE USA.

Mijn maag was van streek en de geur van gegrild vlees die uit een Turkse kebabtent gewaaid kwam, maakte het nog erger.

We stapten samen in de trein richting westen. Bij station Zoologischer Garten stapte Ladja uit. Hij nam afscheid en dook onder in zijn wereld die ik nu heel eng vond. Over tien maanden begon het eerste semester. Ik was naar Berlijn gegaan om een normale studente te worden en nu was ik de vriendin van een Poolse schandknaap.

Wat ik me op dat moment nog niet kon voorstellen, was dat ik zelf ooit in zo'n milieu terecht zou komen en hoe klein de stap, of beter gezegd, hoe klein de stapjes waren om van een ambitieuze studente een hoer te maken.

2 SEKS-CHAT

Ik ben niet als hoer geboren. Het is ook nooit mijn droom geweest om hoer te worden. En dat geldt voor alle vrouwen die ik ken, die als hoer werken of hebben gewerkt.

Toen ik destijds nieuw was in Berlijn en tot over mijn oren verliefd op Ladja, had ik niet gedacht dat ik ooit voor geld met mannen naar bed zou gaan. Het feit dat mijn eigen vriend schandknaap was, maakte me al gek. Ik zette hem zelfs voor het blok: zijn werk of ik. Hij koos voor mij en toen was ik het die niet veel later mijn lichaam voor geld aanbood.

Prostitutie? Tot ik twintig was, zei het me niets. Als we vroeger naar de stad gingen, zag ik de hoeren wel die bij het station stonden te lonken, half afkeurend en half onverschillig bekeken door de voorbijgangers. Of juist geil, want de meeste klanten kwamen tenslotte uit de keurige huisjes bij ons uit de buurt. Thuis hadden we het er eigenlijk nooit over. Heel af en toe viel er misschien een denigrerende opmerking, meer niet.

Ik vond de hoeren, die ik alleen van een afstandje mocht bekijken, merkwaardige maar ook opwindende wezens. Met hun lange haar, de laarzen tot boven de knie – véél been – en hun roodgekleurde lippen zagen ze er heel anders uit dan de moeders uit onze buurt. Pas toen ik ouder werd, zag ik de vermoeide en eenzame gezichten die me deden vermoeden dat ze misschien toch niet zo ongenaakbaar en cool waren als ik als kind had gedacht.

Natuurlijk zou ik er nooit eentje hebben aangesproken. Er werd gezegd dat ze drugsverslaafden waren, of slachtoffers van mensensmokkelaars uit Oost-Europa en Afrika die voor gewelddadige pooiers moesten werken. Alleen de travestieten vonden mijn vrienden en ik grappig. We reden er graag op een brommertje langs en dan riepen we door het half openstaande autoraampje tegen de hoerenlopers: 'Dat gaan we je vrouw vertellen!'

Toen ik net in Berlijn was, was ik nog net zo naïef als in Italië. Tot ik Ladja leerde kennen. Toch was ik er aanvankelijk van overtuigd dat ik nooit hoer zou kunnen zijn. Je kon toch ook van een normaal baantje rondkomen?

Dat was precies wat Ladja en ik in het begin van onze relatie probeerden. Samen met Tomas kregen we een baantje in een discotheek in Prenzlauer Berg. De twee jongens hadden geen verblijfsvergunning, dus waren ze bereid voor een hongerloontje het smerige werk te doen dat niemand anders wilde doen. In dit geval betekende dat kratten sjouwen, koelkasten bijvullen en flesjes van de dansvloer opvegen. Ik was toiletjuffrouw. Het betaalde slecht, maar de fooien waren zo goed dat Ladja en ik ervan konden leven. We hadden een hoop plezier, jatten champagne uit het magazijn en dronken die stiekem op het toilet. 's Morgens tussen negen en tien uur ontbeten we samen met het team van de club en dan reden we halfdronken naar huis, waarbij we meestal al in de trein in slaap vielen.

Op een gegeven moment weigerde de baas, een dikke kaalgeschoren biker, ons uit te betalen. Hem aangeven bij de politie kon niet, want Ladja en Tomas hadden geen verblijfsvergunning. Zeuren en drammen was te gevaarlijk, want de eigenaar woog meer dan honderd kilo en hij had een paar vriendjes die ons zonder pardon uit de weg zouden hebben geruimd en in de Spree gegooid; in elk geval dachten we dat. Dus reden we gewoon naar huis. Ladja huilde van woede en ook Tomas jankte, want hij had het geld aan zijn vriendin beloofd om de gas-en-lichtrekening van te betalen.

Toen ik nog twee euro rijk was, belde ik mijn vader. Ik legde hem uit dat het om een noodgeval ging. Hij stuurde me honderd euro, maar die waren al snel op. En ik durfde hem niet nog een keer te bellen, want ik wist dat het niet zo goed ging met ons kleine familiehotel. Mijn moeder kon ik ook niet om hulp vragen. Zij betaalde met haar karige salaris als bibliothecaresse de schulden van de familie af.

Ik wilde mijn ouders niet tot last zijn. Het was mijn eigen beslissing geweest om in Duitsland te gaan studeren. Een studiebeurs aanvragen kon ik als buitenlandse ook niet. Dus zat er niets anders op dan zelf maar zien rond te komen.

En zo zaten Ladja en ik in onze woonkamer, zonder geld. We aten pasta met tomatensaus uit blik die je voor zestig cent bij de discounter kreeg en draaiden sjekkies van goedkope tabak. Naar de dierentuin of naar het zwembad? Een wensdroom.

Ik was al een jaar in Berlijn toen ik op RTL2 een reportage over webcamgirls zag, meisjes die voor een webcam uit de kleren gaan als ervoor wordt betaald. In de reportage werd vrolijk gebabbeld over hoe het werk was en hoeveel geld je ermee kon verdienen. Het leek allemaal heel onschuldig.

'Wat zou je ervan vinden als ik zoiets deed?' vroeg ik aan Ladja. Ik dacht op dat moment alleen maar aan snel geld.

Ladja haalde zijn schouders op.

'Zo erg is het niet. Niemand raakt je aan en het is totaal anoniem,' voegde ik eraan toe.

Omdat Ladja niet echt antwoord gaf, vond ik dat ik de volgende dag met een goed geweten een krant kon kopen om te kijken of er misschien webcamgirls werden gezocht. Ik zag meteen iets, een bedrijf dat adverteerde met 'licht erotische internetwerkzaamheden'. Ik haalde diep adem en toetste het aangegeven telefoonnummer in. Aan de andere kant van de lijn nam een vriendelijke man op. Mijn stem trilde een beetje in het begin, maar de man aan de telefoon deed net of het om een heel normale baan ging. Hij zei ook dat het helemaal niet uitmaakte als ik zo'n baantje nog nooit eerder had gehad. Dus maakten we een afspraak voor de volgende dag. Dan zou hij me precies uitleggen wat de bedoeling was.

Het afgesproken adres was een ontzettend eind weg. Ik was wel een uur met de bus onderweg om in het dorp buiten de stadsgrenzen van Berlijn te komen. Ik stapte uit en dwaalde door de keurige straatjes met rijtjeshuizen waarvan de bewoners zich achter witte vitrage verscholen. Eerst dacht ik dat ik verkeerd was uitgestapt, maar opeens stond ik voor het juiste adres.

Een grote blonde man deed de deur open. Hij zei dat hij Thorsten heette en hij bood me limonade aan. De hitte was moordend. We gingen op een witte leren bank in een woonkamer met zwarte meubelen en pastelgroen geschilderde muren zitten.

Er kwam nog een man bij. Hij heette Andreas en was de zakenpartner van Thorsten. Meteen aan het begin van het gesprek legde hij ongevraagd uit hoe het kwam dat hij een donkere huid had, iets wat in deze omgeving nogal ongewoon is. Andreas was in Peru geboren en als kind door een Duits echtpaar geadopteerd. Hij was opgegroeid in Oost-Berlijn. Het baantje dat ze aan te bieden hadden was in principe heel eenvoudig. Je moest in je nakie met mannen chatten. Sommige vrouwen gebruikten ook een dildo en 'verwenden' zichzelf voor de camera, maar dat hoefde niet als je het niet wilde. Je kon je dienst vrij kiezen: 's ochtends, 's middags of 's nachts en het uurloon was tien euro. Je kreeg je salaris elke maand op de tiende uitbetaald.

Ik vond de voorwaarden heel redelijk en ging akkoord. Andreas kletste daarna nog een uur over zijn lievelingsonderwerp: de ontwikkeling van een klein porno-imperium in de Brandenburgse pampa. Zakelijk partner Thorsten zat er de hele tijd bij te knikken en de ene sigaret na de andere te roken.

Aan het eind van ons gesprek stelde Andreas me nog een paar vragen. Dat ik in oktober met mijn studie wiskunde wilde beginnen, vond hij geweldig. Hij had zelf ooit rechten gestudeerd, maar hij was er na twee jaar mee gestopt omdat hij te lui was geweest om naar college te gaan. Ik glimlachte. Dat zou mij niet gebeuren, daar was ik veel te ambitieus voor. Dat wist ik zeker.

De volgende dag stond ik keurig op de afgesproken tijd voor het rijtjeshuis met de rozenperkjes om mijn eerste middagdienst als internetstripper te beginnen. Als werkkleding had ik gekozen voor een best wel sexy – vond ik – geel badpak met franjes.

Er zat al een spichtig meisje met zwarte krullen en kleine ronde borsten op de futon. De kamer was misschien acht vierkante meter groot en behalve het bed stonden er alleen nog wat metalen stellages waar om de een of andere reden kookboeken in stonden. De positie van de vrouw is in dit huishouden duidelijk, dacht ik. Niet dat ik het ermee eens was, maar voor geld was ik best bereid de rol van de wanhopig geile huisvrouw te spelen.

Het meisje zei dat ze Jeanette heette en dat ze al elf maanden voor Andy en Thorsten werkte. 'Het zijn aardige kerels,' zei ze, 'en ze betalen altijd op tijd.'

Een bezoeker logde in. Jeanette bracht zich voor de naast de monitor staande webcam in positie, trok haar zwarte tanga uit en begon met haar hand haar geschoren poesje te strelen. Ze kreunde erbij hoewel het voicekanaal helemaal niet openstond. Ik wist dat ze simuleerde, want geen enkele vrouw raakt in haar eentje en dan ook nog op commando binnen twee seconden zo opgewonden. Maar de gast vond de show kennelijk geil. Hij schreef: JE MAAKT ME HELEMAAL WILD! GA DOOR, GEILE SLOERIE, MIJN PAAL STAAT AL. Na drie minuten was hij weg en kon Jeanette zich weer aankleden.

'De meesten blijven maar even. Ze willen een tepel zien, of je poesje en daar trekken ze zich bij af. Er zijn er ook die willen dat je voor de camera pist of dat je je hele vuist erin stopt, maar dat hoef je niet te doen als je dat niet wilt.'

Na tien minuten moest Jeanette ervandoor. Ze had een klein kind thuis en haar man werkte ook. Toen ze opstond, zag ik dat haar rug helemaal getatoeëerd was: een zeemeermin met een zwaard in de hand.

'Uit mijn wilde jaren,' zei ze. Ik vond het geruststellend dat ze haar leven als internetstripper minder wild vond.

Ik bleef alleen achter, maakte het me op het hartvormige kussen gemakkelijk en concentreerde me. Ik zweette van de zenuwen en probeerde me voor te stellen wat voor mannen ik in de chat zou ontmoeten. Gelukkig zag ik ze niet. Dat ze mij zagen vond ik al eng genoeg. Ik had ingelogd als Mascha. Geen enkele camhoer gebruikt haar echte naam. Na drie minuten had ik mijn eerste bezoeker. Hij noemde zich Bird en hij wilde me alleen maar naakt zien. Ik kleedde me langzaam uit en probeerde zo sexy mogelijk over te komen terwijl mijn vingers over het toetsenbord vlogen. Je uitkleden, typen en tegelijkertijd voor de camera bewegen was een echte kunst, ontdekte ik. Ik voelde me vreselijk onhandig. Ik schreef dingen als: JA IK WIL JOU OOK EN IK BEN OOK GEIL EN NAT.

Na ongeveer twee minuten logde Bird uit. Dat was een doorsneetijd bij de meeste chats, ontdekte ik al snel.

Een paar uur en ettelijke klanten later wist ik hoe het werkte. De meesten waren al tevreden met een paar vieze woordjes. Er waren er ook een paar bij die mijn adres en mijn telefoonnummer wilden. Of ze vroegen om een ontmoeting, maar dat was natuurlijk streng verboden en ik was sowieso niet van plan me met zo'n type in te laten.

Gelukkig belde er die eerste dag niemand op. Telefoonseks werd bij ons ook aangeboden, maar dat was natuurlijk veel duurder dan een chat. Een chat begon altijd op dezelfde manier: LAAT ME JE TIE-

TEN ZIEN, SPEEL EENS MET JE POESJE, LAAT ME JE KONT ZIEN en als je dat had gedaan, waren ze alweer weg. Sommige chatters schreven aan het eind nog een aardig afscheid: DANK JE, IK HAD EEN GEIL ORGASME, maar veel mannen logden uit zonder iets te zeggen. In principe was het saaier dan een kantoorbaan. Je zat daar maar in je eentje in die kamer en als er geen klanten waren, moest je de tijd doden. Ik rookte als een schoorsteen, las meegenomen boeken of achtergelaten tijdschriften en snoepte smarties. Op een gegeven moment kende ik alle roddelbladen uit mijn hoofd en icq'de ik steeds vaker met Andreas, mijn baas, die zich in zijn kantoor, één etage onder mij, ook zat te vervelen. Ons bijna enige onderwerp was seks, in elk geval eindigde het daar meestal mee.

Op een avond was er weer eens niets te doen en biechtte Andreas me al zijn slippertjes van de afgelopen vijftien jaar huwelijk op. Ik deed net of ik geschokt was.

DAT HAD IK NIET VAN JE GEDACHT, schreef ik.

HÉ, IK HEB VERDER GEEN SLECHTE GEWOONTEN, HOOR. IK DRINK NIET, GA NIET STAPPEN MET MIJN MAKKERS, IK GOK NIET. JEZUS, WAT MANKEERT JULLIE VROUWEN EIGENLIJK ALTIJD? IK BEN OOK MAAR EEN MENS! schreef Andreas terug.

GRAPJE! BEN ZELF OOK NIET BEPAALD MOEDER TERESA.

De donkere Andreas was eigenlijk de meest Duitse Duitser die ik kende. Hij kwam altijd super op tijd op kantoor, ruimde de hele tijd op en had nooit vooroordelen. Dat was zijn correcte kant. Zijn andere kant openbaarde hij me in de chats, bijvoorbeeld dat hij zijn vrouw twee jaar lang met haar nichtje had bedrogen. Omdat het begeerde familielid in een bouwmarkt bij Hellersdorf werkte, ontmoetten ze elkaar elke dag tijdens de lunchpauze in de auto om een potje te krikken tot ze weer aan het werk moesten. De zaak kwam aan het licht toen de man van de nicht haar op een dag wilde verrassen. Hij had een snipperdag genomen en een tafel in een Indisch restaurant om de hoek gereserveerd (in elk geval beweerde hij dat later). In plaats van een romantische lunch eindigde de pauze met twee kapotte autoraampjes, een blauw oog voor Andreas en twee bijna vernielde huwelijken.

LEUK FAMILIEVERHAAL, schreef ik.

Plotseling moest ik weer chatten, want er had iemand ingelogd: een oude bekende om precies te zijn. Hij noemde zich Horst en hij was een van mijn grootste fans. Horst was naar eigen zeggen halverwege de veertig, bloemist en hij bezat een appartement in Cottbus. Zijn geliefde en ongeëvenaarde vriendin had hem twee jaar geleden laten zitten voor een rijke aannemer en was ondergedoken in Brazilië. Ze had hem op een berg schulden laten zitten. Zijn enige troost waren een husky die hij Susi had genoemd, naar zijn ex, en zijn bijna dagelijkse bezoekjes aan onze chatsite.

IK ZIT VOOR DE COMPUTER, DRINK EEN GLAS JACK DANIELS ZONDER IJS, HOU MIJN PIK VAST EN WACHT TOT JE JE UITKLEEDT, LIEVE MASCHA, schreef hij.

Ik deed net alsof ik de hele avond al op hem had zitten wachten en gooide met een theatraal gebaar mijn bh en slipje weg. Meteen hing Horst op onze dure hotline aan de lijn. Mijn naakte aanblik deed hem zijn benarde financiële situatie kennelijk weer eens vergeten. Hij zei vaak dat hij mijn grote borsten en mijn zuidelijke accent zo opwindend vond.

'Hallo...'

Ik herkende zijn verlegen stem meteen. Het liefst zou ik in lachen zijn uitgebarsten. Dat deze arme kerel honderden euro's per jaar betaalde om een beetje naakte huid te zien en naar beledigingen aan de telefoon te luisteren, vond ik zielig. Hij wilde uitgescholden worden, daar smeekte hij om, en dat was niet zo makkelijk voor me want verder dan lul, hoerenzoon en stuk vuil kwam ik in het Duits niet. Maar hij was elke godvergeten avond weer van de partij, daar kon je je wekker op instellen. Terwijl we zaten te chatten of bellen, zat hij een potje te rukken en dan ging hij naar bed.

Op een dag vertelde ik mijn collega Sandra over Horst. Sandra was een voormalige supermarktmedewerkster. Ze woog tachtig kilo en had gigantische borsten die hun eigen leven leidden en voortdurend uit haar T-shirt sprongen.

'Ze worden steeds gekker,' zei ze. 'Voor een paar euro zouden we ons dit eigenlijk niet moeten aandoen.' Op samenzweerderige toon zei ze: 'Je bent nog jong, joh. Je kunt veel meer geld verdienen. Ik ben onlangs bij een escort gestopt. Tja, ik ben dan ook al bijna veertig. Gouden tijden waren dat... en met jouw uiterlijk... Geloof me, wat je hier verdient is een schijntje.'

Ik mocht Sandra wel, hoewel ik haar niet echt goed kende. Ze was geen giebelend meisje met roze gelakte nagels, zoals de meeste collega's, maar een vrouw die haar mannetje stond, heel direct. Toch vond ik haar voorstel om als prostituee te werken onbehoorlijk.

'Dat zou ik niet kunnen. Ik hou van mijn vriend en ik wil alleen seks met hem,' zei ik met alle hoogmoed die ik op kon brengen.

Sandra lachte meewarig. 'Je zult nog wel zien. Ik hoop dat het je nooit overkomt, maar ooit zit je in de shit en heb je geld nodig. En dan maakt het geen sodeflikker uit wat je doet. Ik ben al iets ouder. Ik moest twee kinderen opvoeden en mijn ex, de klootzak, liet me in de steek.'

Ik vergat Sandra's waarschuwende woorden al snel, want de volgende dag kreeg ik mijn eerste salaris als chatgirl uitbetaald: handje contantje. Zo veel honderdeurobiljetten had ik nog nooit in de hand gehad. Ik was dolgelukkig, zoende Andreas op zijn wang, wenste iedereen een fijne dag en ging meteen richting winkelcentrum. Ik kocht drie tassen vol kleren. Mijn eerste shoppen sinds een jaar. Dat ik het geld met mijn lichaam had verdiend, stoorde me niet. Het enige wat de mannen eigenlijk van me hadden was een beeld op een monitor.

Toen ik die avond naar huis kwam, zat Ladja op de computer raceautootje te spelen. Sinds ik het zo druk had, bracht hij de meeste tijd door in de rosse buurt aan het Nollendorfplein of met onze buurman Rudy. Dat was een Engelsman die de hele dag goedkoop bier uit de supermarkt dronk en op bed gitaar lag te spelen. Hij componeerde ook zelf liedjes, heavy metal meestal, en een paar daarvan waren helemaal niet slecht. Ze gingen over geweld, het straatleven en de uitzichtloosheid. Toch kwam zijn muziekcarrière niet van de grond, en andere dingen ook niet. Rudy had een alcoholprobleem.

Ladja, die ook nooit nee zei tegen een biertje, werd al snel stamgast bij Rudy thuis. En daar hadden we soms ruzie over. Ladja voelde zich alleen omdat ik zo zelden thuis was en ik was gefrustreerd omdat hij, als ik 's nachts thuiskwam, zo ver heen was dat er niet meer met hem te praten viel.

Maar die dag liep alles gesmeerd. Ik smeet mijn tas op de grond, trok mijn portemonnee en zwaaide met het geld.

Ladja zei eerst niks. Hij had er aanvankelijk moeite mee gehad dat ik me voor andere mannen uitkleedde. Maar hij meed het onderwerp, omdat hij zelf geen baan had en dus op het geld aangewezen was dat ik verdiende.

We aten bij de Chinees die zich op de begane grond bevond van het pand dat we bewoonden. Daarna gingen we naar een actiefilm in de bioscoop. Uiteindelijk belandden we in Schöneberg in de Rainbow, een kleine gezellige coffeeshop waar je kon kiezen uit twintig soorten thee. De ober kende Ladja nog uit de tijd dat hij net uit Polen was gekomen en nog geen woord Duits sprak.

'Je bent erg veranderd,' zei hij tegen Ladja en dat vatte ik op als compliment in mijn richting. Ik had inderdaad een ander mens van

Ladja gemaakt. Ik had hem leren kennen als broodmagere straatjongen die zonder papieren moest zien te overleven. Nu zag hij er – mede door de nieuwe kleren die hij van mij cadeau had gekregen – uit als een sympathieke, knappe jongeman die ergens in een kantoor werkte en na zijn werk met zijn vriendin op de bank televisie zat te kijken. Een beetje was dat ook wel zo, dacht ik die avond toen we samen naar huis reden. Ik was zo gelukkig als ik lang niet meer was geweest. Thuisgekomen stond ik te zingen onder de douche. Ik zeepte me helemaal in met een heerlijk naar kokosnoot en mango ruikend doucheschuim, tekende hartjes op de beslagen spiegel en bedreef de liefde met Ladja alsof het de eerste keer was.

Ik had nóg een reden voor een feestje: mijn eerste dag aan de universiteit stond voor de deur. Na een jaar Berlijn was mijn Duits goed genoeg geweest om te worden toegelaten. Ik had de taaltoets zonder problemen gehaald. Mij was al met de paplepel ingegoten dat een studie de enige manier was om verder te komen in het leven en dat je erg trots mocht zijn als je het tot een hogeschool schopte. Ik had ook het toelatingsexamen voor de studierichting wiskunde gehaald en als alles goed ging, zou ik binnen vijf jaar mijn studie hebben afgerond en een goede baan hebben. Ik droomde ervan hoe ik tijdens mijn studie samen met studiegenoten op het gras zou zitten leren, hoe we onder het genot van koffie en sigaretten samen aan projecten zouden werken en hoe leuk het zou zijn om samen met Ladja naar studentenfeestjes te gaan.

De eerste dag bleek al dat het er op de universiteit anders aan toeging dan ik had gedacht. Ladja ging nog met me mee naar het universitaire hoofdgebouw. Daar kreeg ik een kusje en wenste Ladja me veel geluk.

De introductie was al begonnen. In de overvolle zaal was geen vrije plek meer te vinden, dus zat er niets anders op dan met mijn rug tegen de muur aan te blijven staan. Voor in de zaal stond een grijsharige docent wat over internationaal opererende bedrijven en netwerken te bazelen, terwijl steeds meer mensen de draad kwijtraakten, wat zaten te dommelen of kletsen met hun buurman of -vrouw. Na een uur was de introductiebijeenkomst voorbij. In de foyer stonden mensen in groepjes koffie te drinken en in hun papieren te bladeren. Niemand zei iets tegen me. Ik voelde me een beetje verloren.

De weken daarna werd dit gevoel nog versterkt. De universiteit was een anonieme plek. Je zat tijdens colleges zelden twee keer naast dezelfde persoon en de meeste studiegenoten waren wars van communicatie, leek wel, of in elk geval gold dat kennelijk voor wiskundestudenten. Blijkbaar zijn wiskundestudenten mensen die op zaterdagavond zitten te leren, of voor hun computer zitten. De meesten waren best vriendelijk als je ze iets vroeg wat met de studie te maken had, maar op het persoonlijke vlak bleef het afzien. Als het al eens persoonlijk werd, bleek vaak dat men Berlijn helemaal niet kende omdat men de hele tijd op zijn kamer verstopt zat met de neus in vaktijdschriften.

Er was ook een groep burgermannetjes en -vrouwtjes uit beteren huize die je herkende aan hun symmetrische kapsels en hun geaffecteerde manier van doen. De afkeer was wederzijds. Ze merkten waarschijnlijk dat ik geen rijke ouders had en dat ik een in hun ogen onconventioneel leven leidde. Ik was er op mijn beurt van overtuigd dat ze geen idee hadden van het echte leven.

Ten slotte was er nog een grote groep buitenlandse studenten. Die waren al een stuk wijzer, maar zij hingen na de colleges het liefst rond met hun eigen landgenoten.

'Ik vind het hier allemaal heel deprimerend,' gaf een meisje uit mijn wiskundecollege toe toen we samen in de kantine zaten. Uiterlijk leken we nogal op elkaar: lang haar, knap gezicht, klein en dun. De eerste aangename persoon die je hier bent tegengekomen, dacht ik. Jule was vanwege haar studie van Braunschweig naar Berlijn verhuisd en kende bijna niemand in de stad. We gingen in het weekend soms samen uit. We waren allebei fan van indie-muziek en in de kroeg rondhangen en we hadden allebei in het begin problemen om onze studie op de rails te zetten. Ik had dus al snel een vriendin gevonden. Hoe het er bij mij thuis aan toeging durfde ik Jule op dat moment nog niet te vertellen, laat staan dat ik haar iets zei over mijn bijbaantje.

Toen ik op een dag thuiskwam van de universiteit was het eng stil in huis. Normaal hoorde ik de muziek buiten al. Binnen zaten Ladja en Tomas samen aan tafel te zwijgen. Tomas masseerde zijn slapen en staarde met een wezenloze blik in het niets. Uiterlijk leek hij nog altijd het goede oude feestbeest. Feestjes, cocaïne en meisjes, dat was zijn wereld. Maar als hij alleen was met Ladja en mij, had hij het vaak over thuis. In zijn geboortedorp aan de Wit-Russische grens hadden zijn ouders een huisje met een tuin. Het was nogal krakkemikkig, maar Tomas en zijn vader deden de meeste reparaties zelf. Ze repareerden het dak voor de winter en verfden de gevel in de zomer.

'Ik denk de laatste tijd vaak aan m'n pa die nu alleen de ladder op moet om het werk zonder mij te doen,' zei Tomas opeens. 'Ik was zijn enige hulp en ik ben 'm gesmeerd. Soms denk ik weleens dat het een rotstreek van me was. Ik zie mijn moeder voor me, hoe ze in de keuken zit en kruiswoordpuzzels doet... en hoe ze haar voorhoofd fronst als ze iets niet weet.'

'Misschien is het een teken?' probeerde ik heel voorzichtig. 'Wil je niet eens terug?'

'Toen ik hier kwam, kon niks me schelen. Ik was achttien en ik wilde gewoon leven,' ratelde Tomas door, zonder mij gehoord te hebben. 'Ik was een kleine jongen in de grote stad. Ik vond het net één groot pretpark. Ik heb de bloemetjes buitengezet, ben op straat terechtgekomen, heb dat gevierd met daklozen en met managers. Maar vorig jaar, toen ik vijfentwintig werd, brak er opeens iets in me. Die zogenaamde rijkelui zijn gewoon walgelijk. Ze denken dat ze aan je kont mogen friemelen, omdat ze je op een biertje hebben getrakteerd. En dan die zogenaamde vrienden die je in de disco omarmen en zoenen, maar die er nooit zijn als je ze echt nodig hebt...'

'Ik weet precies wat je bedoelt,' mompelde Ladja.

'Verdomme!' brulde Tomas. 'Ik heb gewoon een hekel aan mezelf! Ik heb geen papieren, geen baan, geen dak boven m'n hoofd en ik laat me aan mijn pik zuigen om te overleven! Wat is dat voor een shit, Sonia, leg me dat eens uit!' Tomas sloeg zo hard met zijn vuist op tafel dat de glazen wankelden.

Ik wist al een tijd dat Tomas ook schandknaap was geweest, net als Ladja, maar zo open hadden we het er nog nooit over gehad en zijn plotselinge eerlijkheid verbaasde me.

Ook ik was aan het twijfelen geslagen. Ik zat de hele ochtend op de universiteit, kwam 's middags heel even thuis om snel iets te eten, reed dan anderhalf uur dwars door de hele stad naar mijn werk en kwam toch nog te laat. Thorsten, die me niet zo graag mocht als Andreas, was daar de hele tijd kwaad over. Dat ik net met mijn studie was begonnen, interesseerde hem niet. Hij vond dat niet op tijd komen de zaken geen goed deed, omdat de klanten veel geld betaalden om meisjes te zien en als er niemand op het beeldscherm te zien was, klikten ze de site niet meer aan. Thorsten had sowieso een lage dunk van vrouwen. Hij vond ze overgevoelige en onbetrouwbare wezens die je hoogstens in bed kon gebruiken.

Op een dag kregen we vanwege zijn opvattingen dikke vette ruzie. Hij stond tegen me te schreeuwen. Dus trok ik mijn kleren weer aan en smeet ik de deur achter me dicht. Ik stond op het punt om naar huis te gaan, toen ik mezelf tot de orde riep. Als je nu vlucht, zei ik tegen mezelf, ben jij de zwakkeling. En dat wilde ik niet. Dus ging ik terug. Ik draaide mijn dienst, ging daarna naar het kantoortje en zei koeltjes: 'Overigens: ik neem ontslag.'

Het was betaaldag, dus nam ik de envelop met mijn maandsalaris meteen mee.

3 NEUKÖLLN: DE EERSTE KEER VOOR GELD

Het geld, vijfhonderd euro in totaal, was binnen tien dagen foetsie. Huur betaald, boodschappen gedaan, een keer een middag bij Rainbow rondgehangen, een trui en een paar sneakers en we waren blut. We hadden nog dertig euro voor ons tweeën en geen baan in zicht. Wanhopig zat ik in ons kleine appartement. Mijn hoofd tolde. Ik had alleen mijn lege portemonnee voor ogen en ik dacht aan alle leuke dingen die ik vanwege het gebrek aan poen niet kon doen. Geen vakantie met Ladja, geen disco, enzovoort, enzovoort. In de supermarkt kocht ik alleen de goedkoopste worst en het goedkoopste brood. En ik zocht naar aanbiedingen. Bij de worst en het vlees liep het water me in de mond, maar het meeste wat ik zag was onbetaalbaar.

Ik denk dat in die fase de laatste toch al zwakke weerstand brak. Voor geld was ik bereid bijna alles doen.

De meeste prostituees en gigolo's komen uit pure geldnood op het idee hun lichaam te verkopen. Voor velen van hen is dat geen gemakkelijke beslissing, maar de financiële misère gooit alle bezwaren overboord. Dag en nacht ploeteren om net het hoogstnodige te kunnen kopen was niet wat ik wilde. Ik dacht bij mezelf: je bent net twintig en in plaats van te genieten van je jonge jaren, heb je de godganse dag stress door dat rotgeld. Alles wat leuk is kun je niet betalen. Met een normaal baantje schiet het allemaal niks op.

Ik had al een tijdje een advertentie thuis liggen die ik had uitgeknipt. Toen Ladja er even niet was, haalde ik hem uit de la en las ik de veelbetekenende regels opnieuw: KNAPPE, SYMPATHIEKE VROUW ONDER 35 JAAR GEZOCHT VOOR EROTISCHE MASSAGES. ONGECOMPLICEERD TEAM. UITSTEKENDE VERGOEDING. DURF!

Durfde ik? Ik nam de tijd voordat ik de telefoon pakte. Ik speelde met de advertentie en draaide nog een smerig smakend sjekkie. Ik wist dat mijn lot afhing van dit telefoontje en dat er geen weg terug zou zijn. Als ik bij wat ik van plan was slechte ervaringen opdeed, zouden die me mijn leven lang begeleiden, daar was ik me van bewust.

Ik verzamelde al mijn moed, pakte mijn mobieltje en toetste langzaam het nummer in. Een vrouw met een diepe stem nam op. Ik zei dat ik Nancy heette. Net als bij mijn baantje als webcamstripper wilde ik ook hier niet mijn echte naam gebruiken. Nancy deed me denken aan een figuur uit een domme Amerikaanse serie die ik elke avond met Ladja keek over een jong meisje uit een rijk burgerlijk gezin dat langzaam maar zeker de grote boze wereld leert kennen.

Ik wist eerst even niet wat ik moest zeggen, maar gelukkig was de vrouw heel aardig. Ze legde me uit dat het ging om complete massages met een erotisch einde. Maar ze verzekerde me dat ik niet per se seks moest hebben met de klant. Ze gaf me het adres en we spraken de volgende dag iets af.

Die nacht sliep ik nauwelijks omdat ik me afvroeg wat er op me af zou komen. Ik zag vreemde lelijke mannen voor me die me aanraakten. Hield ik dat uit? Je voor de camera uitkleden was een ding, maar echte seks voor geld leek me bijna te erg. Bijna. Uiteindelijk bleef ik bij mijn beslissing dat ik het wilde uitproberen.

De volgende dag nam ik afscheid van de blowende en naar Metallica luisterende Ladja en zijn maat, met het excuus dat ik naar de universiteit moest.

Het adres bevond zich in Neukölln, een van de achterstandswijken van Berlijn. Het huis was een oud, gerestaureerd en onopvallend pand. Op een bordje stond EXTASE. Bij de ingang fietsen en een kinderwagen.

Ik durfde niet aan te bellen. Ik draaide me om, liep de straat weer op, haalde diep adem en rookte een sjekkie dat ik van de laatste tabakkruimels had gedraaid. 'Gevangenissigaretten' noemde Ladja dit soort peuken.

De verkoper van een tegenoverliggende kebabsnackbar observeerde grijnzend hoe ik nerveus het trottoir op en af liep. Ik weet niet of ik het me inbeeldde, maar ik had het gevoel dat hij precies wist waarom ik hier was. Tot nu toe heb je geluk gehad in het leven, dacht ik. Beschermde kinderjaren, moeder bibliothecaresse, vader hoteleigenaar, gymnasium en middagen met vrienden, punkmuziek en sigaretten aan het strand. Dat mijn ouders niet wisten dat ik rookte was lange tijd mijn grootste geheim geweest. Op dit moment kwamen al die momenten uit mijn jeugd voorbij alsof het gisteren was. Nu was ik twintig, anderhalf jaar geleden uit huis gegaan. Als je deze tent binnengaat zet je je hele verleden bij de vuilnis en verlaat je de weg die je tot nu toe zo keurig hebt uitgestippeld, zei ik tegen mezelf. Wil je dat echt? Ja, zei een stemmetje in me. Dat wil je. Je koelkast thuis is bijna leeg en je hebt geld nodig. Meteen was ik terug in de realiteit: in Neukölln voor de deur van een zogeheten massagesalon.

Ik belde aan. Het duurde even voor een blonde, slanke vrouw de deur opendeed. Ze liep op blote voeten en had als een Indische een doek waar olifanten op stonden afgebeeld om zich heen gewikkeld.

'Sorry voor het wachten, maar ik was bezig,' fluisterde ze en ze streek met haar hand door het haar. Achter haar zag ik een schaduw door een deur lopen.

De vrouw bracht me naar het einde van een lange gang. 'Dit is onze ontvangstkamer,' zei ze. Het bleek een gewone keuken te zijn met witte tegels. Op de planken stonden koffie- en suikerblikken. Op de achtergrond klonk newage-ontspanningsmuziek uit de cd-speler. Net een yogastudio, dacht ik. Misschien was deze branche wel veel leuker dan ik gedacht had. Maar toen viel mijn blik op een omvangrijke vrouw van begin veertig die aan tafel geld zat te tellen. Ze zei dat ze Nora heette en ze kneep krachtig in mijn hand terwijl ze me van top tot teen inspecteerde.

'Wat een schatje ben jij,' zei ze tevreden. 'Als je niet al te onhandig bent, kun je hier een hoop geld verdienen.'

Ze legde me uit wat de baan inhield. Bij een erotische massage is de man naakt, jij bent naakt en je masseert zijn lichaam en daarna zijn pik met olie, 'tot het einde'. Seks hoefde niet per se, maar sommige vrouwen boden het aan.

'Het is in principe jouw beslissing,' zei Nora zuchtend. 'Ik zou het neuken het liefst schrappen, maar het zijn andere tijden tegenwoordig. Vroeger kon je met handmassages nog wat verdienen, maar nu schieten de goedkope bordelen als paddenstoelen uit de grond. De concurrentie zit niet stil.' Verontwaardigd voegde ze eraan toe: 'Ik heb gehoord dat je het complete programma in Berlijn al voor twintig euro kunt krijgen. Ik weet niet welke vrouw zich laat neuken voor twintig pop. Daar doe ik niet aan mee!' Ze schudde haar hoofd.

De bel ging. De Indische vrouw stond op om de deur open te doen en stond even later met een opmonterende blik voor me. 'Zo, schatje, tijd voor je debuut.' Ze had een ongeveer knielange zwarte jurk met een diep decolleté en rode sandalen met hoge hakken in de hand. Ik vond het te vrouwelijk, bijna te sexy. Tot op dat moment had mijn leven uit katoenen onderbroeken en sportbeha's bestaan. [1]

'Laatste deur rechts aan het einde van de gang,' zei ze. 'De gast wacht al op je. Stamgast. Betaalt altijd veertig euro voor het korte programma. Onschuldig eigenlijk...'

Ze kletste nog door, maar ik hoorde het al niet meer. Ik probeerde me de man voor te stellen die op me wachtte voor een beetje plezier. Maar ik zag steeds Ladja voor me.

'Wat moet ik doen?' vroeg ik de vrouwen. 'Ik heb geen idee van massages.'

'Je kunt toch wel een kerel aftrekken, of niet?' zei Nora. 'Ga naar binnen, pak eerst je geld en doe dan je service. Tien minuten, langer niet.' Dat waren kennelijk de regels. 'En nu, hup! Schiet op! Je wilt hem toch niet laten wachten!'

Ik liep naar het einde van de gang, weifelde even voor de deur en ging toen naar binnen.

In de kamer was het veel donkerder dan op de gang. Mijn ogen moesten eerst even aan de plotselinge duisternis wennen. Ik kon een bed met rode lakens herkennen en het rode, hartvormige kussen dat ik ook al was tegengekomen bij mijn vorige baan. De fluwelen gordijnen en de vloerbedekking waren ook rood. Op een kleine commode stonden een blauwe vaas met plastic bloemen en een ouderwetse lamp. Aan de muren hingen abstracte schilderijen die me deden denken aan de Kandinsky's die ik ooit tijdens een schoolreisje had gezien.

De man lag niet op het bed, zoals ik had verwacht. Hij zat naakt op een stoel. Hij was ongeveer halverwege de dertig, had donker haar en kleine ogen die me begerig aankeken. Hij zag eruit als een van de kerels die op straat weleens met me begonnen te flirten. Daar maakte ik altijd meteen korte metten mee. Zijn hele manier van doen was slijmerig en hij rook erg naar zweet. Toen ik binnenkwam zat hij zich al af te trekken. Het geld lag op een klein glazen tafeltje naast het bed. Ik stopte het in mijn bh want ik had mijn portemonnee in de keuken laten liggen en er zaten geen zakken in mijn jurkje.

Ik liep langzaam op de man af en hoopte dat hij de paniek in mijn ogen niet zag. Ik staarde naar de posters en deed zo losjes mogelijk.

'Hoi Nancy,' steunde hij. 'Ga jij me straf geven? Ik ben heel stout geweest.'

Die sm-spelletjes kende ik al van de seks-chat, maar live was het natuurlijk wel iets anders. Toen ik hem voor het eerst aanraakte, moest ik heel even mijn ogen sluiten. Toen ik ze weer opendeed, zocht ik iets waar ik naar kon kijken. Het werd de lamp op de commode. Ik dacht nog niet eens aan Ladja. Mijn hoofd was helemaal leeg. Ik probeerde me te concentreren op wat ik moest doen, want ik wilde geen fouten maken. Ondertussen hoopte ik dat de tijd snel om zou gaan.

Ik moest hete was op zijn borst druppelen. Daar gebruikte ik een theelichtje voor. Daarna wilde hij dat ik met mijn ene hand hard tegen zijn ballen sloeg en met de andere in zijn tepels kneep. Hij moest het me meermaals vragen, want ik was bang dat ik hem pijn zou doen. Mensen mishandelen was definitief niet mijn ding, in elk geval niet in het begin van mijn carrière als hoer. Ik was er gewoon te goedmoedig voor. Maar uiteindelijk gaf ik toe en deed ik hem het plezier.

Terwijl ik hem mishandelde bleef hij zich maar aftrekken. Hij raakte me niet aan. Na een paar minuten gooide hij zijn hoofd in zijn nek en stootte hij een hoge kreet uit. Er spoot sperma op mijn been. Paniekerig greep ik naar een zakdoekje. Het laatste wat ik wilde was het lichaamssap van een vreemde man op mijn kleren.

Toen was alles voorbij. De man veegde zich schoon, kleedde zich zorgvuldig aan en bedankte me beleefd. Hij moest helaas terug aan het werk, zei hij met rustige stem, maar hij had het leuk gehad en hij kwam zeker weer eens langs.

Op die manier ging het vaak: de mannen kwamen als wilde beesten binnen en zo gauw ze klaar waren met melken werden ze weer 'meneer Muller' of 'dr. Meijer' en babbelden ze luchtigjes over het weer alsof er niets gebeurd was. En dan namen ze beleefd afscheid. Vooral in het begin irriteerde me dat.

Op mijn eerste dag had ik nog vijf klanten. Als de bel ging, stelden de dienstdoende vrouwen zich in de ontvangstkamer aan de nieuwe gast voor, waarna de man een keuze deed. Ik werd bijna altijd uitgekozen, want ik was nieuw en dat moest worden uitgeprobeerd. Het bleef bij massages, hoewel een paar mannen me over wilden halen om voor extra geld te pijpen of te neuken. Bij de laatste klant, een knappe jonge vent, voelde ik me al veel zekerder dan in het begin en keek ik niet meer weg terwijl ik zijn pik vasthield. Ik glimlachte naar hem.

Aan het einde van de acht uur durende dienst werd er afgerekend. De helft voor de vrouw, de helft voor de salon. Ik kreeg honderdzeventig euro contant. Dikke Nora geloofde haar ogen niet, want zo veel verdiende een nieuweling bijna nooit op de eerste dag. Ik had nog bijna nooit zo veel geld op een hoop gezien en brak van blijdschap bijna in tranen uit.

Toen ik tegen negen uur 's avonds massagesalon Extase verliet, had ik nog geen zin om naar huis te gaan. Op weg naar de trein ontdekte ik een klein Indisch restaurant dat nog open was. Ik dacht bij mezelf: je hebt al zolang niet meer in een restaurant gegeten, je gaat jezelf maar eens lekker verwennen.

Ik ging naar binnen en bestelde een gerecht met vlees, groente en curry. Ik dronk een glas prosecco en rookte ontspannen een sigaret terwijl ik op mijn maaltijd wachtte. Behalve ik was er maar één gast aanwezig: een vrouw in een krijtstreeppak zat alleen aan een tafeltje met haar vork te spelen. Ik fantaseerde dat ze een manager was en dat ze na het eten met een taxi naar het hotel zou worden gebracht. De volgende dag werd ze op een conferentie verwacht. Je zou een boek moeten schrijven over mensen die in de winter 's avonds om tien uur alleen in een restaurant zitten te eten, dacht ik.

Over de werkelijk belangrijke vragen wilde ik niet echt nadenken. Had ik Ladja bedrogen? Moest ik het hem vertellen? Ik vermoedde dat hij niet blij zou zijn met wat ik vandaag gedaan had en dat ik voortaan een dubbelleven moest leiden. In mijn ene leven was ik Sonia, de studente, partner en lieve vriendin en in het andere was ik Nancy, die je voor geld kon kopen. Het zweet van vreemde mannen kleefde op mijn huid. Maar het ritselen van de biljetten in mijn portemonnee en de heerlijke geur van mijn bestelde eten susten mijn geweten op dat moment. Over twee dagen was ik weer aan de beurt bij Extase en zou ik weer goed verdienen. Dat gaf me een goed gevoel.

Ik wende er snel aan mannen voor geld op allerlei plekken te masseren. Veel klanten probeerden verder te gaan dan dat en soms liet ik dat ook toe, omdat ze echt goed betaalden. Seks kostte vijftig euro extra en die mocht ik voor mezelf houden. De eerste vrijer met wie ik het deed was een jong sportief type van begin dertig. Ik lag roerloos op het bed en liet me door hem neuken zonder dat ik er iets bij voelde. Ik hoopte dat hij snel klaarkwam.

Tegen Ladja zei ik dat ik als gastvrouw in een massagesalon werkte. Hij vroeg gelukkig niet door, maar soms, als we met elkaar naar bed gingen, schaamde ik me ervoor dat hij die dag niet de enige, maar al de derde of vierde was die me naakt zag.

Ook aan de universiteit achtervolgde mijn baantje me. Tijdens een college algebra had ik het gevoel dat ik de jonge assistent, die voor de lessenaar zijn les stond af te draaien, herkende als gast uit de massagesalon. Gelukkig was de collegezaal altijd bomvol en ging ik expres altijd op de achterste rij zitten om niet te worden gezien. Of hij echt ooit bij me is geweest, heb ik nooit kunnen achterhalen.

Na de startproblemen wat het in contact komen met medestudenten betrof, was ik op een gegeven moment over een groepje

Bulgaarse informaticastudenten gestruikeld. Ze nodigden me vaak uit bij hen thuis en soms vierden we feestjes tot vroeg in de ochtend. Meestal kwam er een eind aan als de buren de politie belden vanwege de harde muziek. Op een gegeven moment kwam het gesprek op werk. Ook de Bulgaren hadden allemaal een bijbaantje om hun studie te financieren. Eentje stond aan de lopende band in een fabriek en eentje werkte in een restaurant.

'Ik werk al een tijdje in een callcenter,' loog ik. 'Het is saai, maar het betaalt goed. Ik krijg tien euro per uur.'

'Chill. Hebben ze nog mensen nodig? Misschien solliciteer ik ook. Ik word helemaal gek van het werk in die fabriek,' zei een van de jongens.

Ik beet op mijn tong. Wat dom van me. Snel veranderde ik van onderwerp, maar de vriend bleef nahaken.

'Ik zal wel vragen of ze nog iemand nodig hebben,' zei ik kort toen ik wegging, blij dat het thema daarmee voorlopig van tafel was.

Na een tijdje werd Ladja jaloers op de Bulgaarse groep, want de meesten waren jongens. Ik had Ladja een paar keer meegenomen naar de feestjes, maar hij vond er niks aan. 'Jullie hebben het altijd over je studie. Daar kan ik niet over meepraten,' zei hij verveeld. Op een gegeven moment gaf ik het op en zag ik de Bulgaren niet meer zo vaak. Met mijn studie en de massagesalon had ik sowieso niet meer veel tijd om uit te gaan.

In het begin waren mijn collega's bij Extase nog erg aardig tegen me. Met Nina, die ook studeerde en die pas eenentwintig was, raakte ik bevriend. We gingen een paar keer samen naar de bioscoop of shoppen. Ze had dezelfde problemen als ik: bijna geen geld, een werkloze vriend en een slecht geweten als ze 's avonds naar huis reed.

Na een tijdje sloeg de stemming echter om, vooral bij een collega die Jessica heette. Ze was net als ik slank, had lang haar, maar ze had niet zo veel boezem als ik en ze was al begin dertig. In een bordeel leer je heel snel vrouwen door de ogen van mannen te zien. Ik was jong, knap en ik was nog redelijk naïef. Daar werden de mannen helemaal wild van. Veel van Jessica's stamgasten gingen alleen nog met mij 'naar achteren' (zoals dat in vakjargon heet). En daar had ze de pest over in natuurlijk.

Jessica werkte al jaren bij Extase en daarom had zij de verantwoordelijkheid als Mona, onze baas, er niet was. En dat kwam geregeld voor, want Mona had ook nog een zonnebankstudio. Jessica maakte dan misbruik van haar macht en deed gemeen tegen me. Ik deed in haar ogen altijd iets fout. De kamer was niet goed opgeruimd, of ik was vergeten 's avonds als ik naar huis ging het licht uit te doen in de keuken, of de koffie die ik had gezet was te sterk. De andere vrouwen vonden dat ze overdreef, maar bijna niemand durfde tegen Jessica in te gaan.

Toen ze Nina opeens op onze vriendschap aanviel, distantieerde die zich van me. Dikke Nora wist wel waarom. 'Vaginanijd heet dat,' zei ze met een stuk appeltaart in haar mond. 'Zul je in dit beroep altijd tegenkomen. Het is gewoon moeilijk als zo veel vrouwen samenwerken. In principe is je collega ook je rivaal, want de mannen moeten kiezen. Daarom is het ook zo moeilijk om vriendschap te sluiten in dit beroep.'

Nora was de enige die normaal tegen me bleef doen. De anderen groetten steeds minder en wisselden nauwelijks nog een woord met me, vooral als Jessica er was. Ik begon Nora echt te mogen. In het begin had ik haar een rare zweverige tante gevonden. Ze was erg esoterisch en hield van meditatie. Het complete tegendeel van mij, dus. Aan de universiteit hield ik me met algoritmen en datastructuren bezig. Spiritualiteit was nooit mijn ding geweest. Ik liet Nora mijn hand lezen, gewoon voor de lol.

'Je zult een goede baan krijgen en veel geld verdienen,' zei ze. 'En je krijgt kinderen. Maar je zult wegens je grote liefde veel lijden. Ik kan niet zeggen of het goed afloopt, want de lijnen op je hand zijn niet duidelijk genoeg.'

Ik moest er een beetje om lachen, maar ik zei niks, want ik wilde Nora niet beledigen.

Ondanks Nora kreeg ik steeds meer problemen met mijn werk in de salon. In het begin had ik dringend geld nodig gehad en was het me gelukt te verdringen dat ik het met vreemde, deels ook gore mannen deed. Nu ik er financieel langzamerhand beter voor stond, kreeg ik er steeds meer moeite mee. Ik rilde al als de bel ging en ik kotste bijna als ik werd gekozen. Het gevoel dat je door begerige handen wordt betast en dat je een vreemd lichaam moet aanraken omdat je ervoor betaald wordt, was gewoon bah. Sommige mannen waren vet, anderen stonken en een paar waren oud en zagen er ook zo uit. Het waren allemaal mensen met wie je normaal nooit naar bed zou gaan.

Ik masseerde de klanten in toenemende mate volledig lusteloos. Hun erectie interesseerde me gewoon niet meer. Als iemand me wilde aanraken, duwde ik zijn hand weg en terwijl ik een klant aftrok, lag ik zo stijf als een plank op het bed. Als hij was klaargekomen, ging ik meteen de kamer uit.

Op een dag miste ik mijn trein en kwam ik tien minuten te laat voor mijn avonddienst. Jessica stond al in de hal toen ik binnenkwam en keek alsof ze op het punt stond me te slaan. Ik wist dat ze al een tijd een excuus zocht om me te lijf te gaan.

'Wie denk je wel dat je bent!' brieste ze. 'Je hebt gisteravond een kaars aangelaten in de rode kamer. Vanochtend brandde hij nog steeds. Wil je dat de hele boel hier in de hens gaat? En nu kom je te laat. Je maakt niet schoon. De gasten klagen dat je op de kamer bijna niks met ze doet...' Haar gezicht was rood aangelopen en ze keek me vol haat aan.

'Je kunt m'n rug op!' schreeuwde ik en ik rende de salon uit. Ik smeet de deur achter me dicht. Trillend stond ik op straat. Ik was zo kwaad dat er hete tranen over mijn wangen biggelden. Als versteend stond ik op straat. De mensen staarden me aan. Een dikke man met een hond vroeg zelfs of ik hulp nodig had, maar ik kon alleen mijn hoofd maar schudden. Ik draaide me om. Ik wilde niet dat vreemde mensen zagen hoe zwak ik was.

Ik was teleurgesteld in mezelf. Zoals altijd had ik op het beslissende moment niet de moed gehad om me te verdedigen en ik haatte mezelf daarom. Al sinds ik klein was ging ik conflicten uit de weg en dat kan niet in de prostitutie. Daar moest je af en toe ook je tanden laten zien en daar was ik niet goed in.

Ik nam de trein en reed naar huis. 'Schijt op dat rotgeld,' prevelde ik. 'Vroeger heb je ook overleefd dus kan het voortaan ook wel weer zo. Ladja helpt je. Hij moet wel. Hij is je vriend en hij houdt van je, punt uit. Als je met deze shit ophoudt, voel je je eindelijk geen stuk vuil meer na je werk en kun je er weer meer voor hem zijn.'

Toen ik thuiskwam, zat Ladja met Rudy gitaar te spelen. In de asbak lag een joint. De tafel die ik die ochtend nog had schoongewreven lag vol bierblikjes en tabakkruimels. Op het tafelkleed dat ik de dag ervoor had gekocht zaten wijnvlekken en een brandgat.

Dat was de druppel. Alle spanning die ik de weken ervoor in me had opgekropt, borrelde op.

'Dus dit is jouw manier van werk zoeken!' brulde ik tegen Ladja. Mijn stem kwam zelfs boven de harde muziek uit. Rudy hield op met op zijn gitaar tokkelen. 'En dit is het respect dat je voor mijn gezwoeg hebt!' brieste ik en ik wees naar de tafel. 'Als ik zo weinig voor je beteken, kan ik wel meteen mijn geld met neuken verdienen. Het maakt jou niet uit, zolang je maar je bier en je joints hebt!'

Ik rende het huis uit en stootte daarbij een vaas om die Ladja bij een antiquair voor me had gekocht. De vaas brak in duizend stukjes, maar ik liet hem liggen. Ik besloot naar een homobar in Schöneberg te gaan die California heette. Ladja en ik waren daar al een paar keer geweest. Ik hoopte dat ik Tomas zou treffen. Met hem kon ik het beste praten.

Toen ik binnenkwam was Tomas nergens te bekennen. De zaak was halfleeg en de typische mengeling van oude hits en dance klonk uit de luidsprekers. Ik herkende een paar mensen met wie Ladja weleens had staan praten. Bijna iedereen keek nieuwsgierig mijn kant uit, maar ik ging alleen in een hoekje zitten en bestelde een whiskey-cola.

De alcohol ontspande mijn vastzittende schouders, maar de tranen bleven stromen. En zoals altijd had ik geen zakdoekjes bij me.

'Een man is het niet waard om voor te lijden,' zei een stem achter me. Voor ik antwoord kon geven lag er een tissue op het tafeltje naast mijn drankje.

'Wat weet jij daarvan? Weet jij hoeveel moeite het kost te studeren en te werken tegelijk? En hoe denk je dat je je voelt als je na een eindeloos lange dag thuiskomt en je helemaal kapot bent en je vriend zit te lachen en te blowen en je woning ziet eruit als een zwijnenstal?'

Ik wist helemaal niet hoe mijn gesprekspartner eruitzag, want ik bleef met mijn rug naar hem toe zitten. Ik had niks tegen homo's die altijd zo veel begrip voor vrouwen hebben, maar op dat moment was ik zo in de war dat zelfs medelijden me nerveus maakte.

'Ach ja, die mannen toch. Allemaal klootzakken en luiwammesen,' klonk het ironische antwoord. 'Ik was er ook zo een. Tot ik werd gedwongen een ander mens te worden. Ik weet hoeveel leed ik andere mensen heb berokkend.'

Ik draaide me om en keek hem aan. Hij was nauwelijks een kop groter dan ik, maar wel fors en hij had een markant, mannelijk gezicht.

'Jij bent de vriendin van Ladja, niet? Ik ken je,' zei hij. 'Nou ja, kennen. Ik heb je hier al eens gezien. Er komen niet veel vrouwen hier, vandaar.'

Ik kon me niet herinneren hem al eens gesproken te hebben, maar hij was dan ook geen opvallende man, meer het type dat rustig zijn biertje drinkt en om zich heen kijkt.

De man zei dat hij Milan heette en hij vertelde me wat over zijn leven. Hij was getrouwd en hij had een dochtertje van wie hij me een foto liet zien. Het California was eigenlijk de stamkroeg van zijn zakelijke partner, een homo op zoek naar wat gezelschap.

'Weet je, ik vind het top dat je studeert. Als je twintig bent, sta je er niet bij stil wat er over tien jaar is, maar op een gegeven moment krijg je de rekening gepresenteerd. Ik had ook moeten studeren, maar ik was te lui destijds. Ik wilde reizen, feesten, ervaring opdoen...' Hij krabde aan zijn kin en keek me peinzend aan.

'En ik heb altijd al willen studeren. Ik weet ook niet wat ik anders zou moeten doen,' zei ik. 'Ik wil een goede baan. Zwaar werk voor zes euro per uur is niks voor mij.'

Milan kwam steeds dichterbij en op een bepaald ogenblik had ik het gevoel dat hij me ging zoenen. Maar in plaats daarvan legde hij een hand op mijn schouder. 'Ik had het geluk dat mijn zakelijke partner me hielp. Anders was het me vergaan zoals veel van de jongens hier. Ze glijden af zonder het te merken: zuipen, drugs... Opeens zijn ze te oud om nog iets fatsoenlijks te gaan doen.'

Milan stond op en ging weg. Hij zei de hele avond niets meer tegen me, maar keek vanaf een afstandje af en toe bedachtzaam in mijn richting. Het is lang geleden, dacht ik, dat iemand me als mens zag en niet als neukpop.

Ik vond het prettig dat ik in mijn hoekje op dat moment gewoon lekker kon zitten filosoferen over het leven. Maandenlang had ik zo zwaar geploeterd in de hoop dat het beter zou gaan en nu was ik gewoon aan het einde van mijn Latijn.

'Ik moet iets veranderen in mijn leven,' zei ik half hardop tegen mezelf, op weg naar huis. En met die gedachte viel ik even later ook in slaap, naast Ladja, die allang in dromenland was.

4 WEDDING:
TUSSEN COLLEGE EN CLUB

Tijdens mijn loopbaan in de seksindustrie heb ik me vaak voorgenomen ermee op te houden. Op het eerste gezicht lijkt dat eenvoudig, zo ook die eerste keer toen ik woedend het huis uit liep om bij California iets te gaan drinken. Maar de realiteit was anders.

Vol goede moed kocht ik de volgende ochtend een krant. Helaas bleken de meeste baantjes iets met schoonmaken of horeca te maken te hebben en de betaling was zo slecht dat ik fulltime had moeten werken om rond te komen en dan kon ik niet studeren. Ladja belde ook een paar bedrijven op, maar die zochten altijd iemand met een speciale opleiding of relevante werkervaring en die had hij niet.

Na twee uur rondbellen met nul resultaat trok ik eropuit om mijn hoofd helder te krijgen. Ik vervloekte het feit dat ik geen rijke ouders had, zoals andere studenten wiskunde. De meesten waren niet dommer of slimmer dan ik, maar ze konden zich in alle rust op hun studie concentreren en zouden waarschijnlijk eerder klaar zijn dan ik.

Ik was zo diep in gedachten verzonken dat ik het gele bord in de etalage van een Turkse bakkerij in de Turmstrasse bijna had gemist. Er stond in grote, bijna kinderlijke letters HULP GEZOCHT op. Ik ging meteen naar binnen.

Achter de toonbank stond een meisje met grote zwarte ogen. Toen ik zei dat ik voor de baan kwam, belde ze haar tante op, de eigenaresse van de zaak. Alle vrouwen die bij de bakkerij werkten waren familie van elkaar, bleek later. De bakkerij zag er netjes en schoon uit. De plastic tafeltjes waren schoon en de heerlijke geur van vers brood hing in de lucht. Alleen al de gedachte dat ik hier zou werken zonder me te hoeven uitkleden en laten betasten, maakte me vrolijk. Het sollicitatiegesprek verliep ook gladjes, hoewel ik geen ervaring had in de bakkerijwereld. Ik moest de maandag erop maar een proefdag komen draaien, vond de eigenaresse.

Aanvankelijk was ik euforisch, maar na een paar uur kwam de twijfel. Met de werktijden in de bakkerij, meestal 's ochtends, kon ik hoogstens naar één college per week. Aan de andere kant: was het misschien niet beter deze eenvoudige maar echte baan te nemen en de universiteit gewoon helemaal te vergeten?

De volgende dag stond ik in de foyer van de wiskundefaculteit naar de tentamenuitslagen te kijken. Ik had een van de hoogste cijfers voor het analysetentamen gehaald, hoewel ik vanwege mijn werk bij de massagesalon nauwelijks had kunnen leren. Op dat moment schoten me de woorden van de man bij California te binnen: 'Ze glijden af zonder het te merken: zuipen, drugs... Opeens zijn ze te oud om nog iets fatsoenlijks te gaan doen.' En ik stelde me voor hoe het leven zou zijn als ik met mijn studie zou stoppen. Als ik pech had, kreeg ik een saaie, matig betaalde baan, misschien een paar kinderen, avondjes voor de tv en vakantie in de volkstuin. Geen wereldreizen, geen intellectuele uitdagingen, maar wel voortdurend geldzorgen.

Nog diezelfde dag belde ik de bakkerij op om te zeggen dat ik de baan niet nam. De eigenaresse zei dat ze me graag had genomen, maar ik was er zeker van dat ik de juiste beslissing had genomen. Wat niets veranderde aan het feit dat ik nog maar dertig euro in mijn portemonnee had en mijn bankrekening er niet veel beter uitzag. Nog voor ik er goed en wel over nagedacht had, bladerde ik de kranten alweer door, op zoek naar erotische advertenties. Ik herinnerde me nog de vorige keer en hoe bang ik toen was geweest. Een glimlach speelde om mijn lippen. Dat was pas een paar maanden geleden.

Dat ik het met meerdere mannen per dag zou moeten doen stoorde me intussen niet meer. Ik wist dat het meestal maar om een halfuur ging. Dan waren die kerels weg en had ik mijn geld. Dat ik met vreemde mannen het bed in moest, nam ik op de koop toe. Het idee geen geld te hebben vond ik veel erger. Je moet leren de knop om te zetten, dacht ik bij mezelf. Als je met de klant neukt, ben je niet Sonia maar Nancy. Alsof je je eigen lichaam even verlaat. Ik was er steeds meer van overtuigd dat dit echt kon.

Het bordeel dat ik had uitgekozen lag in de vervallen wijk Wedding, in een troosteloze straat met goedkope buurtkroegen, ramsjwinkels en verpauperde huizen waarin vooral buitenlanders en arme studenten woonden.

Het bordeel bevond zich op een binnenplaats achter een afbrokkelend gebouw. Het zag er veel armzaliger uit dan de Extase. In de woonkamer van Club One, de naam van het bordeel, stonden een sleetse, fleurige bank en twee stoelen die hun beste tijd hadden gehad. De inrichting van de kleine achterkamertjes bestond uit niet meer dan een matras op de grond en een kleine commode waar een pakje tissues op lag. Douchen konden de klanten niet en de wc was klein en vies.

Sven, de eigenaar van Club One, rook naar zweet. Nadat hij me zijn zaak had laten zien, vroeg hij beleefd of ik meteen kon blijven. Toen hij me de prijzen zei, kreeg ik bijna een hartaanval. Een vluggertje, tien minuten seks, kreeg je al voor dertig euro. Een halfuur kostte vijftig euro. Daar stond tegenover dat je maar een derde van het ingenomen bedrag hoefde af te staan. (In de andere zaken was de helft normaal.) Extraatjes als pijpen zonder condoom en zoenen deed bijna iedereen voor tien euro meer, maar ik wist al dat ik dat niet zou aanbieden. Als zij een enge ziekte wilden, best, maar ik niet.

Mijn indruk van dit bordeel was niet bijster, maar ik had dringend geld nodig, dus trok ik nog ter plekke mijn kleren uit en ging ik in slip en bh in de keuken zitten. Ik pakte mijn boeken uit en begon te leren.

Behalve ik zat er nog een vrouw aan tafel. Ze heette Leyla. Nadat ze me een tijd had zitten aanstaren, begon ze me intieme verhalen uit haar leven te vertellen. Officieel was ze vijfendertig, zei ze, maar ze zag eruit als vijftig. Ze had gele tanden van het roken en rimpels als een oude olifant. Ze droeg een doorzichtige witte bh met gebloemde stiksels en dat paste helemaal niet bij haar. Ze had die middag nog een afspraak met haar reclasseringsambtenaar, zei ze, en daar moest ze absoluut op tijd komen, anders draaide ze de bak in. Ik begreep uit haar verhaal dat ze in discotheken vechtpartijtjes had uitgelokt en dat ze daarvoor berecht was.

Na nog meer van dit soort verhalen was ik blij dat de eerste klant kwam. Het was een jonge vent, hooguit twintig jaar, en hij had roze wangen en blonde krullen.[2]

Nadat Layla en ik ons hadden voorgesteld, koos hij mij. Hij was vreselijk schuchter en verontschuldigde zich dat hij niet zoveel geld had. We kwamen een vluggertje voor dertig euro overeen. Hij was ongelooflijk opgewonden en durfde me bijna niet aan te raken. Ik had zijn slurf nog niet vast of hij spoot al. Daarna kleedde hij zich snel aan, bedankte me en ging weg. Wat is het toch gemakkelijk werk, dacht ik.

In de loop van de dag veranderde ik van mening. Er kwamen bijna alleen maar Turken en Arabieren. Meestal kwamen ze in groepen van acht of tien man, alsof een bezoekje aan het bordeel iets was wat je met je maten deed, net als zuipen of naar een voetbalwedstrijd kijken. Er was altijd een aanvoerder bij. Dat was meestal de enige die Duits sprak. Hij bekeek de vrouwen in de ontvangstkamer en besliste na kort overleg met zijn maten wie met wie naar achteren ging. Het leek wel een veemarkt. Onze namen interesseerden hen niet. Ze wilden allemaal het vluggertje, waar wij nauwelijks iets aan verdienden. Daar werden we dan tot aan het bittere einde van de afgesproken tijd compleet voor doorgenaaid, in elk standje, het liefst anaal en, wat ik niet toestond, zonder condoom. Daarbij kwam dat ze vaak ongewassen waren. Ze pakten je aan alsof je een stuk vlees was, geen tederheid, geen respect. Natuurlijk had je onder de Duitse klanten ook zulke kandidaten, maar dat was eigenlijk een uitzondering. En die keken ook niet zo verachtelijk als ze het met me deden.

Toen ik bij mijn baas ging klagen over het vernederende gedrag van onze clientèle, haalde hij ongeïnteresseerd zijn schouders op. 'Zo verdienen we ons geld nou eenmaal en we zijn hier niet in een poepchique buurt.'

Na een week al vond ik mijn werk alleen nog maar afstotelijk. Ik verheugde me op de dagen waarop ik college had en niet naar Club One moest, dagen waarop ik gewoon Sonia heette en met mijn medestudenten na afloop van het college in de kantine een kop koffie kon drinken. Soms ging ik ook een eind fietsen met Ladja. Dan barbecueden we, of we gingen in de avondschemer zwemmen. Omgeven door vogels en oude bomen vergat ik Wedding met zijn stinkende, begerige klanten en de domme gesprekjes met mijn collega's in Club One over mannen, condooms, standjes en het scheren van intieme plekjes.

Alleen in seks met Ladja had ik geen zin meer. Als hij me al wilde aanraken dacht ik aan de smerige kerels die anders op me lagen te hijgen en dan hoefde ik niet meer. Het kostte me ook steeds meer moeite om mijn dubbelleven voor mijn medestudenten te verbergen.

Ik was op een dag bij mij thuis met twee medestudentes huiswerk voor het college statistiek aan het maken, toen er op de achtergrond op tv een reportage werd uitgezonden over seksslavernij.

'Ik heb zo'n medelijden met die vrouwen,' zei Ulrike. 'Maar zolang er hoerenlopers bestaan, verandert er niets.'

'Ik wil niet weten hoeveel professoren hoerenlopers zijn en hoeveel studentes in het bordeel hun zakgeld verdienen,' zei Sacha.

'Ik weet het niet, maar volgens mij is dat verhaal van studentes die in bordelen werken een gerucht,' zei ik koeltjes en ik deed of ik heel geconcentreerd bezig was. In werkelijkheid dacht ik op dat moment aan Club One en mijn tweede leven als Nancy.

'We zouden moeten trouwen. Dan kun je papieren aanvragen en hier normaal werken,' zei ik op een dag tegen Ladja. We lagen in bed televisie te kijken.

Hij draaide zich verbaasd naar me om. 'Ik zou meteen met je trouwen,' zei hij dolgelukkig.

Ladja en ik waren inmiddels ongeveer anderhalf jaar samen. Eigenlijk had ik mijn moeder beloofd dat ik nooit zou trouwen en als ik het al deed, dan pas op mijn dertigste, met een goede baan en een pensioenfonds op zak. Vrouwen die op hun negentiende voor het altaar stonden waren in mijn ogen per ongeluk zwanger geraakte analfabeten en buitenlandse vrouwen die al op hun tiende aan hun neef waren beloofd. In elk geval hadden die niets met mij te maken. Maar nu was de situatie anders.

We besloten in Polen te gaan trouwen, omdat het daar niet zo bureaucratisch was als in Duitsland. Polen was in mijn fantasie een sprookjesland met groene heuvels en middeleeuwse kastelen. Zo had ik het land althans in herinnering van een schoolreisje in de vijfde klas van de middelbare school.

Toen Ladja en ik tijdens de tweede lente van onze relatie naar

Polen reden om eindelijk te trouwen, was mijn eerste indruk van het land verpletterend. Ladja's geboortestad aan de Wit-Russische grens was verwaarloosd en overal grijs. Aan de oever van een troebel riviertje stonden wat ruïnes waar ook nog mensen in woonden. Er hing was te drogen in de zon. In het centrum stonden gebouwen van rond de eeuwwisseling die allesbehalve goed onderhouden waren. Overal brokkelde het pleister en de houten deuren waren mors en gespleten.

We lieten onze bagage in het pensionnetje staan waar we een kamer hadden genomen en liepen naar een troosteloze kroeg op het station. Binnen stond de rook zo dik dat je er nauwelijks lucht kreeg. Aan lange plastic tafels zaten mannen met een biertje een voetbalwedstrijd op televisie te kijken, of ze speelden dart. Ladja zag wat klasgenoten van vroeger en begon een geanimeerd gesprek met ze. Ik zat er vriendelijk bij te glimlachen.

'Ik verveel me. Kunnen we niet ergens anders heen?' mopperde ik na een tijdje.

'Hier is niet veel te zien. Het is Berlijn niet,' zei Ladja.

Even later slenterden we door de verlaten straten tot we buiten de poorten van de stad kwamen. Toen we bij een bosweggetje aankwamen riep Ladja: 'Hier heb ik mijn kinderjaren doorgebracht. Samen met de buurjongens bouwden we hier hutten en boten. Hout is er hier genoeg.' Hij zag er helemaal blij uit. Zo ontspannen had ik hem zelden gezien.

'Leuk hoor,' zei ik.

'Maar het was niet altijd leuk,' was alles wat Ladja hierop zei.

Ik ging met hem het bos in. We liepen naast elkaar, ademden de frisse naar hars ruikende lucht in en zwegen. Na een goed halfuur stonden we op een kleine heuvel van waaraf je het hele dal kon overzien.

'Daar kom ik vandaan,' zei Ladja en hij wees naar een betonnen wijk die als een schandvlek midden in het groene heuvellandschap lag. Vijf minuten later stonden we voor een grijs blok beton die ik zo ook uit Oost-Berlijn kende. Alleen stond hier op elk balkon een satellietschotel. Ladja trok nerveus aan zijn sigaret en keek wantrouwig van links naar rechts. Na een tijdje belde hij aan bij een bordje zonder naam. De deur zoemde open, hoewel niemand zich via de intercom had gemeld.

Het appartement waar we naar binnen gingen was klein en rook naar schimmel en kattenpis. Het behang in de gang was vergeeld en op sommige plekken gescheurd. Aan de keukentafel zat een vrouw met een biertje en een brandende peuk. Toen ze zich omdraaide, keek ze Ladja aan of ze een spook zag. Ze trok haar wenkbrauwen op, maar zei geen woord. Ze bleef aan haar sigaret trekken en Ladja aankijken. Pas toen ik haar iets beter bekeek, zag ik dat de vrouw Ladja's moeder moest zijn. Ze had dezelfde kattenogen als hij. En hoewel ze volgens Ladja's zeggen pas begin veertig was, leek ze door de diepe rimpels en het grijze haar wel zestig. Er hing een zwart vest om haar smalle schouders.

Zonder haar zoon te hebben begroet of aangeraakt, stond ze op, slofte ze naar het aanrecht en ging ze koffie voor ons zetten. Terwijl ze dat deed, praatte ze de hele tijd met Ladja, die zijn opwinding nauwelijks kon verbergen. Ze hadden elkaar dan ook vijf jaar niet gezien. Zijn moeder maakte een onverschillige of vermoeide indruk. Het was alsof ze een zware last te dragen had en ze alleen nog maar wilde uitrusten.

Ze dronk de bierfles leeg en maakte snel een nieuwe open. Een paar keer glimlachte ze schuw in mijn richting. Ik glimlachte beleefd terug. Wat ik voelde was ijzige kou die door merg en been ging. Alsof er een vijand op de loer lag.

'We gaan,' zei Ladja opeens na een uur. Het was precies vier uur in de namiddag. Hij stond op, trok zijn schoenen aan en gaf zijn moeder een kus op haar wang. Zijn moeder keek nog net zo wazig als toen we waren binnengekomen: twee vreemden die toevallig langs waren gekomen. Later vertelde Ladja dat we zo snel weg waren gegaan om zijn vader te ontlopen. Die kwam altijd om vier uur 's middags thuis. 'De vorige keer dat we elkaar zagen brak hij mijn neus,' zei Ladja zacht.

De volgende dag gingen we naar het stadhuis om de papieren te halen die Ladja nodig had om te kunnen trouwen. Mijn vader had mij mijn uittreksel uit het geboorteregister toegestuurd, samen met de vraag of ik er niet nog eens over na wilde denken. Maar mijn besluit stond vast.

We kregen een datum voor twee weken later van een vrouwelijke ambtenaar die ons heel nieuwsgierig aankeek. Ladja was netjes geschoren en had zijn haar kortgeknipt. Ondanks zijn vierentwintig jaar zag hij eruit als zeventien en ik was ook pas twintig.

Die middag gingen we op zoek naar een bruidsjurk. Er eentje kopen kon natuurlijk niet.

'Het is geen modeshow,' zei Ladja. 'Het gaat niet om de verpakking, maar om wat erin zit.' Het kwam erop neer dat ik in een winkel een mouwloos wit topje huurde en een eenvoudige rok van witte zijde. Toen ik in de spiegel keek, herkende ik mezelf nauwelijks terug.

Op een lentemiddag om drie uur werd ik Ladja's echtgenote, een woord dat ik nooit in de mond nam omdat het zo serieus klonk, zo volwassen. En we bleven toch eigenlijk dezelfde mensen: twee dolverliefde jonge mensen vol plannen die zich zo goed en zo kwaad als het ging door het leven knokten.

Toen we Polen met onze trouwakte op zak verlieten, zuchtte Ladja diep. Opgelucht en melancholiek tegelijk keek hij door het raampje van de trein naar buiten alsof hij daar, in het sappige groen, iets kon ontdekken. Een herinnering uit zijn jeugd misschien, die niets te maken had met het meppen, de alcohol en de leegte… Iets wat hij mee kon nemen en ooit aan zijn kinderen kon vertellen.

Toen we in Berlijn aankwamen was er niets veranderd. Tomas, Ladja's beste maat, kreeg ruzie met zijn vriendin en werd door haar de woning uitgegooid. Een eigen appartement huren behoorde niet tot de mogelijkheden en omdat hij nog steeds geen verblijfsvergunning en geen vaste baan had, trok hij zolang bij ons in.

De eerste dagen waren leuk en zorgeloos. We leken wel een commune. 's Avonds aten we samen en dan speelden we tot vier uur 's nachts Mens-erger-je-niet en Risk. De volgende dag stonden we vroeg in de middag op en fietsten we naar de Wannsee. Tomas en Ladja zijn ook een keer voor de lol mee geweest naar een college differentiaalrekenen, maar natuurlijk begrepen ze er geen woord van.

Tomas werkte twee nachten per week in een kroeg en Ladja mocht hem voor een paar euro helpen met opruimen. Het probleem daarbij was dat Tomas Ladja begon uit te horen over mijn werk. En zo kwam het dat Ladja achterdochtig begon te worden. Ik weet niet of hij er ooit bewust bij stil had gestaan wat ik als gastvrouw in een massagesalon eigenlijk deed, maar hij had nooit vragen gesteld. Ik dacht altijd dat hij daarom of vreselijk naïef was en me volledig vertrouwde, of het gewoon helemaal niet zo precies wilde weten. Daar was dus nu verandering in gekomen. Hij wilde steeds meer over mijn werk weten.

Op een avond ging het geweldig mis. Terwijl ik in de badkamer was, wilde Ladja sigaretten uit mijn handtas halen. Hij vond condooms. Normaal liet ik die altijd bij Club One liggen, maar die dag had ik vergeten ze uit mijn tas te halen.

Toen ik de badkamer uit kwam, trilde hij van woede. 'Wat is dit?' vroeg hij met een ijskoude blik in zijn ogen. Hij smeet het condoom op de grond en verliet de kamer. Ik bleef alleen achter met Tomas en stortte onder tranen mijn hart bij hem uit. Het was een enorme opluchting voor me. De woorden stroomden over mijn lippen als regen bij onweer. Eindelijk luisterde er iemand. Alleen een oplossing, die had Tomas ook niet.

'Waarom verdien je je geld niet anders?' zei hij steeds. Hij begreep gewoon niet dat je van een bijbaantje in de kroeg voor zes euro per uur niet kon leven als je de hele dag moest studeren en met een zuipende en blowende man samenwoonde. Ik kon niet ophouden met snikken.

'Kom op, er is altijd een manier,' suste Tomas, maar hij keek er niet erg overtuigd bij. Hij struikelde toch zelf ook maar wat door het leven, altijd afhankelijk van vage vriendinnen of stille vrijers die hij 'goede maten' noemde. Een van die gabbers dook na een week opeens op, een oude kennis uit Hamburg. Hij werkte als IT-verkoper in Frankfurt en was alleen in de weekenden in Berlijn. Daarom mocht Tomas wel bij hem komen wonen. Hij moest zogenaamd alleen de planten water geven. Toen ik er een keertje langskwam stond er in de hele woning één cactus op de tv. Ik liet niets merken, want ik wilde Tomas niet beledigen. Ik mocht hem wel en het kon me niet schelen dat hij stiekem schandknaap was. Ik wist zelf hoe het was om noodgedwongen je broek te laten zakken.

Ik ging nooit meer terug naar Club One. Zo goedkoop als daar wilde ik me niet meer verkopen en bovendien moest ik Ladja beloven dat ik mijn geld op een andere manier ging verdienen. Helaas had ik niet echt een idee hoe ik ons leven zou kunnen financieren. Ik liet mijn vader maar weer eens honderd euro sturen en concentreerde me op mijn studie.

Er was genoeg te doen. Ik nam zelfs deel aan een paar vergaderingen van de ASTA, hoewel ik politiek eigenlijk saai vond. Sommige studenten daar waren vol enthousiasme bezig en dachten dat je echt iets kon veranderen: bijvoorbeeld ervoor zorgen dat de universiteiten meer geld kregen. Als ik aan zulke discussies meedeed, vergat ik heel even dat ik zelf meer dan genoeg financiële problemen had om me ook nog zorgen te gaan zitten maken over het budget van de universiteit.

Ladja draaide langzaam bij. In het begin was hij niet al te scheutig, maar op den duur werd hij weer liever. Hij gaf toe dat ik mede door hem in deze situatie terecht was gekomen. Op een nacht kwam hij met goed nieuws terug uit de rosse buurt. Hij had eindelijk een baan. Een oude vriend bij wie hij jaren geleden had ingewoond, was opgedoken. De man had in Brandenburg een oude boerderij gerestaureerd. Daar kon hij helpen. Dieren voeren, de stal vegen enzovoort. Ladja straalde helemaal. Hij was op het platteland opgegroeid en ik had vaak het idee dat hij de natuur miste. Als we een hond op straat zagen, moest Ladja die altijd aaien. Hij had echt iets met dieren. En inderdaad: na een paar weken boerderij was hij een ander mens. De frisse lucht en de paarden deden hem zichtbaar goed. Hij dronk en blowde niet meer zo veel. In plaats daarvan stond hij vroeg op om met de trein naar het dorpje in het groen te rijden. Alleen voor het slapengaan rookte hij nog een joint.

Ladja's werkgever was natuurlijk een vroegere klant. Hij had een oud landhuis, vijftig kilometer buiten de stad, dat hij samen met zijn partner liefdevol weer in oude staat had hersteld. Ik heb het nooit gezien, maar moest elke keer de verhalen van Ladja en Tomas aanhoren. Er waren oude, dure meubelen, fresco's aan de muren en een tv-kamer met een plasmatelevisie en dolby surround. Alleen de badkamer al was zo groot als onze woning en dat dan nog met een jacuzzi en een regenwouddouche. Meerdere hectare bos rondden het perfecte plaatje af.

De goede man was in al zijn rijkdom ook nog eens niet gierig.

Officieel bewoonden alleen hij en zijn vaste vriend het paradijsje, maar eigenlijk was iedereen er welkom en werden er regelmatig feestjes gegeven. De twee mannen waren al jaren samen, maar hadden officieel geen relatie. Ze hadden een voorliefde voor jonge jongens, die ze vanuit de hoerenbuurt voor een beetje plezier mee naar huis namen. Dat kon kennelijk allemaal zonder jaloezie, liegen en ruzie, zodat ik daar best bewondering voor had. Ze waren zo anders dan de in het bordeel op me hijgende burgermannetjes die in het weekend met hun echtgenotes tussen de geraniums gezellig zaten te doen.

5 CHARLOTTENBURG: EEN COOLE NEW YORKER

Hoewel Ladja tevreden was met zijn werk, konden we van het geld dat hij verdiende niet rondkomen. Hij werkte vaak maar vier of vijf uur per dag. Bovendien was ik te trots om me door mijn man te laten onderhouden en dus was de weg terug naar de hoerenkast een makkie. Ik sloeg hem zonder aarzeling in. Ik was begonnen aan mijn tweede semester en had een paar zware examens voor de boeg: numerieke wiskunde en programmering, de zuilen van mijn vakgebied. Hier wilde ik absoluut niet falen, dus had ik financiële zekerheid nodig om geconcentreerd te kunnen werken.

Dikke Stella van Extase had me destijds een goede tip gegeven. Ze had jarenlange ervaring met het werk in bordelen en massagesalons en wist waar je met de minste inzet het meeste geld kon verdienen. Volgens haar waren nachtclubs het beste, omdat je daar meeverdiende aan de drankomzet. Als een man een vrouw op champagne trakteerde, kreeg ze procenten op de drankomzet. Dan hoefde je helemaal niet zoveel nummertjes te doen om toch goed te verdienen.

Vol goede moed belde ik een bekende club in Charlottenburg op, waarvan ik van weer een andere collega had gehoord dat de gasten daar chique en rijk waren. De prijzen voor drank en seks waren er hoog en onverzorgde of haveloze figuren mochten er niet eens binnen. Ik had gehoord dat er zelfs Hollywoodsterren kwamen. [3]

Toen ik op sollicitatiegesprek kwam, merkte ik bitter weinig van de pracht en praal. Buiten was alleen een kleine neonreclame zichtbaar: L'AMOUR. Het was zes uur 's avonds en alleen de barkeepster en een schoonmaakster waren er al. De eigenaar was in geen velden of wegen te bekennen.

De clubruimte was vrij klein. Links van de bar stond een witte leren bank met daarnaast een rond glazen tafeltje. Rechts daarvan stond een sigarettenautomaat en een palm, waarvan de bladeren door de giftige rook verlept waren. De trap naar beneden leidde naar zes kamers van het soort dat in de hotelbranche 'eenvoudig maar schoon' heet. Elke kamer beschikte over een bed, een wastafel en een glazen tafel.

De volgende dag was mijn debuut bij L'Amour. En hoewel ik geen groentje was, had ik toch een wee gevoel in mijn maag, omdat in nachtclubs heel andere regels gelden dan in de dagbusiness. In nachtclubs moet je met de gasten drinken en kletsen vóór ze eventueel beslissen of ze seks met je willen of niet.

Ladja had ik gezegd dat ik bij L'Amour achter de bar stond en never nooit niet naar achteren zou gaan. Of hij me geloofde weet ik niet. We hadden het er gewoon niet over.

Ik moest er om acht uur 's avonds zijn. Eerst ging ik naar de kleedkamer, waar al meerdere meisjes bezig waren zich om te kleden. Het was net als vroeger voor de gymles, behalve dat hier geen katoenen ondergoed werd gedragen, maar rood en zwart kant. Ik was net zo zenuwachtig als op mijn eerste dag op de middelbare school en mompelde zachtjes 'hallo'. Daarna haalde ik mijn kleren uit mijn rugzak. Niemand had me verteld wat ik aan moest. Tot nu toe had ik bijna altijd in lingerie gewerkt, maar ik had aangenomen dat men in een chique club een avondjurk aanhad.

De blikken van de andere vrouwen werden nogal ijzig toen ik mijn zwarte paillettenjurkje gladstreek dat ik van een van de meisjes uit Wedding cadeau had gekregen. Twee bonenstaken met gebleekt haar die eruitzagen als een tweeling, keken elkaar aan en begonnen te lachen.

'We hebben hier alleen maar een slipje aan. Het is een naaktclub,' zei een van de twee toen ik helemaal klaar was met omkleden.

Ik wist even niet wat ik moest zeggen. Wat een gênante situatie! Snel trok ik mijn jurk weer uit. Ik vond het wel een rotidee om zonder bh aan de bar te moeten zitten. Iedereen die binnenkwam kon meteen mijn blote tieten zien, gratis en voor niks.

De omkleedruimte werd steeds voller met luidruchtige, zich opmakende en telefonerende meisjes. Er waren lockers, dus vroeg ik in welk kastje ik mijn spullen mocht doen. Niemand zei iets. Dus bleef ik een beetje hulpeloos op een bankje zitten tot een vrouw met een sterk Russisch accent me aanbood mijn rugzak in haar kastje te doen. Ze was klein en stevig, maar ze had dikke borsten en een knap, rond gezicht dat onder kilo's poeder en make-up verborgen ging. Haar vriendinnen waren ook allemaal Russinnen. Ze maakten deel uit van het vaste personeel.

Tegen ongeveer tien uur ging ik eindelijk de clubruimte binnen. Naast de bar hing een zwart gordijn dat ik bij mijn sollicitatie niet had gezien. Daarachter lag een zogenaamde speelwei: een kingsizebed waar je je met een gast op kon terugtrekken om een beetje te knuffelen als hij niet meteen naar achteren wilde. Er lagen al een paar meisjes op klanten te wachten. Ze dronken goedkope champagne en ze rookten de ene sigaret na de andere.

Toen er gasten binnenkwamen, twee bikers van rond de veertig met leren jacks en lang haar, stormden alle meisjes op ze af. Als een tros hingen ze om de mannen heen en flirtten met ze op een goedkope manier. 'En, schatje, hoe staat het ermee?' was nog een van de onschuldigste dingen die ik hoorde... en tegelijkertijd de saaiste. Sommige meisjes raakten de mannen aan, streelden hun rug of pakten hun hand, in de hoop dat ze daardoor meer kans maakten.

Ik bekeek het schouwspel vanaf een afstandje, geamuseerd en

met afschuw tegelijk, want om bij een klant te gaan zitten slijmen ging me te ver. Dus bleef ik in mijn hoekje cola zitten slurpen en sigaretten zitten roken. Als ik het geld niet zo nodig had gehad, was ik meteen weer naar huis gereden.

Ik had al besloten dat ik na vannacht nooit meer naar L'Amour zou terugkeren, toen het lot zich in mijn voordeel keerde. Een kleine man in poloshirt en witte spijkerbroek kwam binnen. Hij ging naast me zitten en zei dat hij Steve heette. Hij was Amerikaan en voor zijn werk in Berlijn.

'Dat is niks voor mij,' zei hij en hij wees naar de twee motortypes die nog steeds werden omsingeld door tien meisjes. We moesten allebei lachen.

Steve was qua uiterlijk niet mijn type. Ik vond hem een beetje te tenger. Bovendien had hij diepe littekens van de acne. Maar hij was intelligent en beschaafd. Toevallig was Walt Whitman onze Amerikaanse lievelingsdichter en waren we ook allebei fan van Hemingway. Dus ontspon zich een gesprek over lezen en kunst terwijl we naar een meisje keken dat op 'Erotica' van Madonna paaldanste.

Natuurlijk wilde Steve op een gegeven moment ook seks. Hij betaalde voor twee uur en kwam al na tien minuten klaar. Anders dan bij de meeste klanten draaide ik deze keer niet mijn innerlijke knop om, maar ontspande ik me terwijl hij me teder streelde en me vakkundig op allerlei manieren verwende. Ik had zelfs een orgasme, waardoor ik me bijna schuldig voelde ten opzichte van Ladja.

De rest van de tijd dronken we champagne en vertelde Steve me over New York, waar hij met zijn vrouw en zoons woonde. Hij had kunstgeschiedenis gestudeerd en handelde in schilderijen. Hij was in Berlijn om een kunstgalerie te openen en bleef drie weken.

'Is het niet waanzinnig dat we hier nog steeds zitten te kletsen?' vroeg hij tegen drie uur 's ochtends.

Zo gek is dat helemaal niet, dacht ik. We weten dat we elkaar na die drie weken nooit meer zien en met dat vooruitzicht kun je heerlijk ontspannen kletsen.

Eventjes verlangde ik naar een ander leven, waarin ik aan de zijde van een man als Steve naar de matinee in het theater kon, naar een galerie en af en toe een weekendje naar Parijs of Madrid. Een leven waarin je niet voortdurend bang hoefde te zijn voor de volgende aanmaning in je brievenbus. Maar toen dacht ik aan Ladja, die thuis argeloos in ons bed lag te slapen en voelde ik me schuldig. Hij hield van me en ik dacht erover na om hem te verlaten voor een man die alleen maar meer geld had dan hij.

In de drie weken die Steve in Berlijn was, ging het financieel prima met me. Ik ging maar drie keer per week naar L'Amour om te werken, maar dankzij Steve verdiende ik een hoop geld. Hij bestelde elke keer een fles van de duurste champagne en ging drie tot vier uur met me naar achteren. Dat kwam normaal zelden voor. In bed vond hij precies de goede mix tussen vrijen en harde seks en hoewel ik niet verliefd op hem was, verheugde ik me elke keer op onze tijd samen. Ook vanwege de vele anekdotes die hij me vertelde over zijn reizen.

De andere meisjes lieten niets merken, maar ik was ervan overtuigd dat ze jaloers waren op mijn goede vangst. Een stamgast is het beste wat je kunt overkomen als hoer: veel kletsen, weinig seks en vaste poen. Ik had geen andere klanten nodig en ik had ook nauwelijks de kans een andere klant te leren kennen, want elke keer dat Steve kwam, bleef hij bij mij tot de club zijn deuren sloot.

Doordat ik niet elke nacht hoefde te werken, kon ik geheel ontspannen mijn colleges aflopen en leren voor mijn tentamens. Alles leek tiptop in orde. Ik kon eventjes op adem komen en me herinneren hoe het was om geen materiële zorgen te hebben en in de buurt te komen van zoiets als levensgeluk.

Maar toen gebeurde er iets wat de situatie veranderde: Ladja raakte zijn baan kwijt. Op een dag kwam hij gedeprimeerd terug van zijn werk. Hij zei dat de partner van de eigenaar hem niet mocht en ze hem daarom hadden ontslagen. De dagen daarna werd hij weer helemaal apathisch. Hij stond pas 's middags op en zwierf dan met Rudy en Tomas rond. Ik kon niet veel meer voor hem doen dan elke dag de krant kopen, in de hoop dat hij de personeelsadvertenties bekeek, maar als ik 's avonds thuiskwam, lag de krant ongelezen op tafel.

Er was nog iets waar ik me zorgen over maakte: Steves afscheid kwam naderbij. Op zijn laatste avond in Berlijn ging ik naar zijn hotel aan de Kurfürstendamm. We gingen uit eten in een steakhouse, pikten een terrasje en slenterden met caipirinha's in de hand over straat. Steve wilde per se iets doen wat 'typisch Berlijn' was, maar ik kon niks verzinnen. Het enige wat me te binnen schoot was mijn schoenen uittrekken. Dus trok ik mijn rode sandalen uit. Steve deed het me na, stomdronken als hij was, en liep naast me met zijn Italiaanse schoenen in de hand.

'Ik weet niet of dit typisch Berlijn is,' zei ik. 'Maar ik heb het ook gedaan op de eerste dag dat ik hier was, omdat ik me zo vrij voelde.'

Steve keek me aan en legde zijn arm om mijn schouder. 'Je bent een goed mens,' zei hij ernstig. 'Ik hoop dat al je wensen uitkomen.'

We spraken er niet over dat dit zijn laatste avond was. Ik wilde niet onprofessioneel overkomen. Voor hem was ik gewoon een meisje dat hij betaalde om plezier mee te hebben, ook al liet hij me dat nooit merken. Omgekeerd was hij voor mij niet meer dan een klant, ondanks de interessante gesprekken.

Steve stopte me driehonderd euro en zijn e-mailadres toe, hoewel hij waarschijnlijk wel wist dat ik hem nooit zou schrijven. Ik nam om vier uur 's ochtends met een licht kusje op zijn wang afscheid van hem.

6 LICHTENBERG: EEN VROUWENKLIEK

'Waarom probeer je het niet als assistent aan de universiteit? Die worden altijd gezocht en jij hebt zulke goede cijfers,' zei mijn vriendin Jule.

'Ik zit pas in het tweede semester. Je moet eerst je bachelor hebben,' zei ik.

De winter was voorbij. We hadden de hele namiddag op Jules balkon gezeten, sangria gedronken en gekletst. En op een zwak moment had ik Jule over mijn bijbaantje als hoer verteld. In het begin van de vriendschap tussen Jule en mij had ik haar verteld dat ik bij een webagency werkte, maar na een halfjaar werd het liegen steeds moeilijker doordat Jule steeds naar details over mijn werk vroeg. Dat deden andere medestudenten ook en dan verzon ik steeds iets, maar soms vergat ik wie ik wat verteld had en dan ging het weleens mis.

'Je werkt op kantoor? Ik dacht dat je in de kroeg werkte,' zei een van de jongens uit mijn algebracollege een keer toen we na het werkcollege in de kantine zaten.

'Nee, het was me te stressig in de horeca, ik heb ontslag genomen,' mompelde ik en ik begon snel over iets anders. Ik vroeg me vaak af hoe lang het nog goed zou gaan.

Jule reageerde aanvankelijk nogal geschokt op mijn bekentenis. Een tijdlang zei ze niets. Daarna probeerde ze zo cool mogelijk te doen en mijn beweegredenen te begrijpen.

'Is het echt oké voor je?' vroeg ze bezorgd.

Ik antwoordde wat alle hoeren op die vraag antwoorden: 'Ja hoor, het gaat best. Maar ik wil het niet te lang meer doen. Een tijdlang is het oké, maar op een bepaald moment word je misselijk van mannen.' Dat was een eerlijk antwoord.

Nerveus kauwde Jule op een ijsblokje.

'Die Ladja van jou moet eens een keer z'n handen uit z'n mouwen steken,' zei Jule. 'Ik mag 'm graag, maar je bent wel zijn vrouw en dit mag hij niet toelaten.'

'Ladja weet hier niets van. Van de seks niet dan. Hij denkt dat ik bij die club achter de bar sta.'

'Hij moet een uitkering aanvragen! Hij heeft nu toch zijn papieren? Het is niet oké dat je studeert en tegelijkertijd ook nog kostwinner bent!'

'Hij vindt wel iets, vast wel. Hij heeft gisteren nog z'n best gedaan om een cursus te mogen doen voor beveiligingsbeambte op de luchthaven,' loog ik. Ik geloofde het op dat moment zelf. Ik was Jule dankbaar dat ze me niet vanwege mijn baan veroordeelde, hoewel het voor haar, zoals ze zei, nooit in aanmerking kwam. Ik had het idee dat onze vriendschap door mijn eerlijkheid en Jules openheid nog sterker werd.

Nadat Steve weg was had ik het moeilijk bij L'Amour. Om goed te verdienen moest ik minstens tot vier uur 's ochtends blijven. De meeste gasten kwamen pas rond een uur of één. Tijdens één dienst had ik meestal maar twee of drie keer een kamerklant. Veel mannen kwamen alleen maar langs om te zuipen en naakte vrouwen te zien en ook die moesten vriendelijk worden behandeld. Je moest ze gezelschap houden en iets met ze drinken.

Van het geld dat ik bij L'Amour verdiende konden Ladja en ik best goed leven, maar mijn lijf protesteerde tegen de vernietigende levensstijl. Door de alcohol, de bergen sigaretten en de slapeloze nachten was ik op een gegeven moment zo uitgeput dat ik overdag niks meer kon. Zelfs op mijn vrije dagen was ik vaak zo moe dat ik de colleges liet schieten en lang uitsliep. Zin om te leren had ik ook niet meer. Ik had dikke wallen onder mijn ogen en overal pukkels. Mijn gezicht zag eruit als dat van een junkie.

Mijn collega's waren ook geen opbouwend gezelschap. Op een avond moest ik aanzien hoe twee dronken vrouwen vochten om een klant. Toen hij ze uit elkaar wilde halen, kreeg hij zelf een dreun.

Toen ik tijdens een wel heel erg lange clubnacht meerdere keren moest overgeven, besloot ik een punt te zetten achter Club L'Amour. Aan het einde van mijn dienst, nadat er was afgerekend, pakte ik mijn spullen uit mijn locker en verliet ik de club, om er nooit meer terug te komen. Ik meldde me gewoon niet meer. Dat was in de seksbusiness niet vreemd. Contracten kende men er niet.

De huur die maand was al betaald en ik besloot een tijdje niet meer te gaan werken. In plaats daarvan ging ik de verloren studietijd inhalen. Ik genoot inmiddels zozeer van het studentenleven, dat ik het liefst nooit meer ging werken. Ik stond vroeg op, ging naar college en in de vrije tussenuren zat ik in de bibliotheek te leren. Ik had nu zo veel vrije tijd, dat ik me zelfs aanmeldde voor een cursus karate en een cursus Russisch aan de universiteit. Dat had ik altijd al eens willen doen. 's Avonds om zes uur was ik thuis om samen met mijn man te eten en daarna een rondje te schaken of modelvliegtuigjes in elkaar te zetten. En dan gingen we naar bed.

Sinds ik niet meer voor geld hoefde te neuken, had ik weer zin in seks. Ladja en ik vrijden bijna elke nacht en het was nog steeds bijna net zo mooi als aan het begin van onze relatie. Dat ik had getippeld, had hij me vergeven en we hadden er verder nooit meer over gepraat.

Dit heerlijke leven duurde drie weken. Toen was de financiële buffer opgebruikt. In mijn wanhoop belde ik mijn familie in Italië op. Ik zei dat Ladja en ik de jaarafrekening van gas en licht hadden gekregen en dat we een enorm bedrag moesten nabetalen.

'Ik kan echt niet meer zo veel werken. Ik moet leren!' smeekte ik.

Mijn moeder zond tweehonderd euro, wat veel geld was voor een bibliothecaresse die ook nog een hotel financieel ondersteunde. Maar de onverwachte hulp was een druppel op een gloeiende plaat. Na twee weken was ik weer failliet.

Ladja had intussen inderdaad gesolliciteerd naar een functie op de luchthaven, maar was afgewezen omdat hij geen rijbewijs had... zei hij. Ik denk eerder dat het kwam omdat hij gewoon zonder afspraak en zonder cv was komen opdragen.

Toen ik nog maar twintig euro over had, was het weer eens zover. Ik kocht een krant en bekeek de advertenties in de rubriek 'Modellen gezocht'. De procedure was me inmiddels bekend...

Het duurde even voor ik het etablissement in Lichtenberg, dat ik had uitgezocht, vond. De omgeving was me volkomen vreemd en ik vond dat alles er hetzelfde uitzag.

Lichtenberg is een wijk in het oosten. Er stonden veel flats van tien verdiepingen en hoger en ik zag geen enkele supermarkt of kiosk waar ik iemand naar de weg had kunnen vragen. Ten slotte ontdekte ik een kleine rode pijl bij de ingang van een van de betonnen bunkers. MASSAGESALON OASE stond erbij.

Ik werd door Anja, de manager, ontvangen. Ze droeg een zakelijk pak, wat nogal ongewoon is in een bordeel. Haar zwarte lange haar viel op haar schouders en ze was mollig, maar niet dik. Nadat we ons aan elkaar hadden voorgesteld, nam ze me mee naar haar kantoor.

'Zo, zo. Dus jij heb al ervaring,' zei ze en ze bekeek me nauwkeurig terwijl ze een sigaret opstak.

Anja was erg nieuwsgierig. Ik vertelde haar over allerlei clubs en hoerenkasten, welke prijzen er werden gevraagd en wat de meisjes kregen. Over zichzelf vertelde Anja niet zo veel, behalve dan dat zij en haar vriend deze zaak zes maanden geleden hadden overgenomen en dat hierdoor personeelsfluctuatie was ontstaan. Ze moesten als het ware een nieuw team opbouwen. Bovendien waren ze niet de eigenaar, maar de beheerder van Massagesalon Oase. Eigenaar was een zekere Holger, maar die liet zich er nooit zien.

Midden in ons gesprek stoof er opeens een hondje de kamer binnen. Het begon te blaffen. Het hondje werd achtervolgd door een wild met haar armen zwaaiende vrouw die riep: 'Rex! Rex! Hoe vaak heb ik je nu al gezegd dat je moet zitten! Zit! Zit! Anja, die hond heeft alweer op het tapijt gepist. Ik weet niet meer wat ik met hem aan moet.'

Ze ontdekte mij.

'Hallo, ik ben Mandy,' zei ze en ze stak haar hand uit. 'Niet schrikken hoor, het is hier soms net een gekkenhuis, maar eigenlijk zijn we één grote familie. Ik hoop dat je je bij ons thuis voelt.'

Ik keek haar aan. Ze had een smal, bleek gezicht en vermoeide groene ogen. Ze was erg mager en ze droeg alleen maar een witte bh met rode rozen en een witte string met kant. Ik schatte haar op begin twintig.

'Mandy werkt hier al heel lang,' zei Anja. 'Ze kletst veel, maar dat doen de meeste meisjes hier.'

Daarna liet ze me de ontvangstkamer zien, waar Mandy rustig op een doorgezeten leren bank de hond zat te aaien. Er was ook nog een andere vrouw, donkerblond. Zij zat op een barkruk een videospelletje te doen. Ze drukte zo geconcentreerd op de toetsen dat ze ons niet opmerkte. De vrouw was ouder dan Mandy, in de dertig misschien, en ze was slank en knap. Ook zij had alleen lingerie aan, met witte kniehoge laarzen erbij.

Midden in de ruimte stond een glazen tafeltje dat helemaal bezaaid lag met tijdschriften, glazen en borden.

'Meiden, dit kan zo niet,' zei Anja en ze schudde haar hoofd. 'Als een gast hier wil zitten, schrikt hij zich lam van de rotzooi hier.'

De spelende vrouw stond langzaam op, trok een verongelijkt gezicht, pakte twee borden en verdween door een deur.

'Dat is de keuken,' zei Mandy zuchtend. 'Het fornuis is kapot, er is nauwelijks plek voor servies en de kastjes vallen uit elkaar. O, Anja, we moeten echt iets aan de douche doen. De schuifdeur gaat helemaal niet meer dicht en...'

'Ja, ja,' mompelde Anja. 'Als jullie genoeg geld binnenhalen kunnen we een douche kopen met een gouden kraan.'

Ik ging bij Mandy zitten. Binnen vijf minuten wist ik alles over haar. Ze was kapster en had een vriend die al twee jaar werkloos was. Hij zat haar vreselijk op de nek. Eigenlijk hield ze dus helemaal niet van hem en wist ze ook niet waarom ze nog steeds met hem samenwoonde.

'Hij heeft vandaag weer twintig keer gebeld,' steunde Mandy en ze sloeg haar ogen ten hemel. 'Ik word er stapelgek van!'

De vrouw met de witte laarzen heette Jana.

'Jana is onze klusjesman,' zei Anja met een glimlach.

'Onzin,' zei Jana. 'Ik ben jarenlang automonteur geweest, maar dat was voor de Muur viel. En nu zit ik dus hier en ben ik masseuse.' Ze sprak het laatste woord ironisch uit.

'Ik neem aan dat ik je niet hoef uit te leggen wat je moet doen,' zei Anja.

Ik schudde van nee.

Jana, de automonteur, liet me de kamers zien. Het waren er vijf, klein en met lage plafonds. In elke kamer was een wastafel en een met rood fluweel bespannen massagetafel. Er lagen flesjes olie onder, plus een wit laken en een keukenrol. In drie kamers stond ook nog een futon. De wanden waren rood en met goudkleurige Egyptische ornamenten versierd. De ramen waren met verdonkerende zwarte folie beplakt.

Twee dagen later, op een zaterdag, draaide ik mijn eerste dienst. Ik had besloten mijn werknaam te veranderen en noemde me voortaan Stella. Een zekere Vera had ook dienst die dag. Normaal waren er, afgezien van Anja – maar die deed niet mee – méér dan twee dienstdoende vrouwen. In het weekend wilde echter iedereen het liefst vrij hebben.

Vera was blond en slank, kwam uit Estland en was behalve ik de enige buitenlandse bij Oase. Ter begroeting zette ze twee flessen ananasbowl op tafel.

'Op zaterdag is er meestal niet zo veel te doen,' zei ze in gebroken Duits.

Vera, Anja en ik begonnen te drinken en te kaarten. Ze leerden me *skip bo*, een soort bridge met getallen. Na verloop van tijd raakte iedereen bij Oase helemaal bezeten van skip bo. We waren nog niet binnen, of de kaarten kwamen op tafel.

Anja en Vera hielden allebei van eenvoudige popmuziek en ordinaire discotheken waar halfnaakte meisjes paaldansen. We waren net een beetje aangeschoten aan het dansen op 'You're my heart, you're my soul' toen de bel ging. De gast wilde mij. Hij was jong, begin dertig, en hij vertelde dat hij sinds een paar weken weer single was. Hij maakte een beleefde en schone indruk.

Ik ging met hem naar achteren. Het was mijn eerste massage sinds lange tijd, maar het was als vanouds. Ik was net een ervaren actrice die na een lange onderbreking weer in haar oude rol terugkeert. Ik masseerde zijn rug en kletste er gezellig op los. Wat doe je? Woon je hier in de buurt? Waar ben je op vakantie geweest? Doe je aan sport? Enzovoort, enzovoort. De meeste gasten waren kletskousen, ook wat hun seksualiteit betrof. Waarschijnlijk was het omdat ik vreemd was en ze me sowieso nooit meer zagen, dat ze zo open konden zijn. Ze vertelden me over hun erotische fantasieën of dat ze al een halfjaar geen seks met hun partner meer hadden gehad. Het feit dat ze poedelnaakt voor me lagen, maakte een gesprek gemakkelijker. Je kon over de formaliteiten heen stappen en meteen beginnen over iets wat je interesseerde.

De belangrijkste reden dat mannen zo veel te vertellen hadden, was dat ze verder niemand hadden die naar ze luisterde. Ik heb het altijd verbazingwekkend gevonden hoe eenzaam de meeste mannen waren, zelfs al hadden ze een gezin en vrienden met wie ze in het weekend barbecueden.

Mijn klant aaide een beetje over mijn borsten en ik begon hem af te trekken. Meer wilde hij niet, hij was erg verlegen. Ik had mijn rechterhand ingesmeerd met olie, zodat hij snel klaar zou komen. Dat deed hij. Ik gaf hem de keukenrol zodat hij zich kon schoonvegen, wachtte tot hij klaar was met aankleden, begeleidde hem naar de deur, gaf hem een kusje op zijn wang en keerde terug naar de ontvangstkamer waar Anja en Vera een klein privéfeestje aan het vieren waren.

'Als je naar de bak moet,' lispelde Vera, die intussen nogal dronken was, 'ga dan naar Nederland. Daar hebben ze de beste gevangenissen.'

'Ik wil eigenlijk niet echt de lik in,' zei ik lachend. 'Maar hoe weet je dat?'

'Ach, ik ben een paar keer zonder papieren aangehouden. Een keer in Spanje, een keer in Frankrijk en een keer in Nederland.'

Ik kon bijna niet geloven dat dit tengere jonge ding al zo veel had beleefd.

'Vroeg begonnen,' legde ze me uit en ze haalde haar schouders op. 'Toen ik vijftien was, raakte ik bevriend met een paar Russen in mijn dorp: Igor en zijn maten. Ik was een naïef meisje van het platteland en die gozers waren niet half zo aardig als ze eruitzagen. Ze hebben me met valse papieren naar West-Europa gesmokkeld. Drie jaar lang heb ik geneukt, geneukt en nog eens geneukt. En Igor heeft gouden bergen met mijn spleetje verdiend. De gevangenis daarna was er niks bij.'

Ik had nog nooit een vrouw ontmoet die ervaring had met pooiers. Ik dacht dat het helemaal niet meer bestond en was verbijsterd over mijn eigen naïviteit. Bovendien was ik blij dat me zoiets tot nu toe bespaard was gebleven.

Vera had een geluk bij een ongeluk gehad. Igor kwam bij een afrekening tussen bendes om het leven. Sindsdien genoot ze van haar vrijheid. Ze woonde samen met een Arabier die een zonnestudio runde en stuurde haar geld keurig naar Estland, waar haar ouders en haar vierjarige dochtertje woonden. Ik vond haar erg stoer.

'Dat had ik allemaal nooit gekund,' zei Anja peinzend. 'Ik denk dat ik me van kant zou hebben gemaakt. Ik heb de moed niet om naar een ander land te verhuizen. Ik ben nog nooit verder geweest dan Polen… en een keertje in Parijs, en dat alleen samen met mijn vriend.'

In de loop van de middag kwamen er nog een paar klanten langs. Op die manier leerde ik Panda kennen, een trouwe stamgast. Hij was halverwege de veertig, klein en gezet en hij had lang grijs haar. Hij werd Panda genoemd omdat hij altijd een grijs jack met capuchon aanhad. Op de voorkant stond een pandabeer afgebeeld en op de achterkant stond in rode letters: RED HET BOS. Hij had kennelijk geen andere kleren. Iedereen dacht dat Panda een eenzame arme sloeber was. Zijn jas rook muf en zijn regenlaarzen waren kapot.

Panda zei nooit iets. Tijdens de massage was hij stijf en stil. Alles wat je van hem hoorde was een zachte kreun als hij klaarkwam. Daarna zat hij uren met de meisjes in de woonkamer koffie te drinken, naar het geklets te luisteren of te kaarten. Als je hem iets vroeg over zijn privéleven, glimlachte hij, maar hij gaf nooit antwoord en veranderde van onderwerp.

Anja gedoogde Panda omdat hij bijna altijd iets lekkers meenam: taart, pizza, vers fruit. Hij zei ook nooit nee als je om een sigaret bedelde en dat hoewel hij zelf waarschijnlijk van een kleine uitkering leefde, waarvan het grootste deel bij Oase werd uitgegeven.

'Wat doe je eigenlijk voor werk momenteel?' vroeg Ladja op een avond toen we samen aardappelen aan het schillen waren.

'Ik werk als masseuse,' zei ik en ik probeerde het zo serieus mogelijk te laten klinken.

Ik had mijn man beloofd dat ik nooit meer zou neuken voor geld en ik had me er ook een paar weken aan gehouden. Toch besloop me de gedachte dat ik bijna het dubbele kon verdienen als ik ook seks bij de massages aanbood. Wat maakte het eigenlijk uit of ik die kerel aftrok of dat ik ook met hem neukte?

'Morgen gaan we naar het arbeidsbureau. Ze moeten me helpen om een baan te zoeken. Tot het zover is, vraag ik een uitkering aan,' zei Ladja.

'Dat zou niet slecht zijn,' zei ik. Ik geloofde er niets van. Ik betaalde nog steeds in mijn eentje de huur en alle andere rekeningen, hoewel Ladja nu al twee maanden een werkvergunning had.

De volgende dag stond Ladja, net als miljoenen andere mensen in Duitsland, voor het huis met de rode A, het *Arbeitsamt*. Dat het arbeidsbureau Wedding geen grote hulp zou zijn, werd ons al na drie minuten duidelijk. Op de gangen wemelde het van de kinderwagens, hoofddoekjes en trieste rokende figuren. Niemand wist waar hij heen moest en dat wist ook de man achter de balie niet. Wanhopig keek hij naar de chaos die zich voor zijn neus afspeelde. Af en toe riep hij in de menigte: 'Alstublieft, niet allemaal tegelijk!'

Op de tweede verdieping werd ons verteld dat daar geen nieuwe aanmeldingen werden aangenomen. Op de vijfde verdieping ontdekten we na een uur in de rij staan dat we in de verkeerde kamer zaten: voor studenten en hun echtgenoten was iemand anders verantwoordelijk. Na drie uur hadden we eindelijk de juiste medewerker gevonden. Een spichtige vrouw in een mantelpakje nam ons zwijgend in zich op en zei daarna op verveelde toon dat Ladja geen recht had op hulp omdat we allebei buitenlanders waren en Ladja nooit sociale verzekeringspremies had betaald. Als we geen geld hadden, konden we beter 'naar huis' gaan.

Het liefst had ik woest gegild, maar ik wilde geen scène. Dus liepen we naar het park in de buurt van het arbeidsbureau en rookten een sigaret. Ladja trok opgewonden aan zijn sigaret en zei geen stom woord. Over de toekomst wilde hij het niet hebben. Ik had tot nu toe altijd voor geld gezorgd en hij vertrouwde erop dat ik dat zou blijven doen. Binnen de kortste keren ging hij ook niet meer op zoek naar werk, maar keek hij de hele ochtend televisie en ging hij 's middags op de fiets naar de rosse buurt. Zijn maten waren bijna allemaal werkloos, of ze hadden gelegenheidsbaantjes, dus ontmoette hij altijd wel een gelijkgezinde. Een paar cent voor wat wiet en een biertje kregen ze altijd wel bij elkaar. Wat dat betreft waren de jongens in Ladja's kliek erg gul: wie toevallig geld had, van een uitkering of zo, deelde het trouwhartig met de anderen.

Hoe absurd mijn leven was, merkte ik toen ik op een dag na een college analyse met een medestudent op het treinstation stond. Hij woonde in Lichtenberg, zo bleek, in de buurt van de Oase waar ik naar op weg was. Ik zat in de val.

'Ik ga naar het fitnesscentrum,' loog ik en ik hoopte dat hij me geloofde.

'Waar is daar een fitnesscentrum?' vroeg hij. 'Ik zou eigenlijk weer eens aan sport moeten doen. Is het misschien ook iets voor mij?'

Ik had geen idee hoe ik me uit deze situatie kon redden. Ik had maar één noodoplossing.

'O, shit!' riep ik met een gespeelde paniekerige uitdrukking op mijn gezicht. 'Helemaal vergeten dat ik vanmiddag naar de tandarts moet!' Ik zei haastig gedag en rende het treinstel uit dat we net waren binnengestapt. Op het perron wachtte ik op de volgende trein.

Ik werkte drie keer per week bij Oase, meestal laat, van vier uur 's middags tot negen uur. Dat was eigenlijk de beste tijd. Toch moest ik vaak eeuwig op een klant wachten.

Om de tijd te doden, kletsten de andere meisjes en ik wat af. Meestal ging het daarbij over onze klanten en mannen in het algemeen, wat eigenlijk op hetzelfde neerkwam. We hadden, wat de klanten betrof, zelfs een lijst gemaakt.

De ergsten waren de mannen die dertig euro neertelden voor twintig minuten klassieke massage plus handontspanning en daarvoor alles wilden doen. Ik noemde ze inktvissen, omdat ze je overal tegelijk wilden betasten: tieten, spleetje, kont.

Nog erger waren de Arabieren, die dachten dat er gehandeld moest worden als op een bazaar. Dat waren de moeilijkste klanten. Ze waren meestal erg dominant en probeerden altijd een vrouw ervan te overtuigen te doen wat zij wilden. Ze vroegen bijvoorbeeld altijd naar anale seks. Na mijn ervaringen in Wedding liet ik me door dat soort mensen niets meer vertellen. Als je ze met net zo'n grote bek van repliek diende als zij kwamen binnenzetten, waren ze best in orde en werd er niet meer over de extra wensen gepraat.

Ali, een van mijn stamgasten, probeerde altijd twee euro korting te krijgen.

'Ik heb het geld nodig voor mijn buskaartje naar huis,' zei hij met een ernstig gezicht.

'Je woont hier om de hoek, sukkel,' zei ik dan telkens. 'Je gaat maar lopen.'

En dan begon elke keer hetzelfde liedje dat we zo duur waren, dat hij zo arm was en dat hij familie had enzovoort.

'Dan ga je toch fijn ergens anders heen, als je het hier niet kunt betalen,' zei ik dan. 'Of je masturbeert. Dat is gratis. Als ik een broodje kebab koop, krijg ik ook geen korting.'

Meestal deed ik in deze fase van onze discussie al een stapje naar de deur.

Uiteindelijk zuchtte Ali diep, haalde de verfomfaaide briefjes uit zijn jaszak, telde ze langzaam neer en koos dan een halfuur tantramassage plus aftrekken, samen voor vijftig euro. Daar mocht hij me dan ook een beetje voor betasten, afhankelijk van mijn humeur.

Over het algemeen was het zo dat iedere vrouw zelf besliste in hoeverre een klant haar mocht betasten. Je moest altijd een evenwicht zien te vinden tussen te veel toestaan en te veel verbieden. Als Ali bijvoorbeeld te ver ging, wees ik hem met een bot 'poten thuis' terecht. Na een paar keer hoefde ik dat niet meer te zeggen. Als een mak lammetje lag Ali op de massagetafel en liet zich door mij kneden.

'Ik ben stapeldol op je,' bekende hij elke keer aan het eind. 'Als ik jouw man was, zou ik niet toelaten dat je hier werkte.'

'Ik ben onafhankelijk en we leven in de eenentwintigste eeuw,' zei ik dan. 'Ik doe wat ik wil en ik verdien mijn eigen geld.'

Ali was het niet gewend dat vrouwen het laatste woord hadden. Elke keer dat ik een weerwoord had op zijn machogedoe, was hij helemaal sprakeloos.

Na een tijdje maakte ik bij Oase deel uit van de familie. De salon leek sowieso meer op een vrijetijdscentrum voor vrouwen dan op een hoerentent.

Het eerste wat de klanten meteen opviel als ze binnenkwamen, was dat het er altijd lekker naar eten rook. Er stond altijd wel een van de meisjes in de keuken iets te kokkerellen en soms kookten we allemaal samen. We hebben zelfs ooit een keer een groot stuk vlees in de oven gebraden zodat het overal in het appartement rook als in de keuken van mijn oma vlak voor kerst. Even voor sluitingstijd werd er gezamenlijk gegeten, compleet met gekookte aardappeltjes, zuurkool en in boter gesmoorde groente.

Onze spelletjes- en muziekverzameling was ook niet te versmaden. Van Rammstein tot Juliane Werding en Xavier Naidoo hadden we alles. Alleen de drie videospelletjes in de ontvangstkamer, de skip bokaarten en de oude televisie die Mandy na een paar maanden van thuis meenam, waren nog beter.

Het roddelen over de een of andere vrouw hoorde ook bij het dagelijks leven in Oase. En ook al gaf niemand het openlijk toe: de nieuwe meisjes waren favoriet.

Dascha, Vera's beste vriendin, begon in het voorjaar voor ons te werken. Net als Vera had ze een kind van een man die haar had verlaten. In Estland kon ze geen werk krijgen en zo was ze bij gebrek aan alternatieven illegaal naar Duitsland gekomen. Dat ze om te overleven moest tippelen, was haar vanaf het begin af aan duidelijk geweest.

Vera en Dascha deelden een tweekamerappartement. Ze hadden beiden geen ziektekostenverzekering, stonden beiden niet geregistreerd en leefden voorturend in angst dat ze bij een razzia zouden worden ontdekt.

Anja verzekerde ons telkens dat er bij Oase al jaren geen controles door de politie meer hadden plaatsgevonden. Volgens haar kwam dat doordat haar vriend zogenaamd goede contacten bij de politie had. In andere zaken hadden ze continu last van razzia's.

Op een dag kwam Dascha krijsend de keuken binnenrennen, waar wij net met een pudding bezig waren.

'Smerissen, smerissen!' gilde ze en ze trok de verbaasde Mandy naar het raam. Inderdaad stond er een witgroene auto voor de deur.

'Ik heb het altijd gezegd,' fluisterde Mandy in mijn oor. 'Je grootje dat hier geen doorzoekingen zijn.'

Even later ging de bel. Twee in burgerkleding geklede mannen gingen in onze ontvangstkamer op de bank zitten, kletsen wat over koetjes en kalfjes, vroegen naar onze prijzen, en dat alles met een overduidelijke Berlijnse tongval. Vera en Dascha waren van de aardbodem verdwenen.

'Goed, meiden,' zei de grootste van de twee na een tijdje op vals vriendelijke toon. 'Hartelijk bedankt. Misschien komen we een andere keer nog weleens langs, wat jij?' zei hij en hij keek zijn collega aan die kort knikte.

'Vreemde vogels,' zei Jana toen de twee mannen weg waren.

'Dat waren geheid geen agenten,' zei ik. 'Daar waren ze veel te onverzorgd voor. Bovendien hadden ze ons naar onze identiteitskaarten moeten vragen.'

'Wacht maar af. Ze komen vast terug met versterking,' mompelde Mandy, die nogal een doemdenker was.

'Hou toch op met die shit,' snauwde Jana. 'Denk je dat de smerissen in Berlijn niks beters te doen hebben? We doen hier toch niks illegaals?!'

Na een halfuur kwamen Vera en Dascha weer binnen. Ze waren in paniek het dak op gevlucht.

Dascha was na dit voorval erg aangeslagen. Ze zag overal politie en droomde 's nachts dat ze werd uitgewezen en moest terugkeren naar haar arme dorp aan het einde van de wereld. Ze zette het zwaar op een zuipen. Bij Oase waren we allemaal stevige drinkers, maar Dascha werd binnen korte tijd een geval voor de ontwenningskliniek. Ze kwam om vier uur 's middags al behoorlijk dronken naar haar werk, goot tijdens haar dienst minstens twee flessen bubbels naar binnen en plunderde onze gemeenschappelijke koelkast.

Na haar werk ging ze dronken uit dansen. Bij een van die uitjes ontmoette ze een Braziliaan. Ze trok al snel bij hem in. De man was blijkbaar rijk of eenzaam genoeg om voor Dascha en de hele familie in Estland te betalen, dus ging ze niet meer naar Oase. Ze verbrak ook het contact met Vera.

'Mooie vriendschap,' was Vera's enige commentaar hierop.

'Wat doe je na college?' vroeg Jule tijdens de lunch in de mensa op een gloeiend hete zomerdag. 'Nicole en ik gaan straks zwemmen, ga je mee?'

'Ik moet werken,' verzuchtte ik. Wat dat betekende wist Jule, maar we hadden het er nooit over als er medestudenten in de buurt waren. Hoewel ik me thuis voelde bij Oase, was het vooruitzicht om op zo'n warme dag in plaats van aan het strand in een bordeel te zitten en klanten af te werken niet echt daverend. Sommige klanten waren echt niet te verdragen en van die probleemgevallen had ik er een heleboel.

Er was een klant die altijd zijn gehandicaptenpasje liet zien, omdat hij dacht dat hij dan korting kreeg. Hij was als soldaat van het Rode Leger in Afghanistan gewond geraakt en trok met zijn been. Hij wilde ook altijd gepijpt worden zonder condoom, wat ik natuurlijk weigerde. En als hij klaarkwam brulde hij als een woesteling.

Dan had ik nog een klant die zichzelf ontzettend grappig vond. Hij noemde zich Donald Duck en was verreweg de ergste klant die ik had. Hij probeerde alles wat niet mocht: zoenen, zijn smerige vingers in mijn kut steken en zonder condoom met zijn leuter tegen me aan rijden. Hij kletste me de oren van het hoofd en vroeg de hele tijd of we niet een keertje privé konden afspreken.

'Ik heb een vriend,' zei ik dan geïrriteerd. Of ik vroeg: 'Wat gaan we dan doen samen?'

'Nou, een kop koffie drinken, dat kan toch wel? Een stukje taart erbij, misschien...' zei Donald Duck onderdanig.

'Je denkt toch niet dat je me gratis mag wippen voor een stuk taart?! Zo arm ben ik nou ook weer niet!' Ik was ervan overtuigd dat hij na die opmerking nooit meer zou komen, maar het tegendeel was waar. Dus kreeg ik er lol in hem lekker te pesten.

'Hé, Donald Duck, wanneer heb je voor het laatst je haar gewassen?' Of: 'Het duurt steeds langer voor je hem stijf krijgt, Donald Duck. Pas maar op dat je niet impotent wordt...'

Zijn enige reactie op die pesterijen was een zenuwtrekje. Voor de rest leek het wel of hij het niet had gehoord.

Vera zag het zo: twintig procent van de gasten waren aardig, veertig procent afstotend en de rest echte klootzakken. Daardoor ontwikkel je na verloop van tijd een enorme agressie en de eerste de beste die je dan tegenkomt, krijgt de volle laag. Ladja bijvoorbeeld. Ik maakte ruzie met hem om onbenulligheden, terwijl ik eigenlijk een klant met een honkbalknuppel te lijf wilde.

Gelukkig waren het niet allemaal idioten. Ik had een paar stamgasten met wie het echt leuk was, een bouwvakker bijvoorbeeld, van net dertig jaar, die elke zaterdag langskwam om zich te laten masseren. Een gemoedelijke vent, fan van Rammstein. Hij vertelde altijd honderduit over zijn vriendin en zijn maten. Zijn verhalen hadden iets knus en al snel had ik het gevoel zijn leven goed te kennen: de nachten stappen, de zondagmiddagen voor de tv met een zak chips, knuffelen met je partner, kletsen over van alles en nog wat... Maar ook de dagelijkse sleur: opstaan, ontbijten, hard werken, een pilsje na het werk, naar bed en de volgende ochtend alles weer van voren af aan. Na een halfuur met de bouwvakker was ik helemaal ontspannen en kon ik de smerige klanten beter aan.

Een andere aardige peer was Kai, een financieel adviseur. Vera had me gewaarschuwd toen ik de eerste keer met hem naar achteren ging. Daarom dacht ik dat het een viezerik was. Mannen in het pak met stropdas waren vaak de vunzigste en zuinigste klanten. Maar Kai zei dat hij alleen een sigaretje wilde roken, een beetje kletsen en seks.

De seks met Kai leek wel een wedstrijd. Hij ragde als een gek en ondertussen fantaseerde hij over seks met drie vrouwen tegelijk, seks in een kerk, kijken hoe een zwarte het met een vrouw doet en zich daarbij dan aftrekken, en meer van dat soort verhalen. Mijn collega's vonden Kai daarom erg vermoeiend, maar ik vond dat dierlijke instinct, verborgen onder het uiterlijk van een burgermannetje, wel leuk. Kai was echt goed in bed en hij wist wat een vrouw wilde. De seks met hem was altijd geweldig, ook al zat ik daarna helemaal stuk. Bovendien vond ik zijn gespierde lichaam mooi en deelde ik zijn liefde voor kunst en de mooie dingen van het leven. Kai vroeg steeds of ik geen zin had om met hem en een paar vrienden te gaan zeilen op de Middellandse Zee. Hij liet me foto's zien van een jacht, met elegante, in de zon aan cocktail nippende mannen en chique vrouwen. Maar sinds Steve, mijn Amerikaanse klant, wist ik dat zo'n leven niet bij mij paste en dat ik voor Kai nooit iets anders zou zijn dan een pop waar je je vrienden mee imponeert, of een bedorven studente met wie je geil kunt neuken. En dus sloeg ik zijn uitnodigingen beleefd af.

Op een dag stond ik voor het raam te telefoneren, toen ik zag hoe een man van ongeveer dertig de binnenplaats over schoot. Hij zag eruit als een typische geitenwollensokkenpappie uit Prenzlauer Berg: beige bermuda, sandalen, koeriertas om. Hij zette zijn fiets met kinderzitje tegen de muur, aarzelde even, haalde diep adem en belde aan. Toevallig boekte hij mij voor een halfuur, zonder te weten dat ik had gadegeslagen hoe hij aan was komen fietsen. Hij had geen bijzondere wensen, was bijna onderdanig, kwam snel klaar en bedankte me wel drie keer voor mijn diensten.

'Woon je in Prenzlauer Berg?' vroeg ik. De klant had zich alweer aangekleed.

'Hoe weet jij dat?' vroeg hij met een knalrode kop.

'Is te zien,' zei ik en ik moest lachen bij het vooruitzicht dat hij na ons nummertje terug fietste naar zijn vrouw en kind in de speeltuin, of naar een ouderbijeenkomst op het kinderdagverblijf.

Nog driester was een klant die van Vera een vluggertje wilde: twintig minuten seks. Hij was nog niet binnen of hij plofte boven op haar, duwde zijn leuter bij haar binnen en kwam bijna meteen klaar. Daarna kleedde hij zich vliegensvlug aan.

'Wat een haast,' zei Vera nog, bij het uitlaten van de klant.

'Mijn vrouw zoekt een parkeerplaats. We gaan samen shoppen. Ik heb tegen haar gezegd dat ik alvast sigaretten haal,' zei hij zonder blikken of blozen.

Vera's mond viel open van verbazing. Iedereen die het wilde, kreeg het verhaal te horen. 'Zo zijn ze, mannen. Ze denken aan niets anders dan neuken,' concludeerde ze.

Mijn lievelingsgast was Wolfgang, dertig jaar in trouwe dienst van de Oost-Duitse spoorwegen geweest en vlak na de val van de Muur met vervroegd pensioen gegaan. Eigenlijk had hij, net als zijn opa en zijn vader voor hem, komediant willen worden, maar vlak na de oorlog was daar in het volledig in puin liggende Oost-Berlijn geen behoefte aan. Toch had hij zijn passie nooit helemaal opgegeven en kon hij sterke en grappige verhalen vertellen, waarvan het avontuur met de 'stasislet' mijn favoriet was.

In de jaren vijftig was Wolfgang, straalbezopen en geil, in een kroeg in Pankow beland. Daar had hij een dito bezopen vrouw aan de haak geslagen, die onmiddellijk na binnenkomst in zijn appartement haar handtas had geleegd. Er kwamen meerdere identiteitskaarten tevoorschijn met verschillende namen, maar allemaal met dezelfde foto. Sommigen waren uit West-Berlijn. Toen de vrouw in haar delirium Wolfgang uit ging schelden, werd het hem te bont. Hij belde bij de buren de volkspolitie op, die de verbouwereerde vrouw meenamen naar het bureau. Wolfgang moest ook meekomen om een verklaring af te leggen.

'Die ellendige stasislet!' riep hij. 'Ik heb het bewijs, kijk maar!' En hij trok een slipje uit zijn broekzak dat de vrouw bij hem op de wc had achtergelaten. De anders zo bekrompen dienders proestten het uit. Ze hadden al snel door dat Wolfgang een arme sloeber was, die op zoek was geweest naar een beetje plezier en die met politiek niets te maken had. Dus stuurden ze hem naar huis.

Anja was altijd wantrouwig als een van de meisjes het goed met een klant kon vinden. Privécontact tussen een klant en een hoer was eigenlijk ongewenst, maar van Wolfgang had ik telefoonnummer en adres. [4]

En ik ging bij hem op bezoek!

Wolfgang had een onopvallend tweekamerappartement in een flat aan de rand van de stad, tussen keurig gemaaide grasveldjes en speeltuintjes. Er lag groen zeil op de vloer, maar hij had een paar mooie meubeltjes: een oud bureau van mahonie en een apothekerskast. Beide stukken had hij geërfd. Het beste vond ik zijn ouderwetse telefoon uit de DDR, met een enorme hoorn en een draaischijf. Aan de muur hingen foto's van naakte vrouwen, uit kranten geknipt of zelf geschoten van een van de ontelbare callgirls die Wolfgang in al die jaren binnen zijn vier muren had ontvangen.

Wolfgangs aardappelsoep was heerlijk. Hij zei dat het een oud recept van zijn oma was. Ieder meisje dat bij hem op bezoek kwam, kreeg er een bord van, want, zo zei hij in plat Berlijns: 'Er is niks erger dan een meisje met een lege maag te laten gaan.'

Na mijn eerste bezoek zocht ik Wolfgang regelmatig op: twee zaterdagen per maand. Het menu varieerde, afhankelijk van het seizoen en waar Wolfgang zin in had. Soms had hij casselerrib met gebakken aardappeltjes en soms koolraapsoep. Hij serveerde er altijd rode wijn bij. Op de achtergrond klonk muziek, meestal jazz, van oude grammofoonplaten.

Wolfgang, die om gezondheidsredenen eigenlijk niet zou moeten drinken, leegde twee flessen wijn binnen drie uur. Hij zei van zichzelf dat hij alleen in gezelschap dronk, maar op de meisjes na die hij betaalde om te komen, was hij nogal eenzaam. Hij luisterde vaak naar operamuziek op cassette en dacht terug aan de tijden dat hij iedereen bij de Staatsopera Unter den Linden bij naam kende en na de voorstelling werd uitgenodigd om samen met het ensemble een glaasje bubbels te drinken. 'Toen kon iedereen nog een kaartje betalen,' mopperde hij dan en zijn grote scheve neus werd wijnrood als hij met zijn tirade begon over de snertregering van tegenwoordig die het geld uit de zakken van het volk klopte. Zijn monologen over politiek waren meesterlijk.

Het beste aan Wolfgang was echter dat hij echt luisterde. Omdat hij niet opgewonden raakte van seks, liet hij zich altijd met de hand behandelen. Dat duurde vijf minuten. De rest van de tijd hoorde hij me uit over mijn leven, over mijn vrienden en hoe ik over dit of dat dacht. En hoewel hij me maar honderd euro gaf voor vier uur, ging ik graag naar hem toe.

Ladja had niet door dat ik regelmatig naar een klant ging. Hij wist sowieso niet wat ik buiten de deur deed. Meestal hing hij wat rond met de jongens uit California of hij zat thuis voor de computer of de tv. Dat ik af en toe een regelrechte hekel had aan mijn werk, was iets waar ik met Ladja niet over kon praten. Dus vervreemdden we steeds meer van elkaar, zonder het echt te merken.

Ladja wist ook niets van mijn studie, hoewel ik vaak medestudenten bij ons uitnodigde om samen te leren.

Er zat ook een Chinees in mijn werkgroepje. Hij viel op door zijn ijver. Hij had bijna geen geld, woonde in een studentenhuis in een piepklein kamertje en zat de hele dag met zijn neus in de boeken. Het resultaat was dat hij bijna alleen maar tienen scoorde. Misschien moet ik het ook zo doen, dacht ik: minder werken en meer studeren. Maar zo'n ascetisch leven was niets voor mij.

Terwijl ik de vermoeiende spagaat tussen collegezaal en club volhield, voor toetsen leerde en seksuele wensen vervulde en met studenten of met collega's van Oase uitging, knutselde Ladja aan een brug voor zijn modelspoorbaan. Hij was ervan overtuigd dat hij daarmee aan een tentoonstelling kon deelnemen en er geld mee kon verdienen.

'In Hamburg is zo'n tentoonstelling. Daar komen zelfs buitenlanders opaf,' zei hij enthousiast. 'Het zou geweldig zijn als ik zoiets groots ook in Berlijn van de grond zou kunnen krijgen: een hal huren en dan allerlei landschapjes maken. De Alpen, de Grand Canyon, ik heb zoveel ideeën. Ik heb alleen wat startkapitaal nodig.'

Ik glimlachte. Ladja's naïviteit was ontroerend en schrikbarend tegelijk. Hij kon de hele dag zitten dromen. En ik was verantwoordelijk voor de realiteit. Eigenlijk was onze rolverdeling duidelijk. Ik vroeg me af of Ladja ooit volwassen zou worden. Een hele poos hield ik mezelf voor dat alles goed was. Ik was met Ladja getrouwd en ik dacht dat hij mijn grote liefde was. En nu ontstond er twijfel. De seks was nog steeds goed, maar het was niet meer zo als in het begin, toen mijn lijf naar hem hunkerde en ik het in de toppen van mijn tenen voelde kriebelen als ik Ladja zag. Ik betrapte me erop dat ik soms dacht dat ik Ladja net zo goed kon ruilen met een van mijn knappere klanten die ook nog aardig waren.

'Het is na een tijdje gewoon niet meer zo opwindend,' zei Jule aan de telefoon toen ik haar over mijn twijfels vertelde. 'Tot nu toe was dat met al mijn vriendjes zo.'

'Maar is dat niet triest?' vroeg ik. 'Wat is er dan over tien jaar? Gaat hij steeds harder snurken? Slaapt hij dan op de bank nadat hij op tv naar een Hongaarse porno heeft zitten kijken? Ik vind het soms nu al spannender om met een klant naar bed te gaan. Vandaag bijvoorbeeld, kwam er een jonge gast bij wie ik een heel goed gevoel had. Ik had een superorgasme met die vent. En met Ladja gebeurt me dat vaak niet meer. Is dat niet erg?'

Ook aan de universiteit liep het niet op rolletjes. Ik haalde maar net een zesje voor het tentamen statistiek en dat vond ik niet leuk.

De assistent had tijdens het bespreekuur nauwelijks troostende woorden voor me. 'U bent bij heel simpele dingen de mist in gegaan. U was volgens mij niet goed voorbereid.'

Ik zweeg geschrokken.

'Ik zou als ik u was een beetje meer doen, anders wordt u zo'n student die blind door de studie struikelt en pas na vier jaar met slechte cijfers een bachelor haalt.'

Ik liep de gang op, stak een sigaret op en dacht na. Je werkt in een bordeel om te kunnen studeren, maar je studie loopt niet bijster, dat is duidelijk, dacht ik. Waarom doe je dit eigenlijk allemaal? De vaste baan waar ik altijd van had gedroomd, leek opeens heel ver weg. Werkloze academici waren er genoeg. Stel dat ik de beste jaren van mijn leven in een bordeel doorbracht voor niets?

Elke ochtend dat ik wakker werd verwachtte ik iets groots, iets wat mijn leven rigoureus zou veranderen. Maar de dagen gingen voorbij en er gebeurde niets. Tot op Ladja's verjaardag. Uitgerekend op die dag werd ik als een donderslag bij heldere hemel door de liefde getroffen.

7 MILAN: MIJN GROTE LIEFDE

Ladja's verjaardag was een jaarlijks terugkerende gebeurtenis die met dikke letters op de kalender stond en overeenkomstig de Poolse traditie groots werd gevierd. Een geslaagde Poolse verjaardag bestond eigenlijk maar uit twee dingen: een enorme hoeveelheid alcohol en de juiste gasten.

In juli werd Ladja vijfentwintig. We stonden samen op en ontbeten in een café om de hoek. Ik gaf hem een blauw Adidas-sportjack waar hij in een etalage van warenhuis Karstadt al een paar keer verlekkerd naar had staan kijken. Het gaf me een goed gevoel dat ik hem dankzij mijn goede inkomsten bij Oase deze keer iets cadeau kon doen. Het jaar daarvoor was dat niet het geval geweest.

Ladja had me vaak verteld dat hij als kind nooit een verjaardagspartijtje had mogen geven, omdat zijn ouders daar te arm voor waren geweest. Geen taart, geen speelgoed, geen vrienden.

'Dit betekent heel veel voor me,' zei hij met tranen in zijn ogen terwijl hij zijn nieuwe jack paste. Het jack zat perfect.

Tomas was de belangrijke dag vergeten of hij deed net alsof. Toen Ladja hem 's middags belde, lag hij met hoofdpijn en een vreemde vrouw in bed. We hadden afgesproken dat we samen met onze Engelse buurman Rudy naar het meer zouden gaan. Maar die lag straalbezopen en helemaal platzak in zijn appartement, omdat hij de dag ervoor zijn uitkering er in de kroeg had doorgejaagd.

'Van je vrienden moet je het maar hebben,' zei Ladja teleurgesteld.

Ik realiseerde me dat Ladja behalve Tomas en Rudy niemand

had. De mensen met wie hij verder nog omging waren kennissen uit de rosse buurt met wie hij misschien wel samen blowde en dart speelde, maar die verder geen deel uitmaakten van zijn leven.

'Dan gaan we maar naar California,' zei Ladja, nadat hij een half-uur lusteloos had zitten zappen.

Ik knikte, hoewel ik niet begreep wat je op je verjaardag in een louche homobar te zoeken had.

Ik kende niemand bij California, maar Ladja begroette iedereen en nadat hij had verteld dat hij jarig was, werd hij ook door de hele bar gefeliciteerd. Ik stond er een beetje verloren bij en wist niet goed of ik moest gaan zitten of niet. Ladja had al een biertje in de hand.

'Ben je bang? Ik weet dat iedereen er hier vreselijk uitziet, maar bijten doen we niet,' zei iemand lachend in mijn richting. Ik herkende Milan meteen, de man die me een paar maanden geleden had getroost toen ik in dezelfde bar na mijn ruzie met Ladja had zitten huilen.

'Wat doe je hier?' vroeg ik verbaasd.

'Ik wacht op Josh, mijn zakenpartner,' zei Milan en hij glimlachte koket. Hoewel hij met iemand anders stond te kletsen, staarde hij me de hele tijd aan. Normaal had ik dat vervelend gevonden, maar vandaag flirtte ik mee en schonk ik hem alle aandacht.

Milan had kort bruin haar en zijn bruine ogen straalden zelfverzekerdheid en een zekere arrogantie uit. Hoewel hij me alleen maar aankeek, voelde ik meteen geborgenheid. Zijn schouders waren breed en zijn bovenarmen stevig. Hij maakte een heel mannelijke en zelfbewuste indruk zonder dat je het gevoel kreeg dat hij alleen maar met zijn uiterlijk bezig was.

Hoe langer we elkaar aankeken, hoe gedetailleerder mijn erotische fantasieën werden. En hoewel Milan niets liet merken, wist ik toch dat hij over precies hetzelfde nadacht.

Je ontmoet elke dag zo veel mensen, dacht ik: op de universiteit, op straat, in het bordeel. Ieder van die mensen heeft een leven dat je niet kent. Misschien speelt degene die naast je zit wel piano en componeert hij elke avond muziek en misschien is de ijscoman wel een gepassioneerde schrijver. Maar hun bestaan gaat aan je voorbij en jij leeft door in je eigen kleine wereld. En dan ontmoet je plotseling iemand met wie het anders is. Je weet niets over hem, maar je denkt dat je hem heel goed kent. Is dat niet waanzinnig?

Ladja haalde me uit mijn dromen door op mijn schouder te kloppen. 'Mag ik je iemand voorstellen? Dit is Josh, een oude vriend van me. Hij komt uit Canada, maar hij woont sinds de val van de Muur in Berlijn.'

Er stond een bruingebrande sportieveling van eind veertig naast Ladja. Hij was groot en hij had schouderlang blond haar dat hij in een staart droeg. Bij zijn slapen ontdekte ik een paar grijze haren. Hij droeg een horloge van Dolce&Gabbana, maar verder had hij niets opzichtigs, hoewel hij, zo vertelde Ladja later, een makelaardij en ongelooflijk veel geld had.

'Josh wil een disco openen met een heel nieuw concept,' zei Ladja opgewonden. 'Een zaak met alleen maar live muziek, indie en punk en zo. En hij heeft mij gevraagd om hem te helpen contact te zoeken met jonge bands. Een peulenschil voor mij, want ik ken zo veel mensen.'

Ik luisterde maar met een half oor, want Milan stond me nog steeds uitdagend aan te kijken. Ik werd er zo langzamerhand zenuwachtig van en ik begon een servetje in stukjes te snipperen en een pluk haar om mijn vinger te draaien. Dat ook Tomas inmiddels binnen was gekomen, merkte ik nauwelijks.

Na ontelbare rondjes bier en wodka-lemon, stelde Ladja voor om naar een café verderop te gaan waar kon worden gedart en gebiljart.

'Ik ben veel te dronken om nog aan sport te doen,' grapte Josh. 'Ik ben niet meer zo jong als jullie.'

Tomas en Ladja drongen er bij Josh op aan om toch maar mee te gaan en dus betaalde Josh de rekening en dronken we onze glazen leeg.

'Ik ga ook mee,' zei Milan toen we al buiten stonden. Tomas keek hem verbaasd aan, want niemand van ons kende hem erg goed, maar ik wist waarom Milan mee wilde.

Het was zomer en het ging er levendig aan toe op straat. Er lagen honden in de zon te slapen, er werd gebarbecued en in de straatcafés zaten toeristen. Josh vertelde over een tocht op de motor door de Finse bossen en een geïmproviseerd rockconcert op een weiland. De bands hadden ondanks de regen doorgespeeld.

'Daar moeten we heen!' riep Tomas enthousiast. 'Twee tentjes lenen en op pad! Dat is vet, zeg! Ik begin morgen meteen met sparen, ik zweer het je!'

'Dan nemen we mijn visuitrusting mee. Lekker visjes vangen en boven het kampvuur roosteren. Weet je hoeveel vis er in die Finse rivieren zwemt?' riep Ladja en hij sloeg zijn arm om Tomas' schouder.

Milan en ik liepen zwijgend achter de drie mannen aan. Ik merkte dat Milan langzamer ging lopen. Opeens schoot er een wilde gedachte door me heen: ik schiet met Milan de volgende zijstraat in en dan vraag ik hem waar dit eigenlijk op slaat. Waarom die blikken, die gebaren... Wat wil je van me? Weet je niet dat ik Ladja's vrouw ben?

De kans dat ik dit zou doen, was net zo groot als die dat Tomas met een tent naar Finland ging. Ik werkte weliswaar in een bordeel, maar privé was ik niet zo avontuurlijk. Ik kon Ladja niet bedriegen, althans, dat kon ik me niet voorstellen.

De biljartkroeg was bijna verlaten. Veel stamgasten waren waarschijnlijk het weekend weg en degenen die in de stad waren blijven hangen, zaten bij het warme weer aan het water of in het park.

Alleen een donkere jongen en een oudere man die duidelijk zijn klant was, bezochten de bar. De jongen had dikke wallen onder zijn rode ogen en zag er nogal verlopen uit. Zijn smerige spijkerjasje lag verfomfaaid op de grond en hijzelf zat de hele tijd op zijn mobieltje te typen. De klant dronk een wit biertje en zat met de barkeeper over het ongewoon warme weer te kletsen. Ik had de man al eens gezien. Ladja had me over hem verteld dat hij er plezier in had schandknapen met een zweep te bewerken.

We zaten met zijn vijven om een ronde tafel en Josh wilde op een rondje Jägermeister trakteren. Milan en ik sloegen het aanbod af en bestelden een colaatje. Ik kon mijn ogen niet van Milans handen afhouden. Hoewel zijn huid best donker was, had hij zachtroze mollige vingers, net als die van een klein kind. Ze pasten niet bij hem, vond ik, en op hetzelfde moment realiseerde ik me dat ik verliefd was. Doe niet zo kinderachtig, schoot het door me heen. Je bent intelligent genoeg om te weten dat euforische gevoelens komen en gaan en dat ze zo vluchtig zijn als een wolk aan de hemel. Vergeet het! Er zou niets goeds uit ontstaan en het paste niet in mijn leven. Ik was woedend. Maar ik was ook als een kind zo blij dat dit me overkwam, ondanks mijn werk in het bordeel, waardoor ik in mannen alleen nog maar potentiële klanten zag.

De mannen hadden het inmiddels over extreme sporten. Josh had een keertje parachute gesprongen en Ladja wilde me iets vertellen over een maat in Warschau die aan motorcrosswedstrijden mee had gedaan. Ik luisterde niet verder.

'Zou jij op tienduizend meter hoogte alles los kunnen laten?' vroeg Milan plotseling.

Ik keek hem verbaasd aan. 'Weet ik niet. Het lijkt me geweldig om me gedachteloos te laten vallen in het luchtledige. Maar waarschijnlijk zou ik me op het laatste moment toch ergens aan vastklampen. Een oerinstinct, denk ik. Of angst voor het onbekende.'

Milan keek naar het van de nicotine geel geworden plafond en zei: 'Ik weet precies wat je bedoelt. Ik zou soms graag de moed hebben om alles te veranderen, te ontsnappen aan de dagelijkse sleur, een avontuur beleven. Maar ik ben een brave pappie die elke dag naar zijn werk gaat...'

Milan zuchtte en draaide zich om naar Josh die net over zijn vakantie in Vietnam aan het vertellen was.

Mijn mobieltje ging en ik liep naar buiten. Binnen was het veel te lawaaiig om telefoongesprekken te voeren. Het was Anja, van Oase, en ze wilde me iets over Wolfgang vertellen.

'Ik denk dat zijn geheugen hem in de steek laat,' giebelde Anja. 'Hij weet dat je vrijdags niet werkt. En toch komt hij hier langs met zijn Mon Chéri's en moppert dat je er niet bent. Soms zit er bij mannen echt een steekje los.'

Toen ik het gesprek beëindigde, stond Milan naast me.

'Wat doe jij hier?' vroeg ik nogal grof, omdat hij me onzeker maakte: een aangename onzekerheid, het gevoel dat je in de achtbaan hebt op het hoogste punt, vlak voor de afdaling begint.

'Tja, ik zou nu kunnen zeggen dat ik even een frisse neus nodig had, maar dat geloof je toch niet. Jij bent ook niet dom,' zei Milan.

We keken naar de langsrijdende auto's. Een paartje in een auto met open dak reed richting centrum. Hij rokend en in zijn blote bast en zij lachend, met haar blote voeten op het dashboard. Dat konden wij zijn, als het leven anders was gelopen, dacht ik.

'Toen ik het daarnet over springen had,' zei Milan, 'bedoelde ik uit vliegtuigen en zo. Ook op ander gebied ben je soms bang voor het ongewisse.' Milan sprak langzaam, alsof hij moeite had met de woordkeus. 'Ach, wat klets ik ook uit mijn nek. Je weet wat ik bedoel. Ik heb je pas twee keer gezien en toch heb ik het gevoel dat je een deel van mijn leven bent. Dat heeft niks te maken met vreemdgaan en zo. Ik heb mijn vrouw pas één keer bedrogen en dat was met een meisje uit de disco. Onenightstand. Stelde niets voor. Maar sinds ik jou ken, wil ik op een groot bed met je liggen en je strelen.'

Ik slikte. Normaal was ik eigenlijk wel ad rem met mannen, vooral op mijn werk. Er kwamen zo vaak van die sukkels in de zaak die dachten dat ze voor een paar euro ook genegenheid konden kopen. Meestal waren het mannen die al jaren vastgeroest zaten in een burgerlijk huwelijksleven en die volkomen langs hun partner heen leefden. Of het waren van die eenzame figuren die verder niemand hadden. Ze zochten in het bordeel niet alleen naar fysieke warmte.

Ik had daar geen medelijden mee. Ik speelde mijn rol en als ik naar huis ging bestond er voor mij maar één en dat was Ladja. En nu stond ik met knikkende knieën buiten met een vreemde vent.

'Kom, een klein kusje maar,' zei Milan en hij pakte me om mijn taille. Ik wilde niet tegenstribbelen, hoewel ik panische angst had dat er iemand de kroeg uit zou komen en ons zou zien. Opeens liet Milan me weer los. Hij liep terug het café in en liet me alleen buiten achter.

We sloten de middag af met een rondje tequila. Ik stopte stiekem een briefje met mijn 06-nummer in Milans broekzak en toen we opstonden om te gaan, aaide Milan me onopvallend over mijn rug.

In de metro op weg naar huis, kwam het gesprek op een gegeven moment op Milan.

'Ken je hem goed?' vroeg ik aan Tomas, die samen met Ladja en mij terugreed.

'Goed genoeg. Vroeger hingen we vaak met elkaar rond. Hij heeft zelfs een paar maanden in ons studentenhuis gewoond. Ik mocht hem eigenlijk best graag, maar sinds Josh is hij hartstikke arrogant.'

'Hadden die twee wat met elkaar?' vroeg ik verbaasd.

'Ja, natuurlijk!' zei Tomas. 'Josh was stapelverliefd op Milan en die had geld nodig. Ze woonden samen in een chique appartement in Berlijn-Schöneberg, een penthouse met zeven kamers en een chill uitzicht. Maar toen leerde Milan een zekere Natalie kennen. Die werd zwanger en toen is hij met haar getrouwd. Ze kregen een dochter, bla, bla, bla. Maar ja, of hij echt gelukkig is...'

'Hoe bedoel je?' vroeg ik.

'Hij zit zo ongeveer achter elke rok aan, daar staat hij om bekend. En wat zijn werk betreft... Oké, hij helpt Josh in de makelaardij, maar Josh is niet meer zo vrijgevig als toen ze het nog met elkaar deden. Milan krijgt nu een normaal salaris. Tja, zijn probleem,' zei Tomas en hij strekte zijn benen ver voor zich uit.

De daaropvolgende dagen deed ik of er niets aan de hand was en kabbelde mijn leven voort. 's Ochtends college, 's middags Oase, 's avonds rondhangen met Ladja en Tomas, op Jules balkon naar muziek zitten luisteren.

Na mijn verprutste toets ging ik regelmatiger en intensiever leren, want zo'n ramp wilde ik niet nog eens meemaken. Maar als ik 's avonds aan mijn bureau zat, had ik moeite me te concentreren. Ik dacht de hele tijd aan Milan en hoopte dat hij weer eens langskwam bij California, ook al wist ik van Tomas dat hij niet zo vaak in de rosse buurt kwam en hij na zijn werk meestal direct naar huis ging. Ik had er graag met iemand over gepraat, maar ik wist niet met wie. Mijn vrienden, zelfs Jule, waren ook vrienden van mijn man en ik was bang dat iemand zijn mond voorbij zou praten.

Op een avond zat ik in de ontvangstkamer van Oase, toen mijn mobieltje ging. Er was niets te doen en mijn collega's zaten te kibbelen, kruiswoordraadsels te doen of eten te bestellen.

'Hoi, met Milan. Ik weet dat je niet had verwacht dat ik zou bellen, maar...'

'Wacht even,' fluisterde ik. Ik simuleerde een hoestaanval, zodat

Milan de bordeelgeluiden niet hoorde en rende de gang op. Ik wilde niet dat een van mijn collega's iets hoorde, ook al hadden we geen geheimen voor elkaar en waren mannen eigenlijk ons lievelingsonderwerp.

'Ik moet je zien,' stamelde Milan. 'Naast California is een klein café. Ik zal er om acht uur zijn. Kom je?'

Het leek op een smeekbede.

'Kom jij?' zei ik.

'Ik hou het niet meer uit zonder jou en dan vraag je of ik wel kom?'

Ik zag zijn glimlach voor me, de kuiltjes in zijn wang, zijn fonkelende ogen. En zijn zachtroze handen, die daar niet bij pasten, maar die ik als het ware al op mijn huid kon voelen. Ik wist dat hij verboden gebied was, maar toch wilde ik hem zo graag dat ik er hoofdpijn van kreeg.

Een uur te vroeg was ik al op de afgesproken plek. Ik had tegen Ladja gezegd dat ik met Jule en nog een paar meiden uitging en hoopte dat hij niet zou bellen. Rusteloos liep ik over straat. Ik keek in de etalages en probeerde me te concentreren op een broek of een T-shirt. Maar ik kon alleen maar aan Milan denken. Stel je voor dat het uitliep op een teleurstelling!

Eindelijk was het acht uur. Ik haastte me terug naar het café, waar Milan al stond te wachten. Hij stond met zijn handen in zijn zakken naar de hemel te turen.

Ik was van plan geweest tegen Milan te zeggen: ik ben een getrouwde vrouw en wat het overige betreft tors ik een nogal zware last met me mee. Ik heb al met zo veel mannen geneukt dat ik ze niet meer tel en het kan me eigenlijk ook niet schelen. Op de universiteit doe ik net of ik een brave studente ben, maar na college ga ik tippelen. En ik ben niet Julia Roberts en jij bent niet Richard Gere, de man die me uit dit leven bevrijdt. Dus wat wil je van me? Maar ik zei het niet.

Milan aaide me een beetje onbeholpen over mijn wang. 'Fijn dat je er bent,' zei hij.

'Dacht je dat ik je zou laten zitten?' vroeg ik en ik beet nerveus op mijn nagels.

Milan zocht een kroeg uit. Hij kende deze buurt beter dan ik. Het was er gezellig: houten wandjes, kleine metalen tafeltjes en pin-ups uit de jaren vijftig aan de muur. En het rook er lekker naar cigarillo met vanillesmaak, gerookt door een vrouw aan het tafeltje naast ons. Ik begon in mijn tas te zoeken naar mijn sigaretten. Er viel een boek uit waarmee ik bij Oase de tijd doodde. Het was van Haruki Murakami en heette in de Duitse vertaling *Die gefährliche Geliebte*. De titel paste wel een beetje bij de situatie. Dat vond Milan ook. Hij glimlachte.

'Ben jij gevaarlijk?' vroeg hij.

'Nee, integendeel. Ik ben meer een... dromerige boekenwurm.'

We begonnen een gesprek over boeken. Milan vond thrillers met een politieke achtergrond leuk en ik had meer iets met grappige romans, zoals *Herr Lehmann*, of alles van Wladimir Kaminer. Ik vertelde dat mijn lievelingsauteur ook Milan heette, maar Milan had nog nooit van zijn naamgenoot Milan Kundera gehoord. Ik zei dat ik hem *The unbearable lightness of being* zou lenen, mijn lievelingsboek van Kundera. 'Of beter nog, ik doe het je cadeau,' zei ik en ik herinnerde me hoe ik het boek op de vlooienmarkt bij station Oost had gekocht. Er was sindsdien nog geen jaar voorbij, maar het leek wel een eeuwigheid.

'Heb je al plannen voor vanavond?' vroeg Milan en hij rinkelde met een bos sleutels.

Ik had het liefst gezegd dat ik met hem naar bed wilde, maar ik zei niets en schudde mijn hoofd. Milan glimlachte. Hij wist wat er ging gebeuren.

We betaalden en ik ging met Milan mee naar het appartement van een vriend van hem die niet in de stad was. Het appartement bevond zich op de vijfde etage van een oud huis. Op weg naar boven klakten de hakken van mijn laarzen zo hard op de traptreden dat ik er zeker van was dat iedereen in het huis kon horen waarom we zo'n haast hadden. Nog in het trappenhuis sloeg ik mijn arm om Milans hals. Met mijn andere hand greep ik naar zijn broekriem.

'Niet zo snel, lieve schat,' zei Milan en hij hield mijn hand vast. Ik kreeg kippenvel van zijn stem.

Milan maakte de deur open en we glipten naar binnen. Pas toen Milan het licht aandeed, zag ik dat we in een soort werkplaats waren. Op de vloer lagen zaagbladen, schroeven en vijlen en midden in de ruimte was een houten plaat op een stellage gespannen. Er lagen twee boormachines op. Overal lag hout- en metaalspaan.

'Mijn maat Mario werkt hier,' zei Milan verontschuldigend. 'Hij overnacht niet vaak in zijn werkplaats. Daarom is het hier zo'n zooitje.'

Ik vroeg me af hoeveel vrouwen Milan hier al mee naartoe had genomen en bij hoeveel vrouwen hij zich al met deze woorden had verontschuldigd. Heel even vroeg ik me ook af of Milan misschien weleens in een bordeel was geweest, maar die gedachte verwierp ik snel. Daar moest ik nu even niet aan denken. Ik keek Milan aan, bijna misselijk van opwinding en met een wild bonkend hart.

'Misschien moesten we het maar vergeten,' zei Milan opeens heel rustig, maar met de begeerte in zijn ogen.

'Doe niet zo raar,' zei ik boos. Zijn woorden waren een klap in mijn gezicht. 'Je hebt me toch niet de hele tijd aan zitten staren en me hiernaartoe gesleept om me nu naar huis te sturen!' Ik liep langzaam op hem af.

'Je weet heel goed dat we hier niet aan moeten beginnen,' fluisterde Milan.

'Ik weet alleen dat we op een dag doodgaan en dan maakt het allemaal niet meer uit, of wel?'

We rukten de kleren van ons lijf en vielen samen op een tapijt op de grond. We bedreven urenlang de liefde, zonder te merken hoe de tijd verstreek en het ochtend werd.

Ik wilde dat ik een foto van ons had uit die nacht. Ik wilde dat ik de geur van zijn huid ergens kon opslaan.

Op een gegeven moment ging Milans mobieltje en kwamen we tot bezinning. Hij maakte zich los uit mijn armen en liep door de woonkamer, op zoek naar zijn onderbroek.

'We moesten ons maar eens aankleden, Sonia,' zei hij. Ik probeerde een vleugje van de tederheid in zijn stem te horen die er een paar minuten geleden nog was geweest. Maar Milan kleedde zich aan alsof hij plotseling erge haast had. Ik bleef roerloos op de vloer zitten.

'Wat is er?' vroeg Milan.

'Nu is het net als in het bordeel,' mompelde ik.

Milan kwam naast me op het tapijt zitten, sloeg zijn armen om me heen en kuste mijn voorhoofd en mijn ogen.

'Ik zou het liefst nooit meer weggaan,' zei hij. Maar hij stond op en liep naar de deur.

Voor de voordeur kusten we elkaar nog één keer. Daarna scheidden onze wegen zich. Ik keek Milan na tot hij opging in de menigte en liep naar het station.

In het schelle daglicht leek de afgelopen nacht een droom. Een halfuur geleden nog had ik naakt met Milan op de grond van een vreemd huis gelegen en nu had ik mijn normale leven weer voor de boeg. Ik probeerde er niet aan te denken dat ik vanmiddag met allerlei mannen in bed zou liggen, voor mijn werk. En daarvoor moest ik nog naar de UB om een boek te halen.

Die ochtend was alles me te veel. Ik kon niets hebben. De kinderen die joelend over het perron renden, de studentes die naast me in de coupé over spreekbeurten zaten te discussiëren en de Turk die me vlak voor mijn huis bijna overreed en me iets uit zijn BMW toeschreeuwde.

Ladja was al op en zat naar een documentaire over pinguïns te kijken.

'Waar zijn jij en de meiden zo lang geweest?' vroeg hij.

Ik mompelde iets over de disco en sloop de slaapkamer in.

Hoewel het pas acht uur was en ik de hele nacht geen oog dicht had gedaan, kon ik de slaap nauwelijks vinden. In mijn kamer beleefde ik elk moment met Milan opnieuw. Ik probeerde er niet aan te denken dat hij zijn dochter waarschijnlijk net naar school aan het brengen was en ik een man in de woonkamer had zitten.

Op weg naar Oase viel ik bijna in slaap. En ik kwam te laat. Mijn hoofd barstte bijna, dus zag ik af van mijn dagelijkse ritueel: krantje lezen, sigaretje roken en een beetje met de meiden kletsen voor ik me omkleedde en Stella werd. Ik liep de ontvangstkamer door en liet me op de bank vallen.

Mandy liet zich door de Estlandse Vera manicuren en mopperde daarbij zoals altijd op haar ex-vriend. Hij had haar bankpas gejat en geld opgenomen om een vakantie naar Mallorca te boeken, hij hing altijd bij zijn moeder rond en tot overmaat van ramp had hij ook nog eens een veel te kleine piemel. Vera luisterde geduldig, vijlde nagels en gooide er af en toe een opmerking tussendoor in de trant van 'we zouden pot moeten worden'. Ze probeerden mij ook bij het gesprek te betrekken, wat normaal nooit moeilijk was, maar ik bleef als versteend op de bank liggen en staarde naar een poster op de muur waarop een gespierde vent twee mooie bikinimeisjes op een tropisch strand omarmde.

'Wat is er met je aan de hand?' vroeg Mandy na een tijdje.

'Niks. Stress met m'n studie,' zei ik halfslachtig.

'Je man, zeker,' zei Mandy. 'Neem maar van mij aan: ik zou hem eruit schoppen om werk te zoeken. Na alles wat je voor hem gedaan hebt.'

'O, maar hij heeft al een baan,' loog ik. 'Hij is schoonmaker.'

Kennelijk was Mandy tevreden met dit antwoord, want ze kletste weer verder met Vera.

Mijn slechte humeur werd beter toen de bel ging en ik de gelukkige was. Ik kende de klant. Hij was in de veertig, getrouwd en hij had een beginnende bierbuik. Eigenlijk onschuldig allemaal. Hij trok zichzelf af en zat daar erotisch bij te fantaseren. Dat kwam goed uit, want ik kon vandaag geen aanraking verdragen. Ik had Milans geur nog in mijn neus en ik kon zijn adem nog op de huid van mijn hals voelen, zijn handen op mijn lichaam. Brad Pitt had langs kunnen komen en ik had gehuiverd.

Lusteloos masseerde ik mijn klant een halfuur lang. Ik zweeg erbij en staarde naar de stoffige plastic bloemen in de hoek, terwijl de man zichzelf aftrok. Opeens onderbrak hij zijn gebruikelijke gezwets. Geschrokken hield ik op met waar ik mee bezig was.

'Je bent er vandaag niet bij,' zei hij geamuseerd. 'Is er iets?'

Het liefst zou ik zijn weggerend, want ik schaamde me ervoor dat zelfs een klant zag hoe ik eraan toe was. Eigenlijk hoorden persoonlijke problemen niet thuis op het werk. Maar toen bedacht ik dat de klant een vaag excuus sowieso niet zou geloven en mijn problemen hem uiteindelijk niets konden schelen, hij wist nog niet eens hoe ik heette.

'Weet je,' verzuchtte ik, 'ik heb een geweldige nacht achter de rug met een man en ik denk dat ik verliefd ben.'

'Aha.' Onder zijn snor krulden twee mondhoeken omhoog. 'Maar het was niet met je man, neem ik aan.' Hij wist dat ik getrouwd was.

'Nee. Het is een vriend van mijn man.' Ik leek wel een kind dat voor het eerst in de biechtstoel zat. 'Misschien snap je wat ik bedoel. Je bent zelf toch ook getrouwd?'

Hij knikte. 'Zesentwintig jaar om precies te zijn. Ik was eenentwintig toen we trouwden en ik ben datzelfde jaar nog vader geworden. In de DDR begonnen we daar vroeg mee.'

'Tjemig,' zei ik, 'en hoe is het na zoveel jaar huwelijk? Hou je nog steeds van je vrouw?'

Mijn klant haalde zijn schouders op. 'Wat betekent dat nou helemaal: houden van? Na zesentwintig jaar ben je blij dat je niet alleen hoeft te eten als je 's avonds thuiskomt. Je bent al zo lang samen, dat je je helemaal niet meer afvraagt waarom dat zo is. Het huis is bijna afbetaald, de kinderen zijn groot en de tijden van spontane seks in het bos zijn voorbij. Vroeger hield ik er een minnares op na,' en hij tikte op zijn buikje, 'en nu moet ik betalen voor de strelingen van een mooie vrouw. Triest eigenlijk wel.'

Ik was opeens heel erg relaxed en blij dat mijn klant niet boos was dat de massage uitmondde in een soort kletspraatje. 'Wat zou jij doen?' vroeg ik.

'Geniet ervan,' zei de man met een ernstig gezicht. 'Geniet van de uren met je minnaar, geniet van je man... En als het even kan, neem je er nog een derde minnaar bij. Doe wat goed voor je is zonder een slecht geweten te hebben, want op een dag ben je oud en is het te laat.'

'Doe ik,' beloofde ik hem plechtig.

'Maar geen feestjes meer vanavond, Stella,' zei mijn klant nog toen ik op het punt stond de deur achter hem dicht te doen. 'Je bent dan wel jong, maar dat betekent niet dat je geen slaap nodig hebt. Zet een kop thee en ga vanavond maar eens vroeg naar bed.'

Ik glimlachte.

'Wat ben je aan het doen?' vroeg Milan smachtend.

Ik zat in het auditorium maximum, afgekort audimax, van de universiteit in een college over waarschijnlijkheidstheorie. Toen mijn mobieltje ging, was ik opgesprongen en was ik zo onopvallend mogelijk richting uitgang geslopen, begeleid door de boze blikken van medestudenten die daarvoor op moesten staan.

'Ik zit in de mensa. Het is pauze,' loog ik. Wie wil er in de collegebanken zitten als er een paar uurtjes met Milan lonken?

Hij kwam toeterend in zijn rode Polo'tje aanrijden. Ik stapte in en we reden naar het Duivelsmeer. Op de radio zong Nena *Irgendwie, irgendwo, irgendwann...*

Het was nog ochtend, dus zaten kinderen op school, hun ouders op hun werk en was het strand bijna verlaten, op een in een krant bladerende rentenier na. We spreidden een deken uit en trokken eerst onze schoenen en daarna de rest van onze kleren uit. Ik had kersen in mijn rugzak die zo rood en sappig waren dat mijn lippen er donkerrood door kleurden. Milans kussen smaakten er nog zoeter door.

'Ik heb je gemist,' zei ik.

'Ik jou ook,' zei hij terwijl hij mijn voeten masseerde. 'Ik denk de hele tijd aan onze nacht. Ik was al zo lang niet meer met een vrouw naar bed geweest.'

Ik wilde het liefst vragen of hij nog seks had met zijn vrouw, maar ik beet op mijn tong. Vanaf het begin af aan was dit een onuitgesproken deal tussen Milan en mij: geen vragen over onze relaties. Als we samen waren, deden Ladja en Milans vrouw er gewoon niet toe. Soms, als Milan ruzie met zijn vrouw had gehad en hij iets had gedronken, vertelde hij weleens wat flarden over zijn huwelijksleven. Maar ik lag liever naakt met hem onder een sterrenhemel te filosoferen over de wereld of een lekker potje te vrijen. Bovendien kwamen zijn verhalen me bekend voor. Ze leken op wat mijn klanten me vertelden. Maar Milan was mijn klant niet en hij was ook niet zomaar een man. Hij was mijn minnaar en ik wilde niet dat hij iets met mijn dagelijkse beslommeringen te maken had.

Milans huid was bruin van de zon en rook naar gras. Ik kuste zijn platte buik.

'Hier?' fluisterde hij en hij knikte in de richting van de nog steeds de krant lezende oude man.

'Geeft toch niks?' zei ik. 'Hij belt vast de politie niet.'

Dus beminden wij elkaar op het zonnige grasveld. Daarna kleedden we ons weer aan. We zeiden geen woord. Milan zette zijn zonnebril op en reed me terug naar de universiteit. De radio bleef uit en ik keek de hele tijd uit het raam. Ik probeerde me op het asfalt te concentreren.

'Is er iets?' vroeg ik nadat Milan de wagen had geparkeerd.

Hij raakte mijn arm aan en streelde mijn huid met zijn vingertoppen. 'Luister, Sonia,' begon hij, 'ik denk dat het beter is als we gewoon vrienden blijven. Jij bent getrouwd en ik heb een kind en ik wil mijn gezin niet kwijt.'

Ik was helemaal perplex en kon niet geloven wat ik net had gehoord. Hij rook naar mij, ik rook naar hem en nu maakte hij er al een eind aan? Mijn hart ging wild tekeer en ik werd duizelig.

'Goed, als jij het zo ziet,' zei ik zo nonchalant mogelijk.

'Je bent geweldig en de seks met jou is super. Maar ik kan mijn vrouw niet langer voorliegen...'

'Goed, nou, tot ziens dan maar,' onderbrak ik hem. Zonder verder afscheid te nemen, rende ik over het grasveld naar het hoofdgebouw. Ik ging in de kantine zitten, dronk een kop koffie uit een papieren bekertje en rookte haastig een sigaret.

Plotseling ontdekte ik tussen alle kleurige rugzakken die van Jule. Ik zwaaide naar haar en ze kwam naast me zitten. Eigenlijk had ik me voorgenomen om met niemand over Milan te praten, maar ik moest mijn gedachten even op een rijtje zetten.

'Het erge is dat ik geloof dat ik verliefd ben,' zei ik aan het eind van mijn verhaal.

Jule fronste haar wenkbrauwen. 'Ik weet niet of dat een goed idee is. Ik weet dat je stress hebt met Ladja, maar die vent is getrouwd en hij verlaat zijn vrouw echt niet zo snel. Of wel soms?'

Ik schudde mijn hoofd. 'Ze maken een nogal gelukkige indruk als ze met hun dochtertje op pad zijn,' zei ik. Dat had ik van iemand gehoord. 'Maar aan de andere kant zegt hij dat hij al heel lang niet meer met haar vrijt...'

'Niet iedereen heeft zo veel seks nodig als jij,' zei Jule. 'Ik ken veel stelletjes die niet elke dag de kleren van elkaars lijf rukken en op elkaar liggen te gymmen... en toch zijn ze gelukkig. Nou ja, je hebt nu met hem gewipt. Het was een onenightstand, meer niet.'

'Vandaag was de tweede keer,' fluisterde ik.

'O, lekker,' smaalde Jule. 'Een verhouding! Maak er een eind aan en zeg niks tegen Ladja.'

'Ik ben toch niet gek,' zei ik lachend.

Ik ging naar de computerzaal. Daar surfte ik doelloos rond op internet en dacht na over wat Milan had gezegd. Misschien had Jule wel gelijk. Ik had een affaire gehad en die was nu voorbij. Een beetje verdrietig, maar ook absoluut opgelucht, ging ik op weg naar huis.

Twee weken later sleepte Ladja me weer eens mee naar California. Ik had vaker dan me lief was aan Milan gedacht en daar zat hij. Hij legde een kaartje met een paar vrienden in de bijna verlaten kroeg. Hij concentreerde zich op zijn kaarten en negeerde onze groet aanvankelijk, maar toen Ladja naar het toilet ging, draaide hij zich even naar me om. Hij keek me aan op een manier die maar één ding kon betekenen en dat was voldoende. Het was uit met mijn nonchalante gedrag. Ik werd onrustig, keek de hele tijd naar Milan en schopte ongeduldig tegen de bar aan.

'Wat is er aan de hand?' vroeg Ladja toen hij terugkwam.

'Niks,' zei ik en ik haalde mijn schouders op. 'Stress met m'n studie.'

Ladja aaide me over mijn bol en fluisterde in mijn oor: 'Knap meisje van me. Je haalt elke toets, dat weet je toch.'

Heel even had ik weer last van een schuldgevoel, maar dat verdween zo snel als het gekomen was. Nerveus wachtte ik op een teken van Milan, waarvan ik zeker wist dat het zou komen.

'Negen uur, ijscafé,' fluisterde hij in het voorbijgaan in mijn oor. Ladja was in een gesprek verwikkeld.

Aan de universiteit vertelde ik niemand over Milan, behalve Jule. Hoewel ik inmiddels een paar medestudenten iets beter kende en we soms 's avonds samen uitgingen, had ik het met hen nooit over persoonlijke dingen.

Bij Oase wilde ik eigenlijk ook met niemand over mijn gevoelens praten, omdat ze me daar sowieso niet zouden begrijpen. 'Liefde krijg je bij mij maximaal één uur en wel voor honderdvijftig euro,' zei onze automonteur Jana altijd. Ze was nog nooit verliefd geweest, beweerde ze, en dat op haar vijfendertigste mét kind. 'Hoogstens een beetje en dat was na drie weken alweer voorbij toen ik merkte dat hij snurkte.'

Ik praatte het liefst met Isa, want met haar had ik veel gemeen. Isa studeerde economie aan de heao en interesseerde zich voor vreemde talen. Ze was over het algemeen erg gecultiveerd, hoewel ze al sinds haar zestiende tippelde. Alleen had Isa op het moment tentamenstress en kon ze niet veel hebben. Dus zei ik niets over Milan. Ik deed mijn werk en grapte met mijn collega's. *Business as usual.*

Nadat mijn dienst was afgelopen, stond ik met een nieuw meisje, Celina, in de keuken af te wassen. Ik liet een glas op de grond vallen dat in duizend stukken uiteenbarstte.

'Wat ben jij een dromer, zeg!' zei Celina. 'Dat ben je eigenlijk altijd wel, maar ik heb het gevoel dat je iemand hebt. Ik merk het aan je blik.'

'Het is niet waar!' zei ik spottend.

'Ik zeg alleen maar: wees voorzichtig,' zei Celina. 'Alleen zonder kinderen is het nog te doen om je kerel de bons te geven.'

Voor zover ik wist, was Celina getrouwd en had ze twee kinderen.

'Ik zie Harry straks, na mijn dienst,' zei ze en ze zweeg alsof ze verwachtte dat ik iets zou zeggen. Maar ik zweeg, omdat ik Harry niet echt kende. Ik wist alleen dat hij een stamgast was die bijna elke dag langskwam en bloemen voor haar meenam. Maar zulke types had je om de haverklap in onze branche.

'Ik lijk wel gek om op mijn dertigste nog hals over kop verliefd te worden op een klant,' zei Celina.

Hé, dacht ik. Met haar smalle figuurtje en het tot een staart gebonden zwarte haar zag Celina er veel jonger uit.

'Als hij je gelukkig maakt,' zei ik.

'Ja en nee,' verzuchtte ze terwijl ze het serviesgoed in de kastjes zette. 'Ik had nooit gedacht dat me dit nog een keer kon gebeuren. Het is alsof ik weer zeventien ben. Ik droom 's nachts van hem en dan word ik naast Oliver, dat is mijn man, wakker. Harry en ik bellen wel honderd keer per dag en dan hebben we het over van alles en nog wat... We hebben het er zelfs over hoe we onze kinderen zullen noemen! Maar aan de andere kant: ik ben getrouwd en Oliver is een goede vent. Mijn meisjes houden zielsveel van hem. Als je het zo bekijkt ben ik een volwassen vrouw en heb ik niet het recht om vanwege zo'n flirt mijn hele gezin te ontwrichten.'

Ik moest de hele tijd aan Milan denken. Hij was op vakantie met zijn gezin en ik verlangde naar hem. De zomer van de eeuw, die als een droom was begonnen, werd een nachtmerrie doordat ik de hele tijd voor ogen had hoe Milan met zijn vrouw Natalie in een schilderachtig havenplaatsje op een terrasje zat. En ik had Ladja, die de hele tijd met Tomas en diens nieuwe vriendin zat te blowen en te pingpongen. Soms, als ik tijd had, deed ik ook mee en waren we zorgeloze jongelui die de hele dag in de zon lagen, naar harde muziek luisterden en zich bezighielden met vragen als 'hoe planten de smurfen zich voort met maar één vrouwtje in het dorp?'

Mijn tentamens aan het einde van het zomersemester had ik met best aardige cijfers gehaald. Ik had mijn boeken vaak naar mijn werk meegenomen en daar geleerd. Nog één jaar, dan heb je je bachelor al en kom je een stuk dichter bij je doel, dacht ik de hele tijd bij mezelf. Sommige medestudenten hadden hun bachelor al bijna en hadden in de collegevrije periode stage gelopen. Maar dat zat er bij mij niet in, want als stagiaire kreeg je nauwelijks geld en ik wist niet hoe ik dan moest overleven.

Het moeilijkste was dat ik vriendelijk moest blijven doen tegen mijn klanten, ook als er een rimpelige zeventigjarige, een ongewassen macho of een uit zijn mond stinkende man voor me lag. Na verloop van tijd had ik geleerd me op het geld te concentreren en de rest te verdringen, maar sinds Milan in mijn leven was, vond ik dat steeds moeilijker. Ze aanraken ging nog, maar die zweterige begerige handen op mijn lijf vond ik erg, want dat was, net als mijn hart, alleen nog van Milan. 'Ik word gek van het idee dat je nog met Ladja vrijt,' had hij gezegd.

Natuurlijk wist Milan niet hoe ik mijn geld verdiende. Ik speldde hem iets op de mouw van een baantje in een café, maar toen wilde hij per se het adres om me te kunnen komen ophalen na mijn werk. Op een gegeven moment mompelde ik dus iets over een baantje bij de UB, maar dat maakte hem wantrouwig, want hij wist dat Ladja niet veel verdiende met zijn sporadische baantjes.

Eerlijkheid was ook een onderwerp op mijn werk. Mandy had haar nieuwe vriend twee maanden lang over haar baan voorgelogen en daar een oorvijg aan overgehouden. Isa op haar beurt vertelde: 'Ik heb mijn eerste vriendje ooit verteld dat ik op een tankstation werk. Mijn hemel, hij was zelf net achttien en hij kende mijn hele familie. Hij zou het niet hebben overleefd als hij had geweten waar ik echt werkte. Gelukkig was er naast het bordeel inderdaad een tankstation en daar stond ik dan 's avonds altijd op mijn schatje te wachten.'

Ik probeerde me een overall van Aral voor te stellen met kanten ondergoed eronder.

'Wou hij nooit mee naar binnen?' vroeg Anja verbaasd.

'Hij was heel schuchter en hij was verliefd. Hij vertrouwde me blindelings. Ik zei altijd dat mijn baas een etter was en dat was genoeg om hem bang te maken.'

Eind augustus hielp Ladja mee bij een straatfeest in de hoerenbuurt. Ik had geen zin om erheen te gaan, maar ik hoopte stiekem dat Milan er ook zou zijn. Diens eeuwig lange vakantie moest eigenlijk voorbij zijn. En inderdaad stond hij samen met een kennis uit California bij een tafeltje. Ik bestelde een colaatje en ging zo onopvallend mogelijk op een bank in zijn buurt zitten.

'Ik word gek van haar!' riep Milan. 'Ik werk me kapot voor mijn gezin, maar het is nooit goed genoeg. Nou, ze zoekt maar een andere gek!'

Ze hebben ruzie gehad, dacht ik met een beetje leedvermaak, en meteen schaamde ik me.

Milan kreeg me in de gaten en viel onmiddellijk stil. Hij knikte onopvallend naar rechts. Ik stond op en liep naar het punt waar de straat voor het feest was afgesloten. Vijf minuten later kwam Milan me na. Ik vloog om zijn nek en voelde me intens gelukkig.

'Niet hier,' fluisterde Milan en hij kuste mijn linkeroor. 'Ik wil niet dat er over ons geroddeld wordt.'

Zwijgend liepen we richting Tiergarten. Plotseling trok Milan me door een automatische schuifdeur het voorportaal van een geldautomaat naar binnen. Hij duwde me tegen de muur en we begonnen hartstochtelijk te zoenen. Er liepen drie jongens met felgekleurd haar langs. Ze klapten. 'Lang leve de liefde!' riep er een.

'Zeg eens, tippel jij?' vroeg Milan even later zonder omhaal. We zaten samen op een parkbankje. Hij keek me aan als een moeder die haar dochter net met een sigaret heeft betrapt.

'Hoe kom je daarbij?' stotterde ik om tijd te winnen. Niet echt een briljant antwoord voor een onschuldige studente. Dat was het dan, dacht ik. Je sprookjes geloofde hij toch al niet en als hij de waarheid hoort, wil hij je nooit meer zien. Wie wil er een minnares die met minstens twintig kerels per week de kist in duikt?

'Tomas zei iets over een bordeel in Charlottenburg,' zei Milan.

'God, waarom kan hij nu nooit zijn mond eens houden?' zei ik zuchtend.

'Dwingt iemand je?' vroeg Milan na een bedrukkend lange stilte bezorgd.

'Nee, nee, integendeel,' zei ik haastig en ik vertelde hem over Oase en de meisjes met wie ik bevriend was geraakt. Ik vertelde niet alle details en ik verzekerde Milan ook dat ik 'hoogst zelden' echt seks met een klant had en dat ik die dan ook nog kon uitkiezen, wat natuurlijk niet klopte. Ik kletste een enorm stuk uit mijn nek en staarde daarbij naar de wolkeloze hemel.

'Ben je teleurgesteld?' vroeg ik toen ik dacht dat ik alles wel zo'n beetje had verteld. 'Ik doe het echt alleen om te kunnen studeren.

Als ik klaar ben, kap ik ermee.' Ik zei dat nog een paar keer en aaide over Milans hand.

'Nee, ik ben niet teleurgesteld,' zei Milan na een tijdje, maar hij klonk wel droevig. 'Ik ben zelf zo begonnen. Zo heb ik Josh leren kennen. Ik weet dus hoe het is. Ik was jong en ik had geen geld en een normaal baantje vond ik maar niks. Het viel niet mee, ik ben geen homo. Maar ik heb ook leuke herinneringen aan die tijd. De andere jongens en ik voelden ons ontzettend vrij.'

Zijn verhaal klonk me bekend in de oren. Hij was net als ik iemand die al vroeg naar avontuur en lichamelijke liefde verlangd had. En op een bepaald moment was hij op pad gegaan, de grote wijde wereld in, vol dromen, net als ik toen ik van Italië naar Berlijn was gegaan.

We lagen op een grasveldje onder een eik tot het donker werd. Ik was eigenlijk niet zo'n goede luisteraar, maar van Milan wilde ik alles weten: met wie hij voor het eerst naar bed was geweest, hoe zijn ouders elkaar hadden leren kennen, hoe zijn vader, moeder en lievelingsoom heetten en hoe zijn lerares Pools eruit had gezien op wie hij op zijn elfde zo verliefd was geweest.

'Je denkt dat het niets uitmaakt dat je in een bordeel werkt,' zei Milan opeens. 'Maar je zult er littekens aan overhouden en die voel je ook nog over vijftien of twintig jaar.'

Ik wilde Milan vragen of iemand hem ooit pijn had gedaan, maar Milan trok mijn T-shirt uit en begon met zijn lippen mijn hals te strelen. Even dacht ik hoe anders het hier met hem was dan bij Oase, waar een snel nummertje met een klant niet meer betekende dan een gymoefening.

Het werd koeler. De zondagse wandelaars verdwenen langzaam uit het park. Er dwaalden nog maar een paar verloren zielen rond: een dakloze met een tas vol statiegeldflessen, een groepje blowers met twee Duitse herders die op het grasveld ronddolden en een oude vrouw die aan de vijver de eendjes stond te voeren.

'Niet hier,' protesteerde Milan toen ik ook zijn T-shirt begon uit te trekken. Maar ik voelde zijn hartslag in zijn vingertoppen en mijn hoofd duizelde van geluk.

Ladja merkte niets van Milan en mij, of in elk geval deed hij of alles prima in orde was. Aan het einde van de zomer kreeg hij een baantje in een kroeg. Hij kon er drie keer per week opruimen en schoonmaken. Hoewel het maar vierhonderd euro per maand opleverde, moest hij er vroeg voor zijn bed uit en lummelde hij niet de hele dag thuis rond, dus dat was positief.

Ik dwong mezelf ertoe niet aan Milan te denken als mijn man aanwezig was. Dat lukte meestal, maar soms boorde hij zich wel erg hardnekkig in mijn gedachten. Als het verlangen te groot werd, vroeg ik Ladja terloops of hij geen zin had in een rondje California. Meestal luidde het antwoord 'ja', want voor een kroegentocht was Ladja altijd wel in. Ik was dan wel een halfuur lang bezig met mijn make-up. Ik trok mijn blauwe leren cowboylaarzen aan (die ik alleen bij bijzondere gelegenheden droeg) en zocht in mijn kast naar de passende outfit. Ladja dacht dat ik me zo voor hem opdofte en overlaadde me met complimentjes. Daar had ik wel vaak schuldgevoelens over. Hij hield van me en ik bedroog hem schaamteloos. Aan de andere kant: getrouwde mannen houden er al eeuwenlang vriendinnetjes op na en daar windt niemand zich over op. Zelfs als de bedrogen echtgenote op de hoogte is, laat ze het vaak toe, want ach, zo zijn ze hè, die mannen. Waarom zou ik die gouden momenten dan niet mogen hebben? Het leven is te kort.

Portieken en verlaten plekjes werden Milans en mijn beste vrienden. Als Mario in zijn werkplaats overnachtte, zat er niets anders op dan het buiten te doen en dat was ongemakkelijk, maar opwindend tegelijk. Ooit, het was toen al eind oktober, ontmoetten we elkaar op een verlaten parkeerplaats onder een viaduct. En prompt werd ik ontzettend verkouden. Toen ik het verhaal aan mijn collega's bij Oase vertelde, lagen ze helemaal in een deuk. Sinds ik Vera over mijn verhouding had verteld, wist de hele club het, dus stiekem gedoe was niet meer nodig.

'Gelukkig is het nog niet echt koud. In januari moet ik er niet aan denken,' zei Jana.

'Tegen die tijd is het afgelopen. Die vent is getrouwd. Dat kan niet lang goed gaan,' zei Anja. Ik keek haar bijna beledigd aan.

'Ze heeft gelijk,' zei Isa. 'Eigenlijk wil hij alleen maar seks, net als onze klanten hier. Alleen hoeft hij er niet voor te betalen, want jij doet het gratis omdat je dom en verliefd bent. Ken ik allemaal, heb ik zelf al een paar keer meegemaakt.'

De enige die niet aan ons gesprek deelnam was Celina. Ze zat zwijgend op de bank een groene sjaal voor een van haar dochtertjes te breien. Alleen toen Isa haar scherpe opmerking maakte, keek ze even op. Ik wist dat zij en Harry nog steeds een paar waren. Harry kwam bijna elke dag langs en bleef soms wel uren. Officieel was hij natuurlijk een klant, maar veel collega's wisten wel beter.

Toen ik op een avond naar huis ging, merkte ik dat ik gevolgd werd. Normaal was er op dit tijdstip geen hond te bekennen op het eenzame, onverlichte pad over een grasveld dat naar de tramhalte leidde. Ik versnelde mijn pas. Het bloed stolde in mijn aderen en mijn hart bonkte in mijn keel.

'Stella! Niet schrikken! Blijf staan!' brulde een man achter me. Ik draaide me langzaam om en herkende in het vale maanlicht het gezicht van Harry: het op wat dun bruin haar na kale, ovale hoofd met rond, grijs brillenmontuur van vlak na de oorlog.

'Wat doe jij hier?' vroeg ik geschrokken.

'Ik moet met iemand praten. Ik weet van Celina... ik bedoel

Katia… dat je het weet van ons,' stamelde hij onbeholpen. Hij keek me smekend aan.

De hele situatie was zo bizar dat ik in de lach schoot. 'Oké dan. Maar ik wou eigenlijk naar huis,' zei ik zuchtend.

Tijdens de rit in zijn auto, een Audi A4 met houten dashboard en stoelverwarming, stuurde ik Ladja een sms'je om te zeggen dat ik wat later kwam.

We kwamen terecht in een smerig buurtcafé in Friedrichshain, zo'n tent waar je vrijwillig nooit naar binnen zou gaan. Aan de met geel behang beplakte muren hingen vlaggen van de Berlijnse eredivisieclub Hertha BSC en op de tafeltjes lagen geruite, verwassen tafelkleedjes. Op de achtergrond klonk schlagermuziek. We waren de enige gasten.

Harry's mond stond niet stil en hij zat zo zwaar te zweten dat het leek of hij net een marathon had gelopen.

'Ik kan nog steeds niet vatten dat me dit is overkomen. Ik bedoel, ik wil niet dat je denkt dat ik een notoire hoerenloper ben. Dat was ik niet, tot ik Katia ontmoette. Ik heb ook nooit in de grote liefde geloofd. Ik ben met mijn vrouw getrouwd omdat ze intelligent, gecultiveerd en sterk was. Ik heb altijd gedacht dat zulke karaktereigenschappen belangrijker zijn in een huwelijk dan gevoelens, want die verwateren na verloop van tijd toch.'

Je kon merken dat hij het niet gewend was om over emoties te praten. Hij was er beter in beleggers te informeren over de winstmogelijkheden van een aandelenpakket.

'Veel mensen vinden geld en economie saai, maar ik heb van mijn hobby mijn beroep gemaakt. Daarom vond ik het nooit erg om veel te werken. En dan gebeurt er dit. Ik word verliefd op Katia, een hoer die niet eens gestudeerd heeft, met vriendinnen die caissière zijn, en schoonmaakster… en toch fascineert ze me zo dat ik meer tijd in het bordeel zit dan op mijn werk. En ik verwaarloos mijn klanten.'

En zo ging het maar door, terwijl bij mij de vermoeidheid toesloeg. Toch wilde ik niet opstaan en weggaan, want ik had medelijden met Harry. Niet zozeer omdat hij liefdesverdriet had, want daar heeft iedereen weleens last van, maar vooral omdat hij zijn problemen niet kwijt kon bij een vriend, met een biertje, aan de bar. In plaats daarvan zat hij laat op de avond met een wildvreemde prostituee in een rokerige kroeg. Wat moest die vent eenzaam zijn, zeg!

'Hoe zit het met je vrouw?' vroeg ik.

'Twee jaar geleden is ze voor haar baan naar New York verhuisd. Ze is bobo bij een verzekeringsmaatschappij en is daar een nieuwe liefde tegen het lijf gelopen. De laatste keer dat we belden, ging het over de formaliteiten van onze scheiding.'

Ik zweeg, staarde naar mijn lege wijnglas en gaapte.

'Nog iets te drinken?' vroeg een kauwgum kauwende serveerster.

'Ik moet naar huis. Ik heb morgenochtend om acht uur college,' zei ik.

Harry keek me bedroefd aan.

'Hoor eens,' zei ik, 'ik weet echt niet wat ik hierover moet zeggen. Katia heeft een man en twee kinderen. Het ligt allemaal niet zo eenvoudig. Alleen Katia weet hoe belangrijk je voor haar bent en hoever het kan gaan.'

Harry keek me wezenloos aan. Zijn mollenoogjes achter de brillenglazen werden nog kleiner.

'Een relatie is net als een aandelenpakket,' legde ik uit. 'Je kunt wel veel investeren, maar je weer nooit hoe het afloopt.'

Naderhand schaamde ik me voor de goedkope wijsheid die je eerder in een gelukskoekje zou verwachten dan van een intelligent mens. Maar Harry scheen er tevreden mee te zijn. Hij betaalde de rekening en bracht me naar huis.

Wat Milan en mij betrof, had Isa zich vergist. De bomen waren al kaal en ijzige nachten geen zeldzaamheid meer. Toch waren we nog steeds bij elkaar. Ik had ondertussen geaccepteerd dat hij zijn vrouw niet zou verlaten. Ik had liever een deel van hem dan helemaal niets. En ik heb het beste deel, dacht ik bij mezelf. Natalie mag zijn vuile sokken wassen en luisteren naar zijn verhalen over stress op het werk. Als hij bij mij is, is hij keurig geschoren, heeft hij een opperbest humeur en altijd zin in seks.

Bij Oase begon de winter met groot nieuws.

'Anja is zwanger!' gilde Mandy opgewonden. Ze sprong erbij op en neer.

Het was het gesprek van de dag. De hoofdpersoon, Anja zelf, zat peinzend op de bank aardappelpannenkoekjes met appelmoes te eten.

'Ik kan nog niet echt blij zijn,' zei ze. 'Ik ben nog steeds in shock.'

De weken daarop gingen de gesprekken alleen nog maar over het maken van babypap, borstvoeding, billetjes en de voors en tegens van speentjes. Panda, onze stamgast, stond helemaal perplex toen hij op een dag binnenkwam en wij in de ontvangstkamer bezig waren hansopjes uit te zoeken die van Celina's dochtertjes waren geweest.

'Ik dacht dat dit een hoerenkast was. Het lijkt wel een crèche,' grapte hij. Hij ging op de bank zitten en pakte snoep en koekjes uit een Aldi-tas.

Omdat Anja niet meer zo vaak bij Oase wilde zitten, moest er vervanging komen. Dat werd Lena. Onze eerste ontmoeting was meteen raak en dat ging zo. Een dronken jonge vent had een dubbele massage met Vera en mij geboekt. Hij was nog niet binnen of hij begon te zaniken. Hij wilde helemaal niet gemasseerd worden, hij wilde ons betasten. Toen we daartegen protesteerden, begon hij ons te beledigen.

'Zijn jullie nou hoeren, of niet? Ik heb jullie betaald! Wat is dit voor een snertservice?!' brulde hij.

'Zo is het wel genoeg. We gaan nu weg. Help jezelf maar,' zei ik koeltjes en ik verliet samen met Vera de kamer.

In de ontvangstkamer stond Lena, de nieuwe barvrouw uit Tsjechië, haar zwartgelakte nagels te vijlen. Ze was een kop groter dan ik en had lang blond haar tot op haar achterwerk. Ze had zwarte oogschaduw op en zwarte lippenstift en ze droeg zwarte laarzen tot aan de knie, een zwarte spijkerbroek en een zwart, strak T-shirtje dat haar slanke silhouet benadrukte. Hoewel we van elkaar verschilden als dag en nacht, mochten we elkaar meteen.

Lena lag in een deuk toen ik haar vertelde over het probleem met de klant. 'Laat mij maar even,' zei ze en ze liep naar de kamer waar onze klant nog steeds zat.

'Maak dat je wegkomt, klootzak, of ik hak je ballen eraf!' schreeuwde Lena.

De klant, een man van ongeveer een meter negentig en minstens honderd kilo, droop met hangende schouders af naar de deur. Hij ging heel zachtjes weg.

'Nou, zij heeft de wind er goed onder,' zei Vera.

Even later zat Lena op de bank Anja's cd's te bekijken. 'Wat is dit allemaal voor shit, zeg? Het wordt tijd voor een beetje goede muziek in deze tent!' riep ze met een vies gezicht. En vanaf dat moment klonk er techno bij Oase.

Op de universiteit werd gestaakt. De studenten hielden de gebouwen bezet om te protesteren tegen de besparingspolitiek van het Berlijnse stadsbestuur. Een paar medestudenten deelden in de mensa ijverig protestblaadjes uit en riepen op om mee te doen aan een demonstratie.

Ik was er niet zo zeker van of zo'n actie wel zin had. Wanneer luisterden politici naar een paar opgewonden studentjes? Ze veroorzaakten met hun staking nog niet eens noemenswaardige economische schade.

Vlak voor de kerst vierde ik mijn eenentwintigste verjaardag. Ik werkte nu ongeveer een jaar in de prostitutie, maar daar wilde ik maar liever niet over nadenken. Ondanks het stakingssemester had ik voor de kerst nog twee belangrijke tentamens. Daarna gunde ik mezelf twee weken vakantie.

De avond voor mijn verjaardag bracht ik met Milan in Mario's liefdesnest door. Een beter gezelschap had ik niet kunnen wensen. Milans lach, zijn geur en zijn stem waren alles wat ik nodig had om volmaakt gelukkig te zijn.

De volgende ochtend hadden Ladja, Tomas en Jule een klein feestje voor me in petto. We aten chocoladetaart voor het ontbijt en dronken er bubbels bij. Daarna slenterden we over de kerstmarkt. De bomen op Unter den Linden fonkelden feestelijk.

's Avonds reed ik met Ladja naar California, waar we Milan en zijn vrouw ontmoetten. Ik had haar al een paar keer uit de verte gezien, maar nu stond ze voor het eerst voor mijn neus. Ze had kort, blond haar, een smal gezicht en ze was een beetje mollig. Ze droeg een bruin vest, een wijde trainingsbroek en platte schoenen. Ze zag er knap uit.

Ik had een kort, zwart glinsterend jurkje aan met netkousen en een boa om mijn hals. Ik voelde me opeens naakt en heel goedkoop. In een eerste opwelling wilde ik snel weg. Het laatste waar ik zin in had was de nacht met de echtgenote van mijn minnaar doorbrengen. Alleen had ik zo'n haastige verdwijning nooit aan Ladja kunnen uitleggen. Dus stelde ik me beleefd voor als de vrouw van Ladja en raakten we met elkaar aan de praat. Natalie was gezellig en vriendelijk en ik voelde me schuldig toen ze me over haar gezin vertelde.

Ik kletste wat over de Amerika, mijn studie en mijn – niet bestaande – baantje aan de universiteit. Wat betreft mijn bijbaantje had ik inmiddels al zo vaak gelogen dat ik langzaam in mijn eigen sprookjes ging geloven.

'We moeten nog wel proosten op je verjaardag, hoor!' zei Natalie en we bestelden een fles schuimwijn.

'En daarbij elkaar in de ogen kijken, anders brengt het ongeluk,' zei ik tegen Milan toen de ober de vier champagneglazen volschonk.

'En er iets bij wensen, maar het niet vertellen,' zei Ladja.

Toen we het glas hieven, keek ik Milan diep in de ogen. Daarna sloot ik mijn ogen en deed een wens.

8 ONDERWEG: NAAR BOVEN KLIMMEN EN WEER VAN ONDER AF AAN BEGINNEN

Bij Oase begon het nieuwe jaar zakelijk erg slecht. De paar gasten die nog kwamen, wilden meestal niet meer dan een klassieke massage met aftrekken voor twintig minuten. De telefoon ging nauwelijks en zelfs het jaarlijks in februari terugkerende jubileumfeestje draaide uit op een fiasco. De stamgasten kwamen niet opdagen, met uitzondering van Wolfgang, die zich voor de gelegenheid zelfs in een pak had gehesen en een reusachtige bos bloemen voor mij bij zich had. Maar het dure buffet werd nauwelijks aangeroerd en dus bliezen mijn boze en gefrustreerde collega's en ik het feestje af en gingen we naar de disco.

Na twee maanden ellende hadden we alle mogelijke oorzaken voor de teloorgang van ons bedrijfje doorgekauwd zonder echt een verklaring te vinden voor het uitblijven van onze mannen. Werkloosheid, gebrek aan geld, geen zin meer in seks, te weinig animo van onze kant, te veel bordelen met dumpprijzen in de buurt, het was allemaal pure speculatie. De ware oorzaak lag in het duister. We waren zo wanhopig dat niemand meer open wilde doen als er werd gebeld, want aan de paar klanten die nog kwamen, viel niet veel te verdienen.

'Gisteren had ik zo'n gek die wilde dat ik hem op de gang even aftrok, voor tien euro! Er komen tegenwoordig alleen nog maar van zulke gasten,' verzuchtte Isa.

'Of van die paranoïde idioten die niet weten wat ze willen en meteen weer weggaan,' zei Mandy. Dat gebeurde inderdaad. Sommige mannen wilden alle vrouwen zien, waarna ze zeiden: 'Er zit geen dame voor me bij.' En weg waren ze weer.

'Of Alex, die ons alleen maar zijn peperdure Poolse kleren aan wil smeren,' zei ik.

De zwangere Anja had veel last van misselijkheid en de hormonen en kwam bijna niet meer. En als ze er was, klaagde ze over de rotzooi. 'Geen wonder dat er geen hond meer komt! Het ziet er hier uit als een zwijnenstal!'

Lena reageerde daar altijd nogal afwezig op. Sinds Anja niet meer regelmatig kwam, was zij de baas. Ze was de enige naar wie iedereen luisterde. Ze was cool en had een scherp gevoel voor humor. Toch kon ook zij niets veranderen aan het feit dat we nog maar de helft van vroeger verdienden. Toen hadden we na een dienst honderdvijftig euro op zak en nu zat er in mijn portemonnee zelden meer dan tien euro. Dus begonnen de aanmaningen binnen te fladderen. Ladja en ik konden ons alleen nog het hoogstnodige veroorloven en we kregen ruzie als er geen geld was om op zaterdagavond uit te gaan.

Ik ging nauwelijks nog naar college, want ik werkte bijna elke dag om ten minste de huur te kunnen betalen en de koelkast vol te krijgen. En als ik al een college bezocht, werd ik zuinig aangekeken door ijverige medestudenten die wel de tijd en het geld hadden om te studeren. Ze vonden me waarschijnlijk een ontzettend lui varken, een feestbeest.

In de kranten werd die winter weer eens over de invoering van collegegeld geschreven. Waarschijnlijk kreeg ik er binnenkort een paar interessante academische collega's bij, als dat zou gebeuren. In zakelijk opzicht misschien helemaal niet zo'n slecht idee: een groter percentage studentikoze hoeren. Ik had namelijk gemerkt dat vooral journalisten en docenten het heel fijn vonden dat ze met mij op niveau konden kletsen. Waarschijnlijk vonden ze het idee wel geil dat de vrouw met wie ze het deden 'een van hen' zou kunnen zijn, niet iemand die drie treden lager op de sociale ladder stond. Ik was iemand die ze met een beetje geluk op het personeelskerstfeestje van het ziekenhuis, of van de redactie, zouden kunnen versieren. Ook al lukte ze dat dus kennelijk niet.

Ik deed mijn huiswerk bij Oase. Doordat daar niets te doen was, bleef er genoeg tijd voor over. En overal deed ik net of alles in orde was. Zelfs Jule vertelde ik niet over mijn financiële problemen, omdat ik me er erg voor schaamde. Werkt als hoer en kan daar nog niet van leven, dat was pas echt triest. Ergens anders gaan werken voelde als verraad. Ik mocht mijn collega's bij Oase echt graag. Bovendien had ik gehoord dat het elders ook niet beter was.

Het enige wat goed leek te verdienen was een tijdje de stad uit. Collega's vertelden erover en zeiden dat ze geweldig hadden verdiend. 'De stad uit' betekende een week of twee fulltime met kost en inwoning in een bordeel in een andere stad werken. Ik wilde weliswaar niet echt weg uit Berlijn, maar het leek het enige alternatief nu de zaken er steeds slechter voor stonden. Vooral in Zuid-Duitsland en Zwitserland waren de prijzen veel beter dan in Berlijn. [5]

Toen ik op een vrijdag bij Oase verveeld de krant zat door te bladeren, kwam ik op het idee de erotische advertenties weer eens onder de loep te nemen. En warempel, er stond een advertentie die me nieuwsgierig maakte: ZUID-DUITSLAND, FLEXIBELE VROUW VOOR CLUB GEZOCHT. 2000 EURO PER WEEK.

Meteen zwijmelde ik bij het idee wat ik met zo veel geld allemaal zou kunnen doen. Ik zou een laptop kopen en een mobieltje met kleurendisplay en ik zou met Ladja op vakantie gaan, de grijze Duitse lente ontvluchten. Ik wilde eindelijk weer eens in een restaurant eten en na de disco met een taxi naar huis in plaats van bibberend op gure stations op de trein wachten...

'Stella, voor jou!' brulde Mandy aan het einde van de gang.

Ik kon mijn tranen nauwelijks bedwingen toen ik de kamer in liep. Er lag weer eens een rukker te wachten die me voor dertig euro wilde betasten en zoenen. Het wegslaan van de slijmerige handen was al smerig genoeg, maar het ergste was dat er van de dertig euro maar twintig voor me overbleven. Ik voelde me vreselijk dat ik me voor zo weinig geld verkocht.

Toen de massage voorbij was had ik een besluit genomen. Al moest ik op de Noordpool werken: ik wilde weg uit deze ellende.

Ik toetste het nummer van de advertentie in en kreeg een jonge vrouw aan de telefoon. Ze maakte een verveelde indruk, maar toen ik vertelde wie ik was en wat ik deed, werd ze enthousiaster en vertelde ze wat de arbeidsvoorwaarden in haar club waren en hoe de vrouwen waren die er werkten. Het interesseerde me allemaal bar weinig. Ik spitste mijn oren pas toen ze over geld begon.

'Als je niet lelijk en dom bent, kun je hier makkelijk drie- tot vierhonderd euro per dag verdienen,' zei ze.

Ik was meteen verkocht.

Ladja was niet enthousiast over mijn reisplannen. 'Wat doe je daar wat je hier niet kunt doen?' vroeg hij wantrouwig.

Toch kocht ik de volgende ochtend al een treinkaartje naar Freiburg. Ik zei tegen Ladja dat ik daar een tijdelijke baan als barvrouw had. Of hij me geloofde weet ik niet. Hij bracht me naar het station en ik beloofde hem dat ik elke dag zou bellen. Ladja zwoer op zijn beurt dat hij ons appartement schoon zou houden en geen onzin zou uithalen. Nog een kusje in de kou en mijn trein vertrok. Naar het mooie Freiburg, waarvan een paar medestudenten hadden gezegd dat het een paradijs was, een zonnige plek vol aardige mensen die allemaal de fiets pakten om door hun rooskleurige wereldje te rijden en die uitsluitend groene stroom gebruikten.

Tegen acht uur 's avonds kwam ik in Freiburg aan. Ik stapte de trein uit en ademde de frisse lucht in. Het rook naar sneeuw en het was zo koud dat de tranen me spontaan in de ogen sprongen. Mijn eerste gedachte was: hier hoor je niet thuis. Ik was het liefst met de eerstvolgende trein weer naar Berlijn teruggereden. Maar er kwam al een grote, slanke vrouw van ongeveer vijftig op me af. Ze droeg haar rode haar opgestoken in een strenge knot en ze had een pruimenmondje.

'Hallo, Stella! Hier, hier!' riep ze. Ik was blij haar te zien.

De vrouw heette Lorraine en later bleek dat ze altijd een slecht humeur had.

'Alleen maar stress met die wijven,' jammerde ze op weg naar de taxistandplaats. Ik keek geamuseerd toe hoe ze op haar naaldhakken over het trottoir glibberde. Pas in de auto schudde ze mijn hand. Ze vroeg me hoe mijn reis was geweest.

'Sorry, hoor,' zei ze zuchtend. 'Maar je kent de business en je weet hoe erg het kan zijn.'

Ik knikte en wierp een vluchtige blik in haar richting. Het was warm in de auto en ik dutte bijna in op het warme leer. Naar buiten keek ik niet één keer.

Na een paar huizenblokken reden we een zijstraatje in. We waren er. Het bordeel, dat heel eenvoudig Bei Schmidt heette, zag er op het eerste gezicht net zo uit als Oase. Alleen de kamers waren groter. Verder heerste er dezelfde chaotische toestand. Het begon er al mee dat niemand wist waar ik mijn bagage kon neerzetten. Dus liet ik die maar midden in de gang staan. De meeste vrouwen keken even op toen ik in de keuken ging zitten. Het was net erg druk, er wachtten drie klanten, dus er was geen tijd om beleefd te gaan zitten doen.

Tina, een graatmagere Roemeense met rood haar, had het hoogste woord, hoewel ze maar net twintig en niet de baas was. Ze zat nooit langer dan twee minuten op dezelfde plek, rende hectisch rond met een waanzinnige blik in haar ogen en zei tegen de andere meisjes wat ze moesten doen. We hadden meteen een hekel aan elkaar, maar omdat ik geen zin in ruzie had negeerde ik haar gewoon. Tina deed in de achterkamer alle extraatjes: Frans natuur (dus voorspel zonder condoom), pijpen met consumptie en anaal. Op die manier verdiende ze samen met Laura het meeste geld. Ik bleef weigeren gasten zonder condoom te pijpen. Dat vond ik vreselijk en veel te gevaarlijk.

Laura was Tina's tegenpool. Ze was mollig, gezellig en erg Beiers. Ze las het liefst roddelblaadjes en gaf op elke reportage commentaar. Ze vond het waanzinnig interessant wat Boris Becker of Dieter Bohlen met hun vriendinnetjes deden en wilde de mening van de andere meisjes daar ook graag over hebben. Ze was erg verbaasd dat ik er niets over kon zeggen en dat ik de hele tijd kruiswoordpuzzels zat te doen of aantekeningen uit een wiskundecollege zat door te bladeren.

De mannen waren in Freiburg niet aardiger, maar ook niet smeriger dan in Berlijn, afgezien dan van dat vreselijke dialect. Maar ze betaalden meer en daarom vond ik het werk minder zwaar. Bovendien kletsten de klanten graag met me over Berlijn en op die manier ging de tijd sneller.

'Kom je uit de hoofdstad? Wat doe je dan hier in het zuiden?' was de standaardvraag tussen pijpen en een vluggertje. 'Studeer je wiskunde? Goeie keus. Daar zit toekomst in,' was de tweede opmerking die ik voortdurend te horen kreeg.

Ik kon me mijn studentenleven door inmiddels tien klanten per dag nauwelijks nog herinneren. Alleen mijn studieboeken waren het bewijs van een ander leven. Niet dat ik veel tijd had om te leren. De zaken in de Duitse ecologische hoofdstad liepen veel te goed.

Op de eerste avond was ik nog blij met de meer dan driehonderd euro in mijn envelop. In Berlijn verdiende ik zo veel geld pas na drie dagen. Als ik mazzel had. Maar op de tweede dag merkte ik al dat Bei Schmidt meer een soort werkkamp was. Elke ochtend om tien uur moesten alle vrouwen opgedirkt en wel klaarzitten. Dat betekende dat alle boodschappen voor die tijd moesten zijn gedaan. Maar in dit provincienest – vergeleken bij Berlijn was Freiburg dat in mijn ogen – gingen de winkels pas om halftien open. Omdat de dichtstbijzijnde supermarkt een kwartier lopen was, redde ik het net om het hoogstnodige bij elkaar te graaien. Daarna rende ik terug, om niet te laat te komen. Toen ik Lorraine op een dag vroeg of ik die middag een paar uur vrij mocht hebben, tuitte ze haar lippen en zei: 'Ben je hier om te werken of om te shoppen?' Einde onderwerp.

'Morgen is Johanna hier, de plaatsvervangster van Lorraine,' troostte Laura me. 'Die is veel makkelijker. Dan kun je vast wel even weg.'

De volgende dag had Laura een opperbest humeur, want haar beste vriendin was er. De Russische Natascha werkte twee weken per maand in Freiburg en bracht de rest van de tijd door in Berlijn. Ze bleek in Wedding te wonen, maar een paar metrostations bij mij vandaan.

'En dan ontmoet je elkaar hier,' zei Natascha grijnzend. Ze kende Wolfgang zelfs en ook zij had hem dikwijls thuis opgezocht. 'De wereld is klein. Je ontmoet altijd dezelfde mensen.'

Natascha's levensverhaal leek op dat van de andere Russinnen die ik in Berlijnse bordelen had leren kennen. Op hun achttiende zwanger, getrouwd, na een jaar gescheiden, door een schijnhuwelijk in Duitsland terechtgekomen, kind bij oma in Rusland achtergelaten en uiteindelijk in de prostitutie beland om voldoende geld naar huis te kunnen sturen. Op een avond, bij een stiekem rondje wodka-lemon, vertelde Natascha me over haar leven en meteen zag ik mijn eigen leven in een veel positiever daglicht.

Bij Oase waren er ook dagen geweest dat ik twaalf uur achter elkaar had gewerkt, maar daarna was ik naar huis gegaan, terug naar mijn echte leventje. Hier in Freiburg had ik van 's morgens vroeg tot diep in de nacht niets anders dan klanten. Uiterlijk bij het vierde nummertje van de dag walgde ik van seks. 's Nachts sliep ik in een bed waar de hele dag op geneukt was en stikte ik bijna van de droge, rokerige lucht. Het idee dat ik dit nog twaalf dagen vol moest houden, was afschuwelijk. Ik miste de universiteit opeens, de wandelingen met Jule in het park na college en de zondagmiddagen met Ladja en Tomas, chips, bier en mens-erger-je-niet. En ik verlangde naar Milan en naar zijn kusjes, naar onze waanzinnige nachten en het haastige afscheid 's morgens vroeg.

Natascha merkte dat het niet goed met me ging. Ik stond me op dag vier net op te maken, toen ik werd overmand door een hysterische huilbui. Zelfs de waterproof oogmake-up redde het niet bij zo veel natuurlijk geweld en biggelde over mijn wangen. Terwijl ik mijn gezicht waste, kwam Natascha binnen. Eerst had ze het niet in de gaten, maar opeens zag ze mijn rode ogen. Gek genoeg schaamde ik me er niet voor, hoewel ik Natascha nauwelijks kende. Maar ze had zo'n lieve stem, ze leek mijn oma wel. Ze nam me in haar armen en alle dammen braken. Mijn tranen liepen over haar smalle armen.

'*Vsjo charascho*, alles is oké,' fluisterde ze in mijn oor. 'Ik weet hoe zwaar het hier is. Sommige wijven hier zijn stapelgek. De enige manier om hier te overleven is: altijd blijven lachen. Je moet niet alles zo in je hart nemen, anders ga je kapot.'

Ze zei echt: in je hart nemen. Ik schoot ervan in de lach, waardoor de spanning brak.

Tina, de krankzinnige Roemeense, begon op de deur te bonken. Toen ik de badkamer uit kwam en onze blikken elkaar kruisten, trok ze wel een gezicht, maar ze zei niets.

Op die dag ontdekte ik iets waarmee ik de trieste realiteit kon ontvluchten: de bordeelbibliotheek. Oké, het was meer een kast waar eigenlijk beddengoed in werd bewaard, maar ik vond er een hoop boeken die kennelijk geen eigenaar hadden.

'Ze worden gekocht en dan hier vergeten door de meiden,' zei Laura die al het langst bij Bei Schmidt werkte. Er waren veel meisjesboeken bij, maar ook Hermann Hesse, een biografie van John F. Kennedy en – je zou het bijna niet geloven – Henry Miller. Alsof het hier niet de hele tijd alleen maar om de seks ging.

Begerig stak ik mijn neus in de boeken en zo kon ik even vergeten dat ik in een bordeel werkte. De gasten, gelukkig waren het er niet zo veel die dag, waren niet meer dan een onaangename onderbreking. Helaas had ik binnen de kortste keren alles gelezen wat me interesseerde en verviel ik in de dagelijkse sleur. Dat was pas dag vijf.

Johanna, de vervangster van Lorraine, interesseerde zich geen biet voor wat er in het bordeel allemaal gebeurde. Op de eerste dag dat ze er was zag ik haar helemaal niet. Pas op de tweede dag zag ik een enorme gestalte in de keuken zitten die me donker aankeek. Ik liep de keuken in om me aan haar voor te stellen, maar ze deed net of ze me niet hoorde en begon op haar stoel op en neer te wippen. Ze had een te klein blauw jurkje met witte bloemen aan. Het viel tot op de knie en maakte dat ze eruitzag als een perverse schoonmaakster. Haar dikke boezem puilde uit het decolleté en haar te korte jurk bedekte de opgezwollen benen nauwelijks. Ze zou vast knapper zijn als ze een beetje meer op haar gewicht lette, dacht ik. Johanna wilde niet zeggen hoe oud ze was, maar ik schatte haar op begin dertig. Ondanks, of misschien ook wel dankzij, haar voluptueuze verschijning had ze een hoop klanten die speciaal voor haar kwamen en de rest van ons nog niet eens zagen staan.

Op een dag zat ik met Natascha in de keuken en hoorden we

opeens gesteun en geschreeuw uit een kamer aan het einde van de gang. Ik schrok op.

'Een gast van Johanna,' zei Natascha gelaten. 'Ze ligt boven op hem en drukt hem helemaal plat, zodat hij geen lucht meer krijgt. Of ze springt op hem op en neer. Sommige mannen vinden dat geiler dan neuken. Vraag me niet waarom, er zijn echt veel gekken op deze wereld.'

'En die komen allemaal naar ons,' zei ik. Na meer dan een jaar in de prostitutie verbaasde niets me meer.

'Ik heb een verrassing voor je,' zei een klant met een triomfantelijk lachje om zijn lippen. Hij lag naakt op bed aan zijn piemel te trekken. Hij had voor een uur betaald en behoorde daarmee tot de gasten die ik het liefst had. Je moest net zo je best doen als bij een vluggertje, maar je streek drie keer zoveel geld op. Geen man was in staat een uur lang ononderbroken te wippen.

Johnny, zo heette mijn klant, lag nu al vijftig minuten op me te zweten en kwam maar niet klaar. Hij noemde zichzelf 'de geilste leuter van Freiburg', wat volgens mij volslagen uit de lucht gegrepen was. Het enige wat enorm bij hem was, was zijn ego en dat hoewel hij eruitzag als een lelijke, behaarde kabouter. Eindeloos verschillende standjes, sokken uit en aan en zelfs rollenspelletjes – leraar en leerling, bijvoorbeeld – hielpen allemaal niets bij hem. Smachtend keek ik op mijn horloge. Nog tien lange minuten.

En nu had hij het opeens over een verrassing. Wat bedoelde hij daarmee?

'Speciale prijs, dertig euro voor jou,' zei hij en hij zwaaide met een zakje wit poeder. 'Doe ik voor alle meiden hier, daarom houden ze zo van ome Johnny,' zei hij hijgend met zijn pik in de hand.

'Daar hou ik niet van,' zei ik en ik ging op de rand van het bed zitten.

Johnny probeerde me ervan te overtuigen dat het echt goed spul was, maar ik bleef weigeren. Hij trok zichzelf af, spoot, kleedde zich aan en ging. De geilste leuter van Freiburg zou mijn stamgast niet worden, dat was duidelijk.

Laura zei later dat Johnny bij alle meisjes hetzelfde probeerde. De meesten sloegen zijn aanbod niet af en nu snapte ik ook waarom ik al op de eerste avond het gevoel had dat er iets niet klopte hier. Bei Schmidt sloot 's nachts pas om twee uur en na zestien uur werken was ik dan echt aan mijn bed toe. Maar mijn collega's niet. Die kleedden zich aan en gingen 'nog even wandelen'. Nu wist ik wat ze midden in de nacht buiten deden. Niemand durfde onder de ogen van Lorraine drugs te gebruiken. Maar ze was nog niet weg en de luie Johanna had haar plek nog niet ingenomen, of het witte poeder kwam op tafel, de wijnflessen werden onder de bedden vandaan gehaald en het feestje kon beginnen. Johanna deed sowieso niets anders dan op haar stoel zitten wippen.

Vreemd genoeg zorgde de drugsorgie er diezelfde nacht nog voor dat de vijandige sfeer even verdween. Zelfs Tina liet zich van haar zonnige kant zien en trakteerde op chocola en koekjes. Een Cubaanse, anders heel stil en schuchter, raakte hem vreselijk en begon me warrige verhalen over demonen en heksen te vertellen en beweerde dat ze het gevoel had door de duivel bezeten te zijn. Laura moest haar er de hele tijd van weerhouden haar hoofd tegen de kast te bonken, wat maar ten dele lukte. Op een gegeven moment bloedde de Cubaanse. De volgende dag had ze een dikke bult op haar voorhoofd.

Laura, Natascha en ik waren de enigen die niet snoven. Mijn twee collega's gaven de voorkeur aan wiet en ook ik nam een paar trekjes van een joint, hoewel ik dat sinds mijn begintijd met Ladja niet meer had gedaan. Het resultaat was dat ik me eindelijk een beetje ontspande en me voor het eerst sinds mijn aankomst in Freiburg niet meer als een neukmachine voelde. Ook miste ik Berlijn niet meer zo.

Toen we om vier uur 's ochtends nog steeds in de keuken zaten te blowen en rode wijn te drinken, begon Laura te huilen om haar vriend die ze al twee weken niet meer had gezien. Opnieuw was Natascha degene die troostte en de papieren zakdoekjes paraat had.

'Ze is een goeie meid. Ze heeft iets beters verdiend dan die idioot,' zei Natascha later, toen Laura al sliep. Ze sprak het woord 'idioot' met een zwaar Russisch accent uit, waardoor het klonk als 'idiott' en nog erger werd. 'Hij zit alleen maar achter haar geld aan!' riep ze boos. 'Maar dat heeft zij niet in de gaten. Zij denkt dat hij van haar houdt. Ze betaalt de gezamenlijke woning, voor zijn karateschool die niet goed loopt, voor de auto en zijn schulden. Ze houdt niets voor zichzelf overal en neukt hier nu al twee jaar ononderbroken voor geld. En wat doet hij? Hij haalt haar een keer per week op, gaat met haar ontbijten en brengt haar terug hiernaartoe. Dat is alles. Ik vraag je: wat is dat voor een man?' Er stond verachting in Natascha's blauwe ogen te lezen, die zo klein als speldenkoppen waren geworden.

Ik had niet echt een antwoord op haar vraag. Mijn echtgenoot was ook niet bepaald het toonbeeld van vlijt en ambitie.

Natascha kwam op dreef.

'Hetzelfde verhaal bij Tina. Die levert ook elke cent af bij haar gozer. Ze zegt dat hij zakendoet en dat het binnenkort zo goed gaat dat zij thuis kan blijven, kinderen kan krijgen en dat hij dan het gezin onderhoudt. Nou, daar geloof ik niets van. Tina is ook al twee jaar hier.' Ze goot wodka in haar glas en nipte er afwezig aan. Op de radio werd *Smells Like Teen Spirit* van Nirvana gedraaid.

'Misschien kun je beter uit elkaar gaan,' mompelde ik.

Natascha lachte spottend. 'Ze zijn gewoon naïef, weet je? Ze hebben een vent nodig die zegt dat hij van ze houdt. Het maakt niet uit wat voor een eikel het is en of hij van ze jat, of hij ze slaat, of hij ze bedriegt… Als ze maar niet alleen zijn. Je kunt er met je verstand niet bij.'

De volgende dag voelde ik me beroerd. Ik had maar twee uur geslapen en vreselijke hoofdpijn van de wodka en de joint. Mijn collega's konden beter tegen de zuippartij. Je wende er kennelijk aan.

In de loop van de dag verslechterde mijn toestand. Ik kreeg een warm voorhoofd en mijn keel werd dik. Ik had het koud en ik voelde me slap.

'Gaat het niet goed met je? Je ziet erg bleek,' zei een klant bezorgd toen ik naakt op bed bleef liggen hoewel hij allang klaargekomen was. Ik rilde over mijn hele lijf.

'Ik geloof dat ik verkouden word,' fluisterde ik en ik probeerde overeind te komen.

De klant bleek arts te zijn. 'Ik ben weliswaar maar uroloog, maar ook die hebben medicijnen gestudeerd,' zei hij terwijl hij in mijn keel keek. 'Ik denk dat het een keelontsteking is. Je hebt antibiotica nodig en je moet het rustig aan doen, anders wordt het nog erger.'

Ik bedankte hem voor het advies en nam afscheid. Daarna ging ik de keuken binnen en bleef daar bibberend in een deken gehuld zitten, tot Laura me ervan overtuigde dat ik slaap nodig had. Ze maakte een bed voor me op met schoon, wit beddengoed in een kamer die resoluut tot verboden gebied voor klanten werd verklaard, zodat ik er rustig kon liggen. Natascha maakte kippenbouillon voor me en kwam met allerlei medicijnen aanzetten, waaronder ook dubieuze Russische pillen die ik niet durfde innemen. Hoewel ik te slap was om mijn twee collega's te bedanken, was ik ontroerd over hun toewijding. Ze kenden me pas een paar dagen.

'Bel je man op en zeg hem dat hij je moet komen ophalen,' zei

Natascha. 'Je bent veel te ziek om alleen met de trein te gaan. En ziek zijn in een bordeel is geen pretje.'

'Ladja heeft geen auto,' fluisterde ik.

De volgende ochtend stapte ik met veertig graden koorts de trein in. Ik doezelde wat tot Berlijn. Het overvolle Bahnhof Zoo leek in mijn delirium net een visioen. Met het laatste beetje kracht dat ik in me had liep ik op Ladja af, die met een bos bloemen op me stond te wachten.

'Welkom in Berlijn!' riep hij vrolijk. Wat was ik opgelucht en gelukkig.

Toen ik na een week bedrust weer bij Oase binnen stapte, werd ik binnengehaald als een verloren gewaande wereldreiziger. Mijn collega's hadden zelfs taart en bubbels gekocht om ons weerzien te vieren. Blij verrast en overmand door emotie vertelde ik de hele middag over wat ik in Freiburg allemaal beleefd had, hoewel er eigenlijk niets noemenswaardigs gebeurd was. Ik rondde mijn verhaal af met: 'Mannen zijn overal hetzelfde, of ze nou uit Berlijn of Zuid-Duitsland komen.' Daarna haalde ik de skip bokaarten tevoorschijn. Op de achtergrond speelde Modern Talking, Jana maakte mie met garnalen... Ik voelde me weer helemaal thuis.

Anja kreeg op 11 juni een zoontje. Na onze avonddienst ging het personeel van Oase haar in het ziekenhuis opzoeken. We hadden ontzettende lol onderweg en gedroegen ons zo opgewonden als versgebakken tantes. Alleen Celina zat in de tram in gedachten verzonken uit het raam te staren. Bij het ziekenhuis aangekomen, trok ze aan mijn mouw. Terwijl de rest alvast richting ziekenhuis liep, treuzelden wij nog wat bij de tramhalte. Celina stak een sigaret op, nam drie stevige trekken en zei toonloos: 'Harry heeft er een punt achter gezet. Hij zegt dat hij niet langer tegen mijn dubbelleven kan en dat hij geen zin heeft om het vijfde wiel aan de wagen te spelen. Hij wil zich van zijn vrouw laten scheiden en dat ik me van Oliver laat scheiden. Maar dat kan ik gewoon niet. Oliver is de vader van mijn kinderen en hij is er altijd voor mij, in goede en in slechte tijden.'

Wat is het leven toch ingewikkeld, dacht ik en ik werd bijna jaloers op de kleine Tim die pas twee dagen oud was en niets anders hoefde te doen dan aan Anja's borst sabbelen, een boertje laten en daarna weer in slaap dommelen.

Anja zag er moe uit. Ze had wallen onder haar ogen en zei niet veel.

'En?' vroeg Jana. 'Een bevalling is toch net of je een bankstel uit moet poepen, of niet?'

Iedereen moest lachen om deze plastische vergelijking.

'Meer een kleerkast,' steunde Anja.

Toen ik naar buiten liep om een sigaret te roken, kwam Celina achter me aan. Ze wilde het natuurlijk over Harry hebben en ik dacht: vreemd eigenlijk hoe sommige vriendschappen zomaar ontstaan, niet omdat je veel gemeen hebt, maar omdat je hetzelfde doormaakt.

'Ik mis hem zo,' zei ze op de gang. 'Ik heb altijd gedacht dat ik gelukkig ben met Olli en nu betrap ik mezelf erop dat ik aan Harry denk als ik naast Olli op de bank tv zit te kijken.'

'Dat ken ik.'

'Ik kocht speciaal lingerie en ik maakte me op voor Harry. Oliver vond dat ik me als een tiener gedroeg. Ik geloof dat hij dacht dat ik het allemaal voor hem deed... Hij zou nooit denken dat... O, god, als hij het wist... Ik mag Oliver echt graag, weet je? Maar ik kan me niet herinneren wanneer ik hem voor het laatst heb gekust. Ik bedoel, echt zoenen, niet een smak op zijn wang.'

'O, hebben we het weer over minnaars?' wilde Isa weten die net uit Anja's kamer kwam. We keken elkaar aan en begonnen te lachen. 'Wat is die Timmie een liefie, zeg! Die kleine voetjes en dat schattige platte neusje en hoe hij zijn mondje doet, zo! Hemels gewoon!' zwijmelde Isa. 'Ik zou ook gewoon een kind moeten krijgen in plaats van al dat gestudeer. Mijn moeder had er al twee toen ze zo oud was als ik.'

'Nou, waar wacht je nog op!' zei Celina.

'Weet je, ik heb drie jaar lang een vriend gehad. Hij was erg verliefd op me en hij wilde heel graag een kind met me. Hij was ook vast een prima vader geweest, zo'n mengeling van betrouwbaarheid en tederheid, een trouwe lobbes, weet je? Ik heb de kans laten lopen. Ik ben bij Oase begonnen en heb hem verlaten voor een getrouwde vent met twee kinderen.'

Isa ging op de grond zitten, met haar rug tegen een pilaar. Alle meisjes bij Oase waren mooi, maar Isa had een trotse schoonheid die vrouwen mooi vonden en mannen gek maakte. Ze had lange, gespierde benen, een licht gebruinde huid, blond haar, hemelsblauwe ogen en een uitdagende, intelligente blik. Behalve wat kortstondige flirts had ze de afgelopen tijd geen relaties met mannen meer gehad.

'Mijn moeder doet altijd sip als een van haar vriendinnen oma is geworden,' zei Isa terwijl we voor de poorten van het ziekenhuis stonden te paffen. 'Heel toevallig komt dan het onderwerp "baby" even ter sprake en daar kijkt ze me dan zo vreemd bij aan. Ik weet dat ze een kleinkind verwacht. Ik ben tenslotte de oudste bij ons thuis. Maar wanneer moet ik nou een geschikte kerel ontmoeten? Ik zit of te leren, of ik zit bij Oase.'

'Ontmoet je daar niet genoeg mannen?' vroeg Jana smalend. Ze had zich inmiddels ook bij ons rokersgroepje aangesloten.

'Nou en of! Dat ontbreekt er nog aan: zwanger worden van een klant. Een van mijn gasten, dikke Paul, zit daar altijd over te zeuren. Kennen jullie hem? Hij is klein, dik, kale kop en hij komt al jaren bij mij. Hij boekt altijd een uur en krikt maar vijf minuten. Een trouwe, ongecompliceerde klant. Alleen is hij zo verlegen dat hij nog nooit echt een vriendin heeft gehad. Hij zegt dat hij het alleen maar met mij kan. Nu is hij bijna vijftig en heeft hij het in zijn hoofd gehaald dat hij nog pappie wil worden. Voor het te laat is. Het is geen grap, ik zweer het je! Hij heeft me er een hoop geld voor aangeboden. Hij is ondernemer, zit in de bouw en hij verdient niet slecht.'

'Getver,' zei Celina. 'Het is vaak al smerig genoeg die ouwe zakken aan te moeten raken, maar er ook nog zwanger van worden? Noem me maar ouderwets, maar ik vind dat een baby uit liefde moet ontstaan.'

'Met een beetje pech krijg je nog een vet kind zonder haar,' grapte Jana.

'Tja,' zei Isa, 'daarom moet mijn moeder dus nog even wachten voor ze oma wordt.'

Ik ging die zomer niet meer 'de stad uit'. Ik wilde me op mijn tentamens voorbereiden. Bovendien was ik vastbesloten mijn man, mijn vrienden en mijn thuis nooit meer zo lang te verlaten. Ik wilde me tenminste een normale studente vóélen, als ik er al geen kon zijn. In heel Duitsland alle bordelen afreizen en alleen maar hoer zijn, dat wilde ik niet.

Bij Oase gingen de zaken iets beter, hoewel Lena vond dat het nog niet zo was als in de gouden tijden toen iedere vrouw omgerekend drie- tot vierhonderd euro per dag in haar zak stak. Ik verdiende net genoeg om de vaste lasten te kunnen betalen en een klein beetje opzij te leggen voor de vakantie die Ladja en ik planden.

Na mijn tentamens vlogen Ladja en ik naar Bulgarije. Het was onze eerste gezamenlijke zomervakantie. We hadden elkaar de afgelopen maanden erg weinig gezien. Ik was erg in mijn studie verdiept geweest en Ladja was voortdurend in de rosse buurt op pad geweest.

Al in het vliegtuig op weg naar Varna had ik de indruk dat ik al mijn problemen achter me had gelaten. In Bulgarije brachten Ladja en ik de hele dag samen door aan het strand, in bed of wandelend in het bos. We vierden feestjes aan het strand of aten er wat. Na een week ging ik zielsgelukkig naar huis, met een camera vol prachtige foto's.

In Duitsland begon de sleur meteen weer. Ik volgde een onbetaalde stage bij een IT-bedrijf en moest de hele week vroeg opstaan. Op zaterdag zat ik bij Oase en zondags was ik zo moe dat ik de hele dag sliep.

Op een dinsdag in oktober kwam het dieptepunt. Ladja kwam na zijn werk niet naar huis, hoewel hij wist dat ik twee snipperdagen had genomen. Ik belde hem op zijn mobiel, maar hij nam niet op. Toen ik de kroeg belde waar hij elke dag schoonmaakte, zei een slaperige stem dat mijn man een week geleden al ontslag had genomen.

Ik ging in de keuken zitten huilen bij muziek van Rammstein en Knokator, waardoor ik nog verdrietiger werd. Toen ik moe was van het huilen, zocht ik mijn bed op, maar ik was nog maar net weggedommeld toen ik werd opgeschrikt door het geknars van de huisdeursleutel in het slot. Als door een wesp gestoken rende ik in mijn ondergoed naar de deur.

Hoewel Ladja en ik tijdens onze driejarige relatie elkaar al vaak verbaal flink in de haren waren gevlogen, hadden we nooit fysiek geweld gebruikt. Die nacht overschreed ik ook die laatste grens. De metalen asbak miste Ladja's hoofd op een haar na en landde voor de voeten van Tomas, die me verbijsterd aankeek. Ik was zo intens verdrietig, dat ik geen zin had naar vage smoesjes te luisteren.

'Verdwijn uit mijn leven, klootzak!' riep ik. Ik werkte Tomas en Ladja de deur uit en smeet die achter ze dicht.

De volgende ochtend realiseerde ik me pas wat ik had gedaan. Ik greep naar het fotoalbum, bladerde erdoorheen en dacht aan alles wat Ladja en ik samen hadden beleefd. De tijden zonder geld, de stress met de ambtenarij voor onze bruiloft, zijn moeder aan de keukentafel in Polen, de vakantie bij mijn ouders in Italië, toen Ladja voor het eerst de zee had gezien, en de gezamenlijke inrichting van ons appartement. Onze salontafel bijvoorbeeld had Ladja destijds op straat gevonden. Hij had hem op zijn schouders genomen en mee naar huis gesleept.

Nu was Ladja weg. Ik had zeker meer voor hem gedaan dan hij voor mij, maar het idee dat we nu niet meer samen waren vond ik net zo onvoorstelbaar als in mijn eentje een week door de woestijn zwerven.

Bij Oase waren mijn huwelijksproblemen het gesprek van de dag. Een welkome afwisseling. Het ging eens niet over de eeuwig terugkerende verhalen van klanten, over geldzorgen of over Mandy's nieuwe nagels. Natuurlijk waren mijn collega's van mening dat Ladja veel te ver was gegaan, dat hij me sowieso niet had verdiend en dat een knappe en intelligente vrouw als ik binnen de kortste keren een nieuwe partner zou krijgen. Vera zwetste de hele tijd over de knappe neef van haar vriend, die kennelijk in een Mercedes rondreed en studeerde. Isa wilde me haar beste vriend aansmeren en Jana haar broer. Ik dacht op mijn beurt de hele tijd aan Milan en kon bijna niet wachten tot mijn dienst voorbij was en ik naar hem toe kon. Gelukkig had ik maar twee klanten die dag: een oude man die me de oren van het hoofd kletste maar geen stijve kreeg en een naar curry ruikende Indiër die mijn oren vol lebberde.

Toen ik Milan die avond eindelijk bij California zag, verdiept in een gesprek, een sigaret in zijn mondhoek, merkte ik pas hoeveel hij me deed. Voor het eerst sinds we elkaar kenden, kwam hij naast me zitten. Hij bestelde een drankje voor me en deed of hij echt mijn vriendje was. De bacootjes en zijn gezelschap vrolijkten me een beetje op. Over Ladja sprak ik niet, waarom zou ik onze kostbare tijd samen daarmee verspillen? Milan zei ook niets over Natalie. Mijn beleefde vraag naar hoe het met zijn gezin ging beantwoordde Milan met: 'Alles oké, de normale problemen, het gaat zijn gangetje.'

We begonnen ons gezamenlijke leven te plannen. Dat we gingen trouwen en kinderen kregen, was vanzelfsprekend. We wilden op het Viktoria-Luiseplein gaan wonen, in een maisonnette met uitzicht op de stad. In de winter zouden we voor de open haard bij rockmuziek knuffelen onder het genot van rode wijn. In de zomer zouden we met vrienden op ons balkon barbecueën of op een terrasje in de zon zitten. We zouden in geen geval burgerlijk worden en ons te pletter werken voor het nieuwste mobieltje of een sportwagen. Opscheppen vonden we sowieso erg fout. Maar een beetje luxe mocht wel en reizen wilden we natuurlijk ook.

'Na mijn studie krijg ik vast wel een goede baan. Dan is dat allemaal geen probleem. Ik moet voor mijn baan veel reizen en dan neem ik jou mee,' beweerde ik trots.

Milan pakte mijn hand en hield hem zwijgend vast.

Ergens in mijn achterhoofd wist ik dat we elkaar met onze fantasieën maar wat wijsmaakten, maar op dat moment leek alles mogelijk. En hoezeer ik alcohol ook haatte, af en toe was het toch wel lekker dat het je geest verruimde en je dingen liet zeggen die je nuchter nog niet eens zou hebben durven denken.

'Ik hou van je,' fluisterde Milan in mijn oor terwijl we flink aangeschoten over straat zwalkten. Het was de eerste keer dat hij zei dat hij van me hield en ik werd erdoor overrompeld.

Ik ook van jou, had ik willen zeggen. Ik verheug me op je als we afgesproken hebben, ik ben verdrietig als je er niet bent. Ik denk aan je als ik opsta en voor ik in slaap val en elke keer dat ik met een klant ben. Dat had ik allemaal willen zeggen, maar ik zei niets. Ik zwaaide naar een taxi en we reden naar mijn huis.

Toen ik de volgende dag wakker werd, lag ik naakt in bed met vreselijke hoofdpijn. Mijn kleren lagen door de hele kamer verspreid en er stond een lege champagnefles met twee glazen op mijn bureau – het enige bewijs dat Milan hier de afgelopen nacht was geweest. De wekker op mijn nachtkastje tikte onaangenaam hard. Het was twee uur 's middags en verder was het onaangenaam stil en leeg in huis. Ik hield het bijna niet uit en deed de radio aan. Op het nieuws werd over een roofoverval in Wedding gesproken en er was ergens brand geweest.

Als Milan hier was geweest, zouden we ons nu aankleden en ergens gaan wandelen, dacht ik. We zouden lachen over grappige dingen die alleen wij twee begrepen en ik zou hem door zijn haar strelen. De woorden van Natascha uit Freiburg schoten me te binnen: 'Ze hebben gewoon een vent nodig die er voor ze is en die zegt dat hij van ze houdt. Het maakt niet uit wat voor een eikel hij is.'

Ze had helemaal gelijk. Ik wist dat ik knap en intelligent was. Maar ik wilde niet alleen zijn.

Ik belde Ladja op zijn mobiel en zei kort: 'Alles vergeven en vergeten. Kom gewoon naar huis, hoor je?' En ik verbrak de verbinding.

Ladja was bij Tomas geweest toen ik belde. Hij deed er deze keer maar twintig minuten met de fiets over om van Neukölln naar Moabit te komen.

Bij Oase waren mijn collega's opeens heel moedig geworden wat 'de stad uit gaan' betrof. Ik had verteld wat ik in Freiburg had verdiend en daarna was er een goudkoorts uitgebroken. De één na de ander ging een tijdje weg om in de meest uiteenlopende hoeken van Duitsland lucratieve schnabbeltjes te doen.

De laatste collega die eind oktober op het honk terugkeerde was Mimi, Mandy's beste vriendin. Zij had het helemaal tot in Zwitserland geschopt en bij terugkeer straalde ze van geluk. Ze had twee weken in een club in Zürich gewerkt.

'Man, zo veel geld heb ik nog nooit in mijn leven op één hoop gezien,' vertelde ze aan iedereen die het wilde horen. Ze wilde ons de exacte som niet verraden, maar ze had een Rolex-horloge om, bestelde voortdurend kleren uit catalogi en had nieuwe kasten gekocht, hoewel ze het meeste geld dat ze had verdiend waarschijnlijk had opgesnoven. Ze betaalde Mandy zelfs een gedeelte van het geld terug dat ze had geleend. Ik schatte dat ze zesduizend euro had verdiend, wat ongelooflijk veel geld was voor twee weken werken, ook voor een twintigjarige als Mimi, met haar enorme borsten en haar mooie bruine lijf.

Eigenlijk kun je dat ook wel weer eens doen, dacht ik bij mezelf. Ik was er na Freiburg van overtuigd geweest dat ik dat nooit weer wilde doen, maar sindsdien waren er acht maanden verstreken en had ik mijn mening herzien. Natuurlijk had ik destijds heimwee gehad en had ik de dagen geteld, maar ik was gewoon onvoorbereid geweest. Ik had niet geweten wat me te wachten stond. En dat was nu anders, dacht ik, en als Mimi het kan, dan kun jij dat allang. Afgezien daarvan heb je dringend geld nodig om het een en ander aan te schaffen en kun je met je loon bij Oase geen gekke sprongen maken. Het was net genoeg om in leven te blijven en Ladja werkte nog steeds erg onregelmatig. Iets vasts wilde of kon hij niet krijgen.

Voor ik het wist, zat ik in de ICE naar Zürich. Deze keer was het allemaal veel eenvoudiger dan de vorige keer. Ik had Ladja en mijn vrienden niet veel uit hoeven leggen. Ze geloofden mijn smoesje dat ik in Zwitserland als beurshostess ging werken. In elk geval deden ze alsof. Alleen Jule wist wat ik echt ging doen. Zelfs Milan had geen commentaar, hoewel hij snel begreep wat ik ging doen.

De Golden Gate was de beste club die ik ooit had gezien, in elk geval wat de inrichting betrof. De clubruimte was niet bijzonder: een lange houten bar, gedimd licht, een paar planten. Maar toen de veertigjarige vrouwelijke chef me de kamers liet zien, was ik onder de indruk. Elke kamer was minstens dertig vierkante meter groot en was voorzien van een douchecabine en een hemelbed. Op de houten vloer lagen witte, wollige tapijten en op de nachtkastjes brandden geurkaarsen. Het leken wel suites!

In het team waren allerlei nationaliteiten aanwezig en doordat ik wel dertig collega's had, begon ik er maar niet aan namen te onthouden. Veel van de gasten bij Golden Gate kwamen uit Italië. De Italiaanse grens was niet ver weg, in elk geval niet ver genoeg voor de bewoners van een land als Italië, dat nauwelijks bordelen heeft. Voor mij was het wel leuk, want ik kreeg in Berlijn niet vaak de gelegenheid Italiaans te spreken. Bovendien kreeg ik altijd een fooi als ik voor een Italiaanse reisgroep tolkte.

Onaangenaam werd het alleen als de vragen te persoonlijk werden. Dat ik een landgenote was, werkte uitnodigend op de Italianen, die over van alles en nog wat begonnen te kletsen en ook alles van mij wilden weten. Waar ik vandaan kwam uit Italië, of ik getrouwd was, waarom ik dit rotwerk deed, ik werd er toch niet toe gedwongen, wat ik studeerde, enzovoort, enzovoort. Eén man vroeg zelfs of ik van de Liparische Eilanden kwam. Toen ik hem geschrokken aankeek, legde hij uit dat hij in Rome professor in de taalwetenschappen was en alle Italiaanse dialecten had bestudeerd. In bed probeerde meneer de professor me er daarna overigens toe over te halen zonder condoom met hem te krikken, omdat het toch eigenlijk een onderonsje was, vond hij. Dit smoesje had ik al vaker gehoord en mijn standaardantwoord daarop was: 'Schat, zonder condoom neuk ik alleen met mijn man. Is dat duidelijk? Dus je doet het zo als ik het zeg, of je helpt jezelf maar.'

Aardige klanten had ik ook. Een advocaat uit Genève bijvoorbeeld, die een vette honderd frank fooi liet liggen, of een jonge dj uit Basel, met wie ik het heel goed kon vinden en met wie je heel leuk kon praten. Hij ging op één avond meermaals met me naar achteren.

Na drie dagen puilde mijn portemonnee uit van de vijftig- en honderdfrankbiljetten. Alleen al op dag vier verdiende ik vijfhonderd euro, mijn persoonlijke record op dat moment. Ik was zo druk bezig dat ik, anders dan in Freiburg, geen tijd had om mijn collega's te leren kennen en naar hun verhalen te luisteren. En hoewel ik elke nacht pas om drie uur nogal brak mijn bed in dook en dagelijks een pakje sigaretten op rookte, voelde ik me door het vele geld dat ik verdiende redelijk goed. De eerste week vloog voorbij ondanks de monotonie: klanten, seks, geld en oppervlakkige gesprekken over mijn studie en het weer.

Op 3 december keek ik op de kalender en raakte ik geïrriteerd door iets vaags wat aan mijn geheugen knaagde. Wanneer was ik eigenlijk voor het laatst ongesteld geweest? Ik onthield normaal altijd alle data, ook al waren ze nog zo futiel. Rustig aan, dacht ik bij mezelf terwijl ik aan de bar zat en naar twee meisjes keek die ruzie hadden om een oude vent. Het lag vast allemaal aan dat gedoe met Ladja.

Toch stond ik de volgende ochtend vroeg op om bij de apotheek een zwangerschapstest te kopen. Dat was niet de eerste keer in mijn leven. Ik had al een paar keer het bange vermoeden gehad dat ik zwanger was, hoewel ik me nooit kon voorstellen dat ik echt een kind kon krijgen. Ik wilde wel ooit moeder worden, maar dat was meer iets voor de toekomst. Ik was per slot van rekening pas tweeëntwintig.

Het was een van die dagen waarop de klanten elkaar in rap tempo opvolgden. Pas 's avonds, nadat de laatste klant was vertrokken, kwam ik eraan toe om de test te doen. Ik rende naar de wc en plaste op het staafje. Zo meteen zul je zien dat je het je allemaal inbeeldt, dacht ik nog bij mezelf. En daarna gaat het leven gewoon door. Maar toen ik het resultaat zag, begon ik te trillen. Ik was zwanger.

Het kan niet, was mijn eerste gedachte. Hoewel de situatie tussen Ladja en mij ontspannen was, waren we de afgelopen twee maanden niet met elkaar naar bed geweest. Bij Oase kon het ook niet gebeurd zijn, want er was nooit een condoom gescheurd en zonder condoom deed ik het niet. En toen schoot me de nacht van Milan en mij te binnen en hoe we stomdronken bij mij thuis in bed waren beland. Toen moest het gebeurd zijn. En ik kon me nog niet eens herinneren aan het moment waarop! De tranen sprongen me in de ogen.

Ik bleef een tijdje op de wc zitten. Wazig registreerde ik het komen en gaan van mijn collega's in het wasgedeelte: vrouwen die zich opmaakten, kletsten en lachten en die niets merkten van wat er zich onder hun ogen allemaal afspeelde. Het liefst was ik onmiddellijk naar Berlijn teruggereden en mijn bed in gekropen om heel lang te slapen. Ik wilde naar Berlijn, waar Ladja me dampende thee met citroen aan mijn bed zou brengen, zoals altijd als ik ziek was. Maar deze keer had ik geen griepje dat je met wat medicijnen en een paar nachten goed slapen weg kreeg. Het ging deze keer ook niet om een verprutst tentamen dat ik nog een keertje mocht overdoen. Ik was zwanger en dat was het ergste wat me tot nu toe in mijn leven was overkomen.

Op een gegeven moment kwam ik weer bij mijn positieven. Ik wist niet hoeveel tijd ik op de wc had gezeten, maar niemand scheen het gemerkt te hebben. Er waren hier zo veel vrouwen dat zelfs de barkeepster moeite had iedereen te onthouden.

Ik pakte mijn jas en ging naar buiten. Afwezig zwierf ik over de straten. Ik voelde niets. Hoe zou mijn familie reageren? Ze hadden met moeite geaccepteerd dat ik op mijn twintigste met Ladja was getrouwd. Ik had moeten beloven dat ik geen kinderen zou krijgen voor ik mijn opleiding had voltooid. Ze gingen me vast verstoten of ze brachten me naar het gekkenhuis. Ik dacht aan Ladja en zijn gezicht als hij hoorde dat ik een baby kreeg van een andere man, net nu hij zo zijn best deed om onze relatie te redden. En Milan? Zoals ik hem kende, zou hij ontkennen de vader te zijn. Zelfs als ik hem een proces zou aandoen om alimentatie te krijgen, zou hij me laten vallen als een baksteen. Het liefst had ik Jule gebeld om bij haar uit te huilen, maar ik was bang voor wat ze ging zeggen. Ze had me altijd voor Milan gewaarschuwd. En ik dacht aan Vera, die bij Oase werkte om kerstcadeautjes te kunnen kopen voor haar kind. Zo wilde ik niet eindigen. In plaats van vreugde over het nieuwe leven dat in mij groeide, was ik doodsbang.

Ik schrok op uit mijn gedachten toen een diepe stem zei: ‘Wat doe jij hier? Ben je nou helemaal van lotje getikt?’

Ik bleek op een steen te zitten naast de parkeerplaats van Golden Gate en het was gaan regenen. Voor mij stond een zwarte vrouw met wie ik weleens had zitten kletsen. Ze was groot, breed en haar haar was in van die kleine vlechtjes gevlochten met bontgekleurde kraaltjes aan het eind. Ze had een blauw regenjack met capuchon aan en rubberen laarzen. In haar hand hield ze een plastic tasje dat naar Chinees eten rook.

'Ik wilde even rustig nadenken,' fluisterde ik.

'In de kou? Je krijgt nog een longontsteking!' zei ze en ze priemde met haar vinger de lucht in.

'Dat is niks vergeleken bij mijn probleem,' zei ik moedeloos. 'Ik ben zwanger van mijn vriendje en mijn man weet er niets van.'

'Jezus maria,' zei de vrouw en ze schudde haar hoofd. 'Wil je het kind houden?'

'Nee.' Ik bleef stil op mijn steen zitten terwijl de regen op mijn hoofd spetterde.

De vrouw keek me peinzend aan. Na een tijdje zei ze: 'Ik heb het adres van een goede kliniek. Hier in Zwitserland doen ze er niet zo moeilijk over als in Duitsland. En ik vind dat je het zo snel mogelijk moet doen. Geloof me, ik weet waar ik over praat.'

Ik keek haar aan en zweeg.

'Maar nu kom je eerst naar binnen, en snel een beetje. Het zou een ramp zijn als je nu ook nog ziek wordt.' De vrouw pakte me bij mijn arm. Mijn handen waren zo koud dat ik al niets meer voelde.

De volgende ochtend, nog voor Golden Gate opende, belde Shila (zo heette de zwarte vrouw) een vriendin op. Ze noteerde een telefoonnummer en een adres op een blaadje dat ze me zwijgend gaf. Ze keek me medelijdend aan.

'Heb je er spijt van?' vroeg ik haar.

Ze lachte spottend. 'Bij mij is tijdens mijn werk een condoom gescheurd. Ik ben al een alleenstaande moeder met een zevenjarige dochter. Nog een kind? Van een klant ook nog? Nee, ik heb nergens spijt van.'

Ik voelde me redelijk opgelucht. Shila omhelsde me hartelijk voor ze naar haar kamer ging om in te pakken. Het was haar laatste dag in Zwitserland. Ik heb haar nooit meer gezien.

De kliniek lag in een buitenwijk van Zürich. De reis erheen met de tram duurde eeuwig en ik moest een paar keer overstappen. Bij het eindstation aangekomen, vielen me als eerste de keurige rijtjeshuizen op, met hun schuine daken en de witte hekjes. Aan het einde van de straat stond een modern glazen gebouw dat eruitzag als een kantoorgebouw. Naast de deur hingen verschillende bordjes: een advocatenkantoor, een fysiotherapeut, een callcenter en nog een geel bordje waarop ik kon lezen dat ik op het juiste adres was.

Ik nam de lift naar de vierde verdieping. Het leek allemaal zo onecht. Het was net een nachtmerrie waar iemand me hopelijk snel uit zou wakker maken. Maar dat gebeurde niet.

De tijd kroop voorbij. Ik deed mijn mp3 aan en luisterde naar 'Asche zu Asche' van Rammstein. Als je helemaal stuk zit bestaat er niets beters dan zulke muziek, dacht ik.

De dokter gaf me een stevige hand. Hij was een grote, slanke man met grijs gemêleerd haar en hemelsblauwe ogen die me strak aankeken. Ik zat als een hoopje ellende voor hem en keek naar de grond. Na een kort gesprek moest ik me uitkleden, op een onderzoeksbank gaan liggen en mijn benen wijd doen. Toen de dokter het echoapparaat aandeed, sloot ik mijn ogen. Ik wilde het embryo niet zien. Het mocht niet gebeuren dat ik er iets bij ging voelen.

'Negende week,' zei de dokter.

Ik voelde hoe het bloed in mijn slapen klopte. Ik dacht aan Milan, die waarschijnlijk net zijn dochtertje naar school aan het brengen was, of aan het ontbijt zat met Natalie. Hij moest niet boeten voor de consequenties van een onbezonnen nacht.

Het onaangename gedeelte van het gesprek volgde. Ik registreerde er slechts brokstukken van.

'Ik ben er wettelijk toe verplicht u het volgende mede te delen,' begon de dokter. Hoewel hij moeite deed beschaafd Duits te spreken, had hij een sterk Zwitsers accent. Hij benadrukte elk woord, alsof hij een officier van justitie was die een zware aanklacht voorlas voor de rechtbank. 'U moet zeker zijn van uw beslissing en u mag u door niemand laten beïnvloeden, daar het hier gaat om een beslissing die niet kan worden herroepen,' vervolgde de dokter zijn betoog.

Er volgde nog meer juridische vaktaal, maar ik luisterde al niet meer. Er volgden bloed- en urineonderzoeken, die ik ook over me heen liet komen. Ten slotte kreeg ik een afspraak voor de week erna. De dokter wees me er ten afscheid nogmaals op dat ik er 'nog maar eens goed over na moest denken', met de klemtoon op 'goed', en liet me gaan.

De volgende dagen werkte ik gewoon, maar ik was erg afwezig. Apathisch liet ik me door mijn klanten naaien en aflikken. Ik liet zelfs vingers in mijn kont steken, wat ik anders nooit deed. Het interesseerde me allemaal niet. Ik at alleen om niet dood neer te vallen en rookte als een schoorsteen, maar proefde niks. En ik belde elke ochtend met Ladja om te horen hoe het in Berlijn was, maar de liefdesverklaringen van mijn man aan het eind van elk gesprek en de boodschap dat hij me ontzettend miste, lieten me volledig koud.

Na zeven oneindige dagen reed ik weer naar de kliniek, deze keer met een taxi. Ik betaalde het geld voor de behandeling cash bij aankomst: vijftienhonderd Zwitserse franken. Dat het om een aanzienlijk bedrag ging, omgerekend ongeveer duizend euro, kon me niets schelen. Ik had de afgelopen dagen het vijfvoudige verdiend en wilde gewoon van alles af zijn. Zwanger naar huis wilde ik in geen geval, want ik kon me ongeveer voorstellen wat er dan zou gebeuren. Ladja zou me ervan overtuigen het kind te houden en goedgelovig als hij was, zou hij nog niet eens merken dat het niet van hem was.

De receptioniste met de amandelvormige ogen telde het geld heel nauwkeurig en liet me meerdere formulieren ondertekenen. Daarna belandde ik weer op de onderzoeksbank in de behandelkamer. Ik rilde over mijn hele lichaam. Weer een echo, weer gesprekken, waar was dit allemaal voor nodig? Het hielp toch niets.

'Wilt u dit echt?' vroeg de arts nog een laatste keer.

Ik knikte. Ik kreeg een naald in mijn arm en probeerde me te ontspannen. Als God bestaat, moet hij me maar vergeven, dacht ik. Daarna hoorde ik een zacht gezoem dat me deed denken aan mijn jeugd. Het klonk als een grasmaaier uit de verte...

Drie uur later mocht ik gaan. De verpleegster was verbaasd hoe haastig ik me aankleedde.

'Misschien kunt u zich beter nog even ontspannen,' adviseerde ze, maar ik wilde deze plek des doods zo snel mogelijk verlaten en naar huis, naar Berlijn. Ik was duizelig en ik bloedde stevig, maar ik kon zonder problemen lopen, ook al ging het niet zo snel als anders. Ten afscheid kreeg ik nog een briefje met telefoonnummers van hulporganisaties die ik nooit van mijn leven zou bellen.

'U kunt natuurlijk ook bij ons langskomen als u hulp nodig hebt,' zei de assistente met bezorgde stem.

Het Centraal Station van Zürich was versierd met zilveren ballen en engelenhaar. Het was bijna Kerstmis. Bij kleine kraampjes werden bisschopswijn, gekonfijte appels en met de hand gemaakte houten figuurtjes verkocht. Ik voelde me moe, leeg en eenzaam en ik wilde niets liever dan met iemand praten. Ik had meer dan tweeduizend euro op zak, maar voor mij was het bloedgeld. Aan elk biljet kleefde onschuldig bloed. Ik moest bijna overgeven. Ik belde Ladja, maar die was voor de verandering aan het werk.

Toen ik eindelijk in de warme trein naar Berlijn zat, kwam alles weer boven. Ik smeet mijn tas op de grond en begon hartstochtelijk te snikken. Ik huilde zo hard, dat andere passagiers in de coupé zich naar me omdraaiden.

'Kan ik iets voor u doen? Is er iets gebeurd?' vroeg een bezorgde oudere heer. Hij had een witte baard en rode wangen, waardoor hij eruitzag als een goedmoedige oude Kerstman.

Ik schudde mijn hoofd. Ik wil Milan, dacht ik. Ik wil dat hij me in zijn armen neemt en de hele nacht bij me blijft. Ik had mijn kind vermoord. Nooit zou ik het in mijn armen houden, nooit zijn verjaardag vieren en nooit zijn eerste stapjes zien of de eerste schooldag beleven. Misschien werd ik wel nooit meer zwanger. Ik zou eenzaam oud worden en thuis alleen doodgaan.

Toen de douane mijn pas kwam controleren, ging het iets beter met me. Ik snikte niet meer zo hard. Ik viel in slaap en werd pas vlak voor Berlijn weer wakker.

Thuisgekomen trok ik de gordijnen van mijn slaapkamer dicht en kroop in bed. Ladja, die ik nauwelijks had begroet, maakte zich zorgen en wilde me naar een dokter slepen.

'Het is maar een griepje,' steunde ik. 'Laat me nou maar gewoon met rust.'

De volgende dagen bleef ik in bed. Ik dommelde maar wat, mijn hoofd was helemaal leeg. Soms viel ik in slaap, maar het was geen gezonde slaap.

'Ik denk dat ze problemen heeft, maar ze praat niet met me,' hoorde ik Ladja tegen Tomas zeggen in de woonkamer. Na een week gaf hij het op. Hij vroeg niet meer waarom ik niet opstond en waarom ik geen zin had om naar de kerstmarkt te gaan. Hij ging 's ochtends de deur uit en kwam pas na middernacht terug. Voor het eerst sinds we elkaar kenden interesseerde het me niet waar hij de hele nacht uithing.

Ik bracht de kerstvakantie in een soort trance door. Ik vegeteerde thuis op de bank, blowde me ongans, probeerde mijn hersens uit te schakelen en zei geen woord. Gelukkig waren al mijn vrienden weg en was Oase gesloten, zodat ik niemand iets uit hoefde leggen.

Het nieuwe jaar begon met vuurwerk en straatfeesten waar ik nauwelijks iets van merkte. Het was net of ik in een tunnel zat. Ik rende en rende, maar er kwam geen uitgang in zicht en er was ook niemand die me redde.

9 FREIBURG – MÜNCHEN: TWEE DIENSTREIZEN

Op een dag trok ik de gordijnen van mijn slaapkamer open en liet ik de zonnestralen binnenvallen. Het was half januari. Ladja, die sinds mijn terugkeer uit Zwitserland op de bank in de kamer sliep, keek verbaasd toe hoe ik koffiezette. Hij keek nog verbaasder toen ik het bed opzijschoof en de vloer ging boenen. Hij keek me aan alsof ik een vreemde was en niet de vrouw met wie hij nu al drie jaar samenwoonde.

'Het is hier allemaal zo smerig,' zei ik.

Ik bracht de hele dag door met opruimen. Ik stuurde Ladja naar de bloemenzaak op de hoek en liet hem een pot, aarde en zaad kopen. We waren altijd al van plan geweest planten op de vensterbank te kweken, maar de afgelopen tijd was ik daar niet mee bezig geweest. Ik was nergens mee bezig geweest. Die nacht ging ik voor het eerst na vier maanden met Ladja naar bed. Ik wist zelf niet waardoor ik opeens zo veel energie had, maar ik vond dat ik er maar niet te veel over na moest denken en moest genieten van het goede gevoel.

De weken daarna keerde ik terug naar mijn oude leven. Ik ging naar college, ging weer aan het werk bij Oase en op vrijdagavond ging ik samen met Jule en andere medestudenten in Prenzlauer Berg stappen. Niemand vroeg wat er met me aan de hand was geweest en ik sprak er zelf ook niet over.

Ik kon weer lezen en me concentreren op een tekst. Ik kon met Ladja weer lachen om de *Simpsons*, op de terugweg van de disco naar huis weer zingen op straat en na een goede dag bij Oase weer shoppen en me daarbij knap en sexy voelen. Alleen baby's kon ik niet zien.

Ik stak zelfs de straat over als ik een jonge moeder met een kinderwagen zag en ik raakte geïrriteerd als kleine kinderen in de metro tegen me brabbelden. Op zulke momenten werd ik eraan herinnerd hoe ik door angst en lafheid mijn eigen kind had opgegeven.

Milan ontweek ik om dezelfde redenen. Ik wilde hem niet aankijken en erover fantaseren hoe ons kind eruit zou hebben gezien. Ik wilde er niet aan denken dat hij de vader van mijn kind was geweest. Ik ging alleen naar California als ik er zeker van was dat hij er niet zou zijn. En als ik hem toch toevallig tegenkwam, keek ik de andere kant op, negeerde hem en sloeg mijn armen om Ladja heen.

Op een dag kwam ik net de kroeg uit toen ik van achteren aan mijn arm werd vastgehouden. Zonder me om te draaien wist ik wie het was. Ik voelde zijn handen en begon te trillen.

'Wat is er aan de hand?' vroeg Milan met een wantrouwige blik.

'Niks,' mompelde ik en ik draaide mijn haar om een vinger. 'Ik heb een berg tentamens momenteel en ik heb niet veel tijd.'

'Je praat niet met me, je groet me nauwelijks... Ben je boos op me?'

Even kwam ik in de verleiding om Milan de waarheid te vertellen: alles wat ik de afgelopen maanden had doorgemaakt. Uithuilen op zijn schouder. Maar het was maar twee seconden. Het leven is geen romantische komedie, zei ik tegen mezelf. En Milan is je man niet. Wat kon hij erover zeggen? Hij zou waarschijnlijk blij zijn dat hij niet voor nog een kind hoefde te betalen.

'Je hebt lang niet gebeld,' loog ik. 'Ik dacht: je wilt me niet meer.'

Het ijs was gebroken. Milan glimlachte opgelucht en pakte mijn hand. 'Nee, hoor. Zo is het helemaal niet. Ik heb vaak van je gedroomd. Het is de stress, weet je, gezin, werk...' Zijn stem klonk lief.

'Zullen we naar Mario gaan?' vroeg ik. Ik verlangde naar ons liefdesnest.

Milan knikte. Op weg naar Mario's appartement kochten we nog een fles bubbels. Onderweg merkte ik pas hoezeer ik Milan had gemist, hoe hij zijn hoofd in zijn nek gooide als hij lachte, hoe hij gebaarde met zijn sigaret en hoe we elkaar zonder woorden begrepen.

Milan vroeg naar mijn tentamens en wilde weten hoe lang ik nog voor de boeg had.

'Twee jaar misschien,' zei ik. Ik wist het zelf niet precies.

'Ben je dan doctor?' vroeg Milan vol ontzag.

'Nee, dat ben ik pas als ik promoveer,' zei ik. Momenteel ben ik niet meer dan een hoer die tippelt om haar studie te betalen, dacht ik, maar ik zei het niet. Milan kuste me op het voorhoofd.

We brachten de nacht op de smalle bedbank van Mario door. Ik vond het heerlijk Milan overal te kussen en te strelen en om te zien hoe hij zijn ogen sloot en zich liet gaan. Ten slotte waren we zo moe dat we voor het eerst sinds we elkaar kenden naast elkaar in slaap vielen.

Naast iemand in slaap vallen van wie je houdt, is iets bijzonders. De gedachte dat ik naast zomaar iemand zou moeten slapen, lijkt me afschuwelijk, ook al heb ik al met zo veel mannen het bed gedeeld. Aan Ladja was ik gewend: aan zijn gehoest 's nachts, zijn adem op mijn gezicht en zijn in de war geraakte haar als hij 's ochtends wakker werd. Het was voor mij onvoorstelbaar die intimiteit met zomaar iemand te delen. Bij Milan was het anders. Ik observeerde graag hoe hij sliep en viel in zijn armen rustig in slaap.

De lente bracht bij Oase enorme veranderingen met zich mee. Eerst verliet Celina geheel onverwacht de club. Ze kwam op een dag gewoon niet meer en ze nam de telefoon ook niet op. Natuurlijk waren we heel nieuwsgierig of het iets met Harry te maken had, want hij liet zich ook niet meer zien sinds Celina weg was. Mandy vertelde op een dag dat Celina haar man had verlaten en dat ze met haar kinderen en Harry naar Rügen was verhuisd. Deze informatie kwam van betrouwbare bronnen, zei Mandy, maar niemand wilde het echt geloven.

'Hij geeft haar vast geld, zodat ze hier niet meer hoeft te werken, maar ze blijft getrouwd en ontmoet hem stiekem,' vermoedde Jana.

Het bleef bij speculeren, want we hoorden nooit meer wat van Celina.

Toen ik op een vrijdag binnenkwam voor mijn late dienst, geloofde ik mijn ogen niet. Het sleetse zitstel was vervangen door een witte leren bank. In plaats van de tot op de draad versleten loper lag er een dik zacht rood tapijt van velours. In de gang hingen tropische en berglandschappen aan de muur en in onze voormalige kleedkamer waren drie mannen laminaat aan het leggen. Lena, Anja's vervangster, stond in de deuropening met ze te kletsen.

'Heeft iemand de lotto gewonnen?' vroeg ik.

'Anja en haar vriend zijn weg. De eigenaar heeft ze de laan uit geschopt,' zei Lena kort en ze liep terug naar de ontvangstkamer.

De nieuwe pachter heette Torsten. Hij maakte een goedmoedige indruk en glimlachte schaapachtig naar me, hoewel hij bijna twee meter lang was en meer dan honderd kilo woog.

'Alles kits, ouwe reus?' zei hij en hij sloeg me daarbij zo enthousiast op mijn schouder dat ik bijna mijn evenwicht verloor.

'Ik ben je ouwe reus niet, ik heet Stella,' sputterde ik tegen.

Gelukkig ging op dat moment de bel. Het was een stamgast van me die ik al een tijdje niet meer had gezien. In de gang kwam ik Isa tegen. Ze kwam net een kamer uit, met in haar kielzog een stralende Vietnamees. Aziaatjes waren dol op Isa, omdat ze groot en blond was en heel streng kon kijken. Toen ze me zag sloeg ze haar ogen ten hemel alsof er net iets ergs was gebeurd.

'Was die vent zo erg?' vroeg ik later, toen we ons in de badkamer op stonden te maken.

'Nee, met die kleine Ping was niks mis, die is heel aardig. Ik bedoelde iets anders. Heb je die blonde Hun in de ontvangstkamer al gezien, die zo joviaal doet? Hij kan nog niet eens fatsoenlijk tellen! Ik heb hem daar straks vijftig euro gegeven om te wisselen. Daar moest hij vijf minuten over nadenken!'

De kritiek op Torsten vervloog snel. Hij wende vlug en hij was de kwaadste niet. Hij nam altijd kilo's snoep en taart voor ons mee en hij was aardig en vriendelijk. Het enige probleem met hem was dat hij ontzettend stug kon zijn. Zelfs Lena, officieel nog steeds de bardame maar nu belast met de dagelijkse leiding, kon niet altijd tegen hem op. Torsten wilde een prijsverlaging van tien euro en die duwde hij er ook door, ondanks ons protest.

Hoewel Torsten erg zijn best deed bij Oase, steeg het aantal gasten nauwelijks. En dat terwijl het in de zomer eigenlijk altijd beter liep dan in de rest van het jaar. Zomer betekende namelijk hoogseizoen in de bouw en dat betekende dat er door de week veel bouwvakkers in Berlijn bivakkeerden, die alleen in de weekeinden naar huis gingen.

Vlak bij Oase woonden veel van die forenzen. Ze waren in aftandse flatjes ondergebracht waar niemand meer wilde wonen. 's Avonds verveelden die mannen zich natuurlijk in die kale huisjes. Ze waren alleen en kenden niemand in de stad en dus kwamen ze graag bij ons langs. Oase had de reputatie gezellig en goedkoop te zijn. En ondanks het feit dat bouwvakkers geen droomklanten waren, verdienden we goed aan hen en waren we blij dat ze kwamen. Het was vriendelijk volk. Ze waren vaak aardiger dan menig klant met stropdas, die voor dertig euro van alles gedaan wilde hebben en ons ook nog denigrerend behandelde.

Met de Griekse bouwvakkers die boven ons woonden en die de hele zomer in Berlijn doorbrachten, ontstond op een gegeven moment zelfs zoiets als vriendschap. In het begin dacht iedereen o, nee als ze in de ontvangstkamer zaten, omdat ze meestal maar twintig minuten massage of een vluggertje boekten en daarna nog urenlang bleven rondhangen, zodat wij niet gezellig onder elkaar konden gaan zitten kletsen. Maar na verloop van tijd kregen ze de smaak te pakken en gingen sommigen zelfs meerdere keren mee naar achteren. Ze namen ook nog eten, bubbels en kleine cadeautjes mee; meestal felgekleurde plastic sieraden die meteen in de prullenbank terechtkwamen. Hoe ze aan zo veel geld kwamen, wist niemand.

De Grieken waren niet kieskeurig. Ze hadden allemaal wel een lievelingshoer, maar als die net even niet kon, hadden ze er geen probleem mee het met een collega te doen. Dus neukte ik met Vassilis, Costas en noem ze allemaal maar op. Een van hen, Angelos, werd zelfs verliefd op me. Hij was pas twintig en zo mager dat je je afvroeg hoe hij zakken cement kon slepen of ander zwaar werk voor elkaar kreeg. Hij had altijd een te groot trainingsjack met capuchon aan, een baseballpetje op en een wijde broek aan die niet op zijn kont bleef hangen. Hij zei dat ik hem deed denken aan een ex-vriendin van hem die hij vreselijk miste.

Hoe beter zijn Duits werd, hoe beter we konden communiceren. Ik begon hem tips te geven hoe een man met een vrouw in bed en in het leven moest omgaan, want daar had Angelos geen kaas van gegeten. Ik leerde hem zijn pik te scheren en legde uit dat je voor het echte werk een beetje voorspel moest doen, zodat het allemaal niet al na vijf minuten voorbij was. Na een tijdje vereerde hij me zo dat hij bloosde als hij me zag en nam hij repen chocola uit de supermarkt voor me mee.

Op een vrijdagmiddag kwam Wolfgang, nog steeds mijn stamgast, onaangekondigd langs. Normaal kwam hij altijd op zaterdag om twee uur 's middags. Hij zag Angelos en mij gezellig op de bank in de ontvangstkamer zitten kletsen en riep: 'Wat is dat voor een lulletje rozenwater?' Hij keek me woedend aan. 'Weet hij al hoe dat gaat, neuken?'

De aanwezige vrouwen verstomden meteen en staarden me aan.

'Dit is een goede gast van me,' zei ik beheerst en vriendelijk. 'En ik denk dat het beter is dat je nu gaat. Kom maar terug als je hebt geaccepteerd dat ik hier op mijn werk ben en niet alleen van jou ben.'

Wolfgang droop af als een geslagen hond. Nog diezelfde avond belde hij me op om zijn excuses aan te bieden. Hij smeekte me om langs te komen. Ik zegde toe, omdat hij niet slecht betaalde. Ik kreeg honderd euro van hem die ik met niemand hoefde delen. In ruil daarvoor wilde hij een beetje aan mijn poesje zitten en een foto maken van mijn kont. Voor de rest kletsten we maar wat.

Toen Wolfgang me de zaterdag erna de tram uit zag stappen, was hij dolgelukkig. Hij had een grijs jasje aan en een rode das om en hij had zijn haar met gel achterover gekamd.

'Ik dacht al dat ik je nooit meer zou zien! Ik ben zo'n sufferd!' zei hij schuldbewust.

Hij nam me mee naar zijn huis, waar alles kraakhelder was. Het leek wel of er een schoonmaakploeg door de kamers was gegaan. Het rook een beetje naar lavendel en er stond een vaas met witte tulpen op tafel.

'Mijn vrouw heeft schoongemaakt. Ze wist dat je kwam,' zei Wolfgang en hij knipoogde naar me. Sabine, Wolfgangs echtgenote, en hij waren al een tijd niet meer dan goede vrienden. Ze wist dat hij regelmatig naar de hoeren ging.

Later, onder het genot van een rode cabernet sauvignon en operaliederen van Puccini, vertelde Wolfgang me voor de duizendste keer hoe hij Tanja, zijn Wit-Russische liefde, had verloren door jaloezie. Tanja had destijds bij een goedkope Berlijnse escort gewerkt waar een heel uur maar negentig euro kostte (waarvan de vrouwen veertig overhielden). Hij had Tanja steeds naar hem toe laten komen en was op een gegeven moment verliefd op haar geworden: een vrouw die veertig jaar jonger was dan hij en die in Minsk een man en drie kinderen had wonen. Tanja voelde natuurlijk niets voor Wolfgang, maar na verloop van tijd vond ze zijn gezelschap wel prettig, omdat hij altijd aardig tegen haar was en haar niet als een goedkope hoer behandelde. Wolfgang zocht Tanja zelfs in Wit-Rusland op en leerde zo de hele familie kennen. Als Tanja in Berlijn was, ging ze met Wolfgang en zijn vrouw naar het theater.

Natuurlijk was dit uitzonderlijk. De meeste echtgenotes wisten, tenminste officieel, niets van de bordeelbezoekjes van hun mannen.

Deze multiculturele driehoeksverhouding hield prima stand, tot Wolfgang jaloers werd op de andere klanten van Tanja en daarom 's nachts geen oog meer dichtdeed. Op een dag reed hij straalbezopen naar de escortservice waar ze werkte en maakte daar zo'n stampij dat de buren de politie belden.

'Stelletje schijtpooiers! Ik laat jullie allemaal oppakken door de politie. Ik zorg ervoor dat ze jullie de gevangenis in gooien!' brulde hij en hij smeet met alles wat hij in zijn vingers kreeg.

Tanja was op dat moment helemaal niet aanwezig. Ze hoorde pas later alle details over deze actie van haar collega's, die haar vroegen hoe ze zo dom kon zijn om zich zo in te laten met een klant, een ouwe gek ook nog.

Hoe het met Tanja afliep, vernam Wolfang uit een brief die ze hem uit Minsk toestuurde. De eigenaar van de escortservice, een Arabier met een dubieuze achtergrond, had vanwege de politie-inval enorm veel ellende gekregen en zijn zaak op dat adres moeten sluiten. Natuurlijk was hij hartstikke kwaad geweest op Tanja en had hij haar eruit gegooid. Tanja was naar huis gereden en had haar man moeten uitleggen waarom ze zo'n goedbetaalde baan bij een schoonmaakbedrijf in Berlijn kwijt was geraakt.

'Dacht haar man echt dat ze in Berlijn schoonmaakte?' vroeg ik ongelovig.

Wolfgang schudde zijn hoofd. 'Weet je, als al die Russische meisjes echt zouden schoonmaken hier, zou Berlijn moeten blinken als een spiegel!'

Ik schoot in de lach.

Wolfgang had natuurlijk kunnen proberen zijn Tanja terug te krijgen door een hoop geld te bieden. Het zou hem vermoedelijk de helft van zijn bescheiden vermogen hebben gekost dat hij na veertig jaar werken bij elkaar had gespaard. Maar Tanja's man had haar verboden nog langer in Duitsland te werken. De kinderen misten haar te erg. Sindsdien zocht Wolfgang troost in de diverse Berlijnse bordelen.

'Gelukkig zijn er meer dan genoeg,' zei hij. 'Dat is het goede van de Duitse hereniging, dat je nu openlijk seks kunt kopen. In de DDR kon dat alleen stiekem. Toen ik in 1989 mijn welkomstgeld kreeg, heb ik het er in het bordeel meteen doorheen geneukt!' zei hij trots.

Aan het einde van het tweede semester had ik eindelijk mijn bachelor op zak. Mijn cijfers waren best goed. Zelfs voor de moeilijkste vakken als differentiaalmeetkunde en meet- en regeltechniek had ik een acht. Mijn familie feliciteerde me als eerste. Mama belde en vertelde hoe trots iedereen thuis op me was. Ook Ladja toonde voor de verandering eens interesse. Dat weekend nodigde hij vrienden uit voor een etentje. Hij maakte een uitgebreide maaltijd, met onder andere gebraden varkensvlees met knoedels, mijn lievelingseten. Mijn collega's en veel van de stamgasten van Oase feliciteerden me ook, zelfs Torsten gaf me een hand.

'Het is niet de gewoonte dat een meisje uit ons milieu iets bereikt. De meesten kletsen wel de hele tijd over hun grote plannen en beweren bij hoog en laag dat ze het werk niet meer lang zullen doen, maar na tien jaar zie je ze nog steeds rondhangen. Het lukt maar een op de duizend de dans te ontspringen. Wie weet, misschien ben jij dat wel,' zei hij droog.

Ondanks alle complimentjes kon ik niet echt blij zijn. Ik was nog steeds een straatarme studente die het met vreemde mannen moest doen om rond te komen. En er was nog iets, wat me veel meer stoorde: ik had mijn kind laten weghalen om door te kunnen studeren. Was het dat allemaal waard?

Gelukkig had ik Oase. Hoewel ik er niet bijzonder verdiende, waren we een hechte familie geworden en was ik elke dag blij als ik de meiden zag en met hen een kaartje kon leggen of samen een hapje eten. En ondanks het feit dat sommige klanten echt smerig waren, had ik inmiddels een paar echt aangename stamgasten. En als het een keer saai dreigde te worden, kwam Lena met een paar maffe verhalen die meestal gingen over hoe zij en haar clubje vriendinnen het Berlijnse nachtleven onveilig maakten. Dan zei ze dingen als: 'Die ouwe bok zat aan m'n kont, dus heb ik met zijn gezicht de vloer aangeveegd. Hij had het verdiend!'

Ik kon nog steeds het beste overweg met de Estse Vera. Hoewel ze niet meer had dan de basisschool, was ze pienter en nieuwsgierig. Als ik mijn aantekeningen bij me had, keek ze graag even mee en vroeg me van alles, ook al begreep ze er bijna niets van. En iedereen kon altijd bij haar aankloppen, zelfs als ze het zelf even niet meer zag zitten.

Op een zomeravond zat ik samen met haar bij Oase. We hadden slecht zakengedaan die dag en de overige collega's waren vroeger weggegaan, naar een strandbar aan de Spree. Om de tijd te doden dronken Vera en ik kersenbowl, luisterden we naar Robbie Williams en later 2raumwohnung. Op een gegeven moment dansten we wild door de kamer. Uitgeput belandden we op de bank en toen begon Vera opeens te huilen.

'Sorry, hoor. Maar als ik het op een zuipen zet, komt alles naar boven,' zei ze snikkend.

'Soms moet het er gewoon even uit,' zei ik en ik gaf haar een papieren zakdoekje. 'Wat is er aan de hand?'

'Ik heb een abortus achter de rug, drie maanden geleden. Ik was zwanger van Hassan, mijn vriend. Het was onmogelijk het kind te houden. We zijn immers niet getrouwd.'

Vera huilde niet meer en keek uit het raam. Het was een heerlijke warme zomernacht.

'Waarom trouwen jullie niet?'

Vera lachte schamper. 'Zijn familie zou me vermoorden. Dat laten ze nooit toe. Ik ben geen moslima en ik werk als prostituee. Je kent die Arabieren niet. Die leven in hun eigen wereld, met ontzettend strenge regels.'

Er klonken klopgeluiden. De buren beneden hamerden tegen het plafond. De muziek stond te hard. Ik zette hem zachter.

'Hassan heeft een verloofde in Libanon met wie hij ooit moet trouwen,' zei Vera. 'Hij zegt dat het niks met ons te maken heeft. Zijn familie heeft haar uitgezocht en hij gaat met haar trouwen, omdat hij van het gezeik af wil zijn, maar met haar neuken wil hij niet. Soms denk ik weleens dat hij liegt. Hij gaat vast met haar wippen, want hij moet natuurlijk wel een echtelijk kind krijgen.'

Om twaalf uur waren we na nog wat whiskey-colaatjes zo dronken dat we bijna niet meer op onze benen konden staan. Ik hoopte niet dat er nog een klant zou komen.

'Weet je wat zo erg is?' brulde Vera. 'Die slet weet van mij. Ze weet het en ze tolereert het allemaal, omdat in haar ogen mannen recht hebben op een minnares. Als hij maar met haar trouwt, haar zwanger maakt en voor het gezin zorgt.'

Op een gegeven moment hing ik met mijn hoofd boven de wc. Dit overleef ik niet, dacht ik. Vera raaskalde maar door. Ze was des duivels.

'Ik heb een foto van haar gezien. Ze is vet, heeft een haakneus en ze heeft acne!' schreeuwde ze. 'Hebben die vrouwen nou niet een beetje trots in hun donder? Ik zou niet met een man samen kunnen zijn van wie ik wist dat hij een ander had.'

Toen ik weer op kon staan, liep ik naar Vera toe. Ik nam haar in mijn armen. Haar eyeliner was doorgelopen en haar mooie gezicht zag eruit als dat van een schoorsteenveger.

'Weet je,' begon ik, 'ik denk dat we dat nooit zullen begrijpen. Maar gelukkig zijn wij niet zo.'

We gingen niet meer naar huis die nacht. Uitgeteld vielen we op het ronde bed in de Aziatische kamer in slaap.

'Ik doe het,' zei Tomas op een avond.

'Wat?' vroeg ik. We zaten aan de bar van SO36: Tomas, Ladja en ik. Mijn T-shirt plakte vast aan mijn rug van het zweet en mijn keel deed pijn van het haastige roken van heel veel sigaretten.

'Ik ga voorgoed naar huis.' En hij haalde een buskaartje uit zijn zak om zijn woorden kracht bij te zetten. Ondanks de alcohol was zijn blik rustig en ontspannen.

'Hoe zit het met je vriendin?' vroeg ik. Ik had Tomas en zijn vriendin al een tijdje niet meer samen gezien.

'Ach, die weet niet wat ze wil,' verzuchtte Tomas. 'Twee maanden geleden heeft ze me na een ruzie gedumpt en nu wil ze dat ik weer bij haar intrek. Ze wil ook trouwen, maar nu nog niet. Ik woon inmiddels bij een vent uit de hoerenbuurt, een jonge Fransman. Hij is heel relaxed. Ik heb hem deze maand de huur nog niet betaald, maar hij zegt er niks van. Toch is het shit. Ik wil niet altijd van een aalmoes leven.'

'Wat wil je in je dorp dan? Daar is helemaal niks!' zei ik. De waarheid was dat ik niet wilde dat Tomas wegging. Hij was als een broer voor me geweest en hij was de enige bij wie ik kon aankloppen als ik ruzie had met Ladja. Hij kende Ladja het beste. Hij trok ook nooit partij en probeerde altijd de boel te sussen. Hoe vaak had hij wel niet bij ons overnacht als we waren wezen stappen, of wij bij hem, en hoe vaak hadden we de dag daarna geprobeerd onze kater weg te werken met knoflooksoep en sinaasappelsap? Ik zou hem ontzettend missen.

Ladja kwam lachend terug van de dansvloer, maar toen hij hoorde van Tomas' plannen, verdween zijn vrolijkheid als sneeuw voor de zon. Hij probeerde niets te laten merken, maar de stemming was omgeslagen.

'Hij heeft het al duizend keer gezegd, maar hij heeft het nog nooit echt gedaan,' zei Ladja toen we later in bed lagen.

'Hij heeft al een buskaartje,' zei ik en ik deed het licht uit.

Tomas zette deze keer door. Op een ochtend in augustus gingen we hem uitzwaaien op het busstation. De nacht ervoor hadden we nog lang samen bij California gezeten en daarna waren we naar een club in een kelder in Prenzlauer Berg gegaan die zo nieuw was, dat hij nog niet eens een naam had.

Toen we om zes uur die ochtend helemaal kapot in een kebabtent zaten, wilde niemand van ons naar bed. Sarah, Tomas' vriendin die zich in de loop van de nacht bij ons had aangesloten, nipte Turkse thee en zat stilletjes te huilen. Dikke tranen biggelden over haar wangen en kwamen op haar bordje terecht. Op de achtergrond klonk een vrolijke Mallorcahit van DJ Ötzi die niet bij onze depressieve stemming paste.

'Ik heb mijn moeder gebeld. Vanavond krijg ik *bigos* en *pirrogis*. En mijn vader heeft beloofd dat we een rit met zijn motor gaan maken,' zei Tomas toen we bij de bushalte stonden. Hij glimlachte gelukkig. Na zes jaar zou hij eindelijk zijn ouders in Silezië weerzien.

Andere busreizigers stonden met hun zware tassen voor de deur van de bus te drommen. Sommigen rookten nog een sigaret of probeerden met de chauffeur te soebatten over het meenemen van extra bagage. Tomas had niet meer dan een kleine zwarte rugzak bij zich. De rest van zijn spullen had hij aan kennissen verkocht of gegeven. Wij hadden zijn koffiezetapparaat, zijn boxen en het beddengoed van de rijke hotelerfgename geërfd.

'Gelukkig wegen herinneringen niks, anders had je een vrachtwagen in moeten huren,' grapte ik.

Kleine kinderen huilden moe op de arm van hun moeder en een meisje zoende haar vriend gedag. KRAKOWA stond er op een briefje achter de smerige voorruit van de bus. Het leek wel buitenland. Uit alle richtingen hoorde je flarden Pools, die vreemde taal die me met al haar hardheid en schoonheid diep trof.

Ladja was nu de hele dag alleen. Het wintersemester begon en ik deed mee aan een erg tijdrovend project waarvoor ik om de dag iets met medestudenten moest doen, of thuis aan de computer zitten. Tijd voor mijn man had ik nauwelijks, vooral omdat ik de middagen bij Oase doorbracht.

Ladja bleef thuis. Hij sliep tot in de middag en bedwelmde zichzelf met hasj. Zijn laatste baantje als hulp in de bouw had hij alweer opgegeven.

'Ik doe dat smerige werk niet voor drie euro per uur, echt niet!' riep hij woedend. 'Ze zoeken maar een andere gek!'

Rudy, onze Engelse buurman, zat in een ontwenningskliniek en dus had Ladja niemand bij wie hij zijn ei kwijt kon. Hij verveelde zich en begon weer rond te hangen bij California. Hij kwam elke dag met nieuwe ideeën thuis die hem rijk zouden maken.

'Nils en ik willen gaan dealen,' zei hij op een dag gewichtig. 'Hij kent veel mensen en ik heb betrouwbare en goedkope leveranciers.

We hebben uitgerekend dat we er per dag minstens honderd euro mee kunnen verdienen.'

'Ik weet niet of dat nou wel zo'n goed idee is,' zei ik. 'Ik heb geen zin in gedonder met de politie.'

'Ach, het is echt nul risico, joh. We verkopen een beetje wiet en we hebben niet veel bij ons. Als je wordt gepakt, zeg je gewoon dat het voor eigen gebruik is.'

Dit geweldige idee ging één week goed. Ladja had elke dag minstens twintig euro op zak, die hij uitgaf aan autootjes met afstandsbediening voor hem en goedkope sieraden voor mij. En ook al waren de oorbellen me meestal te opzichtig, ik vond het enig om eens een keer van die kleine cadeautjes te krijgen. Maar op een avond kwam Ladja trillend van woede naar huis. Zijn hoofd was zo rood als een kreeft en de aderen bij zijn slapen waren gezwollen.

'Ik vermoord die klootzak, ik zweer het je!' schreeuwde hij en hij smeet een asbak tegen de muur. Even later vertelde hij wat er gebeurd was. Een kleine Albanees had Nils en hem gevraagd of ze geen supergeile wiet wilden kopen voor een zacht prijsje. Ze hoefden maar honderd euro vooruit te betalen.

'Ik ben zo terug,' had de Albanees gezegd voordat hij met de noorderzon was vertrokken. En nu zaten de twee dealertjes diep in de shit. Een vriendin van Nils had al voor een bestelling betaald en haar man, een agressieve kaalkop met losse handjes, stond erom bekend dat hij niet van dit soort grapjes hield.

'Ik zweer je, ik grijp die kankergozer bij zijn lurven, mep hem een paar keer op z'n bek en dan laat hij zich maar net zolang in zijn kont neuken tot hij ons geld heeft terugverdiend,' schreeuwde Ladja.

Natuurlijk liet de Albanees zich nooit meer zien en bleven Ladja en Nils met de schulden zitten. Weg was de droom van snel geld. En het woord dealen heb ik daarna nooit meer gehoord.

Aan het einde van de zomer kwamen mijn moeder, mijn oom en mijn nichtje Maria op bezoek. Ik had ze al een jaar niet meer gezien en nam twee weken vrij om genoeg tijd met ze te kunnen doorbrengen. Ik wilde ze Berlijn laten zien en met Maria ongestoord kunnen gaan stappen.

Ladja had er flink de pest over in dat ik vrij had en hij moest werken. Hij had sinds een paar dagen een baantje in een papierfabriek. Als hij 's avonds klaar was met werken, ging hij met Maria en mij mee naar de disco en bleef net als wij tot vijf uur 's ochtends hangen. Dat hield hij een paar dagen ondanks slaapgebrek en hoofdpijn vol, maar toen ik op een ochtend om tien uur uit de disco thuiskwam, vond ik Ladja nog in bed.

'Moet jij niet in de fabriek zijn?' vroeg ik gealarmeerd.

'Het gaat niet goed met me,' knorde Ladja en hij trok de deken over zijn hoofd.

'Misschien moet je wat minder zuipen,' zei ik grof en ik trok zijn kussen en zijn deken weg. Ik smeet zijn werkkleding op het bed. 'Of je kleedt je nu aan of je zoekt het maar uit!'

'Wat wil je eigenlijk van me? Weet jij veel hoe zwaar dat is, echt werken? Dat heb jij je hele leven nog niet gedaan! Een beetje in een massagesalon zitten en mannen aaien, dat is geen werk!' blafte Ladja terug.

'Ach, kijk aan! Maar de poen die ik daar verdien, daar ben je niet vies van, of wel?'

Voor Ladja kon antwoorden, gaf ik hem een klap in zijn gezicht. Even dacht ik dat hij me terug zou slaan, maar hij werd alleen maar rood en keek me woedend aan. Hij zei geen woord. De ijzige stilte beangstigde me. Ik trok me terug in de keuken en stak een sigaret op. Ladja liep op zijn badslippers en met alleen een spijkerbroek aan de deur uit en knalde de deur achter zich dicht.

Die middag zat ik met Jule en mijn familie in een straatcafé lusteloos in mijn tonijnsalade te prikken. Ik had een zonnebril op om mijn van het huilen gezwollen ogen te verbergen. Ik wilde niet dat mijn familie iets zou merken van mijn ruzie. Ze hadden Ladja al niet zo hoog zitten. Ze vonden hem te ordinair en onbeschaafd.

'We moeten absoluut nog naar de Neue Nationalgalerie en naar het Guggenheim,' zei mijn nichtje, ongeduldig door haar reisgids bladerend. Ze hield van kunst en fotografie en had een lijstje gemaakt met alle musea waar ze langs wilde.

'Misschien heeft Jule zin om met je mee te gaan. Ik heb nogal hoofdpijn,' zei ik en ik ging naar het toilet.

Na het eten wilde mijn oom per se allemaal samen naar de Gendarmenmarkt. Verveeld slenterde ik achter het groepje aan. Mijn moeder merkte dat ik niet in orde was en vroeg een paar keer wat er aan de hand was. Op een gegeven moment was ik het gevraag zat. 'Ik heb ruzie met Ladja, oké? Laat me toch gewoon met rust!'

De Japanse toeristen met hun reusachtige camera's die opgewonden plaatjes stonden te schieten van de Franse Dom, draaiden zich geschrokken om en keken me aan alsof ze een monster zagen.

Toen mijn moeder hoorde waarom ik ruzie met mijn man had, schrok ze vreselijk. 'Het wordt tijd dat je een eigen woning neemt en die nietsnut verlaat. Je kunt je toekomst niet voor zo'n man op het spel zetten,' zei ze.

Ik zweeg. Ze wisten niets van mijn leven, dacht ik. Ze komen me eens per jaar opzoeken en vragen naar mijn studie en mijn toekomstplannen. Ze hebben geen idee van de smerige mannen die ik elke dag bevredig om rond te kunnen komen. Ladja mag dan een luie donder zijn, maar hij heeft tenminste genoeg ellende meegemaakt om te kunnen begrijpen wat ik doormaak en hoe je je voelt als de hele wereld tegen je is.

Vlak na de herfstvakantie hadden we hommeles bij Oase. Torsten betaalde Lena het overeengekomen uurloon voor haar diensten als ontvangstdame niet uit, omdat hij dat zogenaamd niet meer kon betalen. 'De zaken gaan slecht... Je bent me te duur, momenteel,' zei hij.

Lena werd woedend en dreigde met haar ex-man, een heetgebakerd mannetje dat niet bekendstond om zijn diplomatieke gedrag. Daarop begon Torsten te stotteren als een kleuter. Hij beloofde Lena nog voor Kerstmis uit te betalen.

'Ik heb het geld gewoon nodig,' verzuchtte Lena.

Met ons was het net zo. Sinds de zomer voorbij was en de bouwvakkers weer naar huis waren, kwam er bijna geen klant meer binnen. Wie na zijn dienst met zestig euro naar huis ging, had mazzel gehad.

Op een dag zat ik met Lena alleen in de ontvangstkamer.

'Kun je mij het adres van die tent in Zuid-Duitsland geven waar je vorig jaar hebt gewerkt?' vroeg ze met neergeslagen blik. 'Ik moet nog zo veel afbetalen: mijn nieuwe auto, mijn nieuwe appartement, en de kinderen hebben kleren nodig en de kerst staat voor de deur.'

'Ik ben ook helemaal blut. Zullen we samen gaan?' vroeg ik. Ik was al een jaar niet meer 'de stad uit' geweest en aangezien het er bij mij financieel ook niet bepaald rooskleurig uitzag, was het misschien niet zo'n slecht idee. Van Ladja hoefde ik niets te verwachten en de ongeduldige blik van de verhuurder, die voor de zoveelste keer was komen vragen wanneer we dachten onze huurschuld te betalen, had ik nog scherp op mijn netvlies staan.

Nog diezelfde avond belde ik Lorraine op. Ze was niet in Freiburg, maar op Gran Canaria, op vakantie.

'Tuurlijk, die langharige studente,' zei ze en ze was blij dat ze wat van me hoorde. Er heerste een acuut gebrek aan vrouwen op de zaak, dus als ik nog een vriendin meenam, perfect.

Op een zaterdag begin november ontmoetten Lena en ik elkaar

op station Oost. Onze chauffeur was er ook al. Die had ik gevonden via een oproepje op de website van een liftcentrale. Het was een kort telefoontje geweest en ik wist dus niet precies wat ons te wachten stond. Dertig euro naar Stuttgart was ook goedkoop genoeg om niet al te kritisch te doen. Alleen kreeg Lena van schrik haar kaken niet meer op elkaar. Oké, het Volkswagenbusje was niet echt een limousine en onze vijfendertigjarige chauffeur Henning, een student, was nogal dik en maakte een sullige indruk, maar we hadden niet echt een alternatief. We werden diezelfde avond namelijk al in Freiburg verwacht.

Terwijl de stad achter ons langzaam kleiner werd, keek ik peinzend uit het raam. Ik had Lorraine niet meer gezien sinds ik hals over kop met koorts naar huis was gereden en ik vond het opmerkelijk dat ze me wel weer wilde hebben. Ik stak een sigaret op, nam een trekje en vroeg onze dromerige chauffeur pas daarna of ik wel mocht roken in de auto.

'Hm, tja, eigenlijk rook ik niet, maar ach, ik denk, als jullie allebei roken...' stotterde hij.

'Ik hou het niet uit als ik niet mag paffen,' zei Lena en ze haalde een pakje sigaretten uit haar tas.

Onze aardige geitenwollensokkenstudent durfde waarschijnlijk niet tegen te sputteren, want Lena boezemde in elk opzicht ontzag in. Ook daarom was het altijd leuk met Lena op pad te gaan: mensen hadden respect voor haar. Zelfs de mafste gozers sloegen op de vlucht als Lena boos keek. Bij mij was dat anders. Ik had zo'n rustige, goedmoedige uitstraling dat ik op moest passen niet te aardig te doen. Mijn ironie begrepen helaas maar heel weinig mensen.

Freiburg was net als ik het me herinnerde: de steegjes met de keitjes, de middeleeuwse kerken, de bakkerij waar ze van die heerlijke boterkrakelingen verkochten en die natuurlijk al om vier uur 's middags dichtging.

Lorraine begroette ons nauwelijks toen we met onze koffers binnenkwamen. Ze had een slecht humeur omdat de klusjesmannen een kamer niet op tijd klaar hadden gekregen en ze bovendien nog te duur waren ook. Net als altijd was ze van mening dat de hele wereld tegen haar was en iedereen eropuit was haar het zuur verdiende geld uit de zak te kloppen.

Laura, de vrouw die zo lief voor me gezorgd had toen ik ziek was, was de enige collega die nog over was van het oude team. Ze woonde hier inmiddels tweeënhalf jaar. We begroetten elkaar hartelijk. De rest van de meiden had Lorraine persoonlijk de deur uit gewerkt.

'Ik wil die junks niet meer, die mijn gasten wegjagen en me achter mijn rug beduvelen,' zei Lorraine en ze begon een huilverhaal over slechte werkneemsters en het probleem nog goede meisjes te vinden. Meteen daarna zei ze poeslief: 'Hoe gaat het met je studie, schat?'

Ik glimlachte optimistisch.

'Ik geloof er niks van dat ze die andere vrouwen heeft ontslagen,' zei Lena toen we om drie uur 's nachts onze tanden stonden te poetsen. 'Ze zijn gewoon gevlucht.'

Ik haalde mijn schouders op. 'Lorraine is altijd zo. Ze glimlacht naar je en een seconde later foetert ze je uit.'

We moesten eerst wennen aan het vroege opstaan. Als we 's nachts pas laat naar bed waren gegaan, was de wekker de volgende ochtend een waar moordwapen. Dat de werkende bevolking om die tijd allang op de been was, vonden we onvoorstelbaar. Ook verder had ik weer eens het gevoel in een parallelwereld te leven. Mijn studie leek ver weg. Ik had geen boeken bij me, net als de vorige keer.

Eén keer belde ik een medestudent op om hem te vragen wanneer de deadline was voor de volgende taak in het vak differentiaalvergelijkingen.

'Ik ben er al een week mee bezig,' zei hij. 'Volgende week is de deadline.'

'Ik doe mijn best. Maar ik weet niet of ik het haal. Mijn man heeft zijn been helaas gebroken en ligt in het ziekenhuis. Daar heb ik het nogal druk mee,' loog ik.

Na dit telefoontje werd ik geplaagd door een slecht geweten. Wat was ik toch een grote leugenaarster. De taken waren teamwork en het was nu al een paar keer voorgekomen dat ik een goed cijfer had gekregen, zonder iets aan de taak te hebben bijgedragen, doordat ik aan het werk was of te moe was door mijn werk.

'Wat is het hier saai, zeg,' hoorde ik Lena in de verte zeggen en ik keerde terug naar de realiteit.

Om de monotonie van de werkdag ietwat te doorbreken, gaven we iedereen in de zaak – de meisjes en de gasten – een bijnaam. Dan konden we ongestoord roddelen. En dat deden we het liefst over Jacqui uit Polen, door ons 'Engel' genoemd, omdat ze blonde krullen, blauwe ogen en een naïef domme gezichtsuitdrukking had. Jacqui was de topverdiener bij ons en dat, hoewel ze geen woord Duits sprak. Ze maakte zich bovendien nauwelijks op en het ergste vonden wij dat ze haar klanten in ondergoed en sokken van Snoopy verwelkomde. Maar kennelijk deed juist die meisjesachtige charme het goed bij de burgermannetjes uit Freiburg, hoewel Lena en ik er een andere theorie op na hielden.

'Wie weet wat ze allemaal aanbiedt,' zei ik.

'Ze laat zich vast voor vijftig pop van achteren neuken en in haar mond spuiten,' zei Laura. Ook zij was kwaad, omdat ze door de Engel veel klanten kwijt was.

Het was wel leuk, dat geroddel, maar soms dacht ik ook: allemaal vaginanijd.

Jacqui merkte niets van het gekonkel. Als ze niet met klanten bezig was – overigens bleven die nooit langer dan twintig minuten – was ze aan het bellen met haar vriend in Polen of zat ze met haar woordenboek aan de keukentafel Duits te leren. Soms vroeg ze ons naar de juiste uitspraak en als we op dat moment niet vuil genoeg waren om haar expres iets verkeerds te zeggen, hielpen we haar.

Op een dag zat Jacqui op bed. Haar lange blonde manen vielen golvend over haar smalle schouders en haar koeienogen waren nog groter dan anders.

'Stella?' zei ze in het Engels. 'Hoezo hebben ze het hier op de radio voortdurend over seks? Ik hoor de hele tijd: verkeer, verkeer, verkeer... Op elke zender!'

Lena en ik kregen bijna buikpijn van het lachen. Proestend probeerde ik Jacqui in het Engels uit te leggen dat het woord 'verkeer' ook met auto's en straten te maken had en niet alleen met seks. '*Traffic, Jacqui, they are talking about traffic on the highway.*'

Arme Jacqui. Ze begreep onze hysterische lachbui niet. Duitsland was een vreemd land voor haar en ze kende pas een paar woordjes, waarvan het meeste vakjargon was: pijpen, neuken en Frans totaal.

In de loop van de week – ik was mijn tijdgevoel weer eens volkomen kwijt, dus ik weet niet meer precies wanneer – kwamen er twee nieuwe collega's bij Schmidt binnen: twee Braziliaanse vrouwen. De ene was groot, koffiekleurig en soepel, precies wat je je voorstelt bij een meisje van de Copacabana. Alleen een nauwkeuriger blik verried dat ze al rond de veertig moest zijn. De andere was jonger en ronder en had een scheefstaand gebit.

Binnen een halfuur wisten we dankzij Laura alles over de twee. Lorraine was boodschappen doen, daarom had Laura in haar plaats de werkvergunningen van de vrouwen gecontroleerd.

'Ze komen uit Stuttgart en hebben daarvoor ooit in Baden-Baden gewerkt,' zei Laura. 'Ik snap niet wat ze hier willen. Je kunt daar toch veel beter verdienen?'

Toch was ze veel vriendelijker dan bij andere nieuwe meisjes, want ze zag in één oogopslag dat de Braziliaanse vrouwen geen concurrentie voor haar waren. Laura was blond en blank.

'En die zegt dat ze begin dertig is?' zei Lorraine later over de oudste van de twee, nadat ze een paar stevige trekken van haar sigaret had genomen. Waarmee duidelijk was dat de vrouwen waren afgeschreven en binnen twee dagen weg zouden gaan, of vrijwillig, of door Lorraine persoonlijk de laan uit gestuurd.

Die dag kwamen er nauwelijks gasten en degenen die kwamen, wilden maar voor vijftig euro. Ik had het geluk dat er een stomdronken vent kwam die me voor anderhalf uur betaalde en aangekleed op bed bleef liggen. Het ging niet best met hem en hij had geen idee waar hij was.

'Kom eens hier, poppie,' rochelde hij en hij liet zijn arm krachteloos in mijn richting op bed vallen.

Ik ging op de rand van het bed zitten en hield zijn hand vast. Maar ik kleedde me niet uit. In zijn broek gebeurde niks. De man, ik schatte hem rond de dertig, had een overall aan en vieze, goedkope gympen. Hij kwam waarschijnlijk van zijn werk en had daarna een biertje te veel achterovergeslagen. Hij wilde mijn tepels steeds aanraken, maar ik zat ver genoeg weg en hij was te zwak om te protesteren.

'Zullen we er nog een uurtje bij doen?' vroeg ik nadat er net veertig minuten om waren. Ik trok de stoute schoenen aan, omdat Lorraine met haar rat bij de dierenarts was en niet kon opletten of we de gasten niet bedonderden. Normaal lette ze er als een havik op dat de klanten niet werden opgelicht. Het ging tenslotte om de reputatie van haar zaak.

Met zijn laatste kracht haalde de man honderdvijftig euro uit zijn zak, voor een 'tweede' uur. Twintig minuten later was ik al van hem af zonder er iets voor te hoeven doen. Ik moest hem alleen helpen bij het strikken van zijn veters, omdat hij die in zijn toestand niet te pakken kon krijgen.

Lena en ik verheugden ons op de naderende laatste dag bij Schmidt.

'Nog drie dagen opgesloten zitten,' zei Lena om negen uur 's ochtends bij een slaperig ontbijt in een kroeg.

De ober, een Arabier met Zuid-Duits accent, keek vreemd op. Hij vroeg zich waarschijnlijk af waarom we zo vlak voor de kerst zo'n slecht humeur hadden.

'Ik hou het niet meer uit in dit vreselijke gehucht!' klaagde Lena voor de zoveelste keer wanhopig. Ze was nu eenmaal een echte meid uit de grote stad.

'Ik vind hier ook veel dingen om te gillen,' zei ik. 'En de zaken gaan niet echt daverend. Ik ben het ook zat om elke dag zestien uur te zitten wachten. Wat jij? Zullen we 'm gewoon peren? Ik heb op een paar erotische advertenties gereageerd. In München zijn deze week nog twee plaatsen vrij. Een inloophuis: honderd euro huur per dag en de rest is van ons.'

Ik had nog nooit in een inloophuis gewerkt. Het gaat hierbij om een gebouw waarvan de voordeur openstaat en in elk appartement meerdere vrouwen zitten. De mannen lopen door het huis en bekijken de hoeren. Daarna maken ze hun keuze. Ik vond het niet echt leuk om te kijk te zitten als een stuk vlees, maar aan de andere kant leek het me winstgevender dan wat we hier in Freiburg deden.

We besloten de volgende nacht te ontsnappen, als iedereen sliep. We wilden geen ruzie met Lorraine. Ze zou herrie hebben geschopt als ze wist dat we opeens weg wilden. We hadden per slot van rekening een afspraak voor twee weken met haar.

We wensten iedereen welterusten en wachtten tot alle vrouwen naar bed waren gegaan. Daarna gooiden we onze spullen in onze tassen en slopen we op onze tenen de koude novembernacht in. De straten waren uitgestorven. Het leek wel het begin van een horrorfilm. Er was nog geen taxi te krijgen. En dus moesten we het hele stuk naar het station lopen.

Ondanks mijn vermoeidheid vond ik het allemaal wel spannend. 's Nachts ergens ontsnappen, de holle klank van onze voetstappen op de keien, het bleke licht van de smalle sikkel boven ons hoofd... Het gaf me, voor het eerst sinds tijden, een gevoel van avontuur en ik voelde me zo licht als een veertje. Heel even vergat ik dat ik gewoon een hoer was, op de vlucht van het ene naar het andere bordeel.

Op het station dronken Lena en ik koffie. De wachtruimte was bijna leeg, op iemand van de spoorwegen na die kennelijk verlegen zat om een praatje en de hele tijd zat te gapen.

De volgende ochtend namen we de eerste trein naar München, uitgeput maar blij Lorraines gekkenhuis voorgoed achter ons te laten.

'Tot nooit weerziens, Freiburg,' fluisterde Lena, al half in slaap, toen de wagons langzaam in beweging kwamen.

Ook ik viel als een blok in slaap.

In München hadden we bij de Burger King op het hoofdstation met een zekere Lars afgesproken. Hij was de man met wie ik had gebeld. Hij had beloofd dat hij ons op kwam halen. Alleen herkenden wij hem niet en duurde het even voor we elkaar hadden gevonden. Bij al die goedgeklede, naar aftershave ruikende Münchener zakenlui zag Lars eruit als een verdwaalde Texaanse vijfenzestigplusser. Hij was dik, had kleine oogjes die verdwenen in de spekkige vouwen van zijn gezicht en hij droeg een donkerblauw trainingspak met sneakers die ooit wit waren geweest.

Na een haastige begroeting nam Lars ons mee naar zijn auto: een gele Pontiac met leren bekleding! Lars gaf tijdens de rit flink gas, terwijl hij ons de arbeidsvoorwaarden opsomde: 'Honderdvijftig euro huur per dag voor de kamer, de rest is voor jullie. De reclame moet je ook zelf betalen, maar ik kan je het nummer van een maat geven die jullie voor vijftig euro per week in een internetportaal zet.'

'Klinkt goed,' fluisterde ik Lena toe. 'Als we elke dag zes-, zevenhonderd euro pakken, zoals in Freiburg, dan kun je uitrekenen hoeveel we hier per week kunnen verdienen. In elk geval beter dan bij die heks Lorraine.'

We kletsten met Lars wat over onze ervaringen in Freiburg en hij was verbijsterd over de arbeidsvoorwaarden daar. 'Wat? Mochten jullie niet naar buiten tijdens werktijd? Dat is souteneurschap. Daar krijg ik hier in Beieren zo een aangifte voor aan m'n broek. Voor ik het vergeet, jullie moeten je hier in München als prostituee laten registreren. Anders mag je hier niet werken. Daar is een speciale afdeling van de politie voor op het Centraal Station hier. Ik wil dat jullie dat meteen morgenochtend doen, want ik wil geen gezeik. Bij ons is alles clean,' zei hij, met de klemtoon op 'bij ons'.

Typische bordeelhouder, dacht ik bij mezelf. Ze vinden allemaal dat hun zaak de beste is en de rest niet deugt.

Appartementencomplex Sunshine was een lelijke betonnen kast met een rode gevel en kleine, vierkante ramen met rode jaloezieën. Het lag in de buurt van metrostation Westend, buiten de Münchener rosse buurt en deed me denken aan een fabriek, of een kazerne. In de omgeving waren alleen maar opslaggebouwen en schuren.

Je kwam het appartementencomplex binnen door een openstaande dikke stalen deur. Een eenvoudige roestige trap leidde naar de bovenetages. Op elke etage bevonden zich drie appartementen en op elke voordeur hingen grote foto's van de vrouwen die daar werkten. Elke deur had een eigen bel met een individueel melodietje.

Aan de foto's zag ik dat bijna de helft van de collega's hier travestieten waren, met lange benen, overdreven make-up en namen als Trixi en Roxana. Lena's mond viel open van verbazing.

Lars moest lachen. 'Ze zijn echt populair,' zei hij. 'Ik wil er niet te veel van hebben, anders heb ik hier oorlog met die wijven. Travestieten zijn veel erger dan vrouwen.'

Op de vijfde verdieping deed Lars een deur open. We stonden op een brede overloop waar vijf deuren op uitkwamen. Twee ervan stonden open.

'Jullie werkruimte,' zei Lars. 'Jullie hebben geluk dat twee meisjes gisteren voortijdig zijn gegaan, anders was ik al volgeboekt geweest. Er is beurs in de stad, dus je kunt flink verdienen.' [6]

De twee kamers waren bijna identiek. Naast een futon stond een nachtkastje met een plastic lampje. Verder stond er een zwarte kast met schuifdeuren en twee witte Ikea-boekenkasten.

Nadat Lars weg was, bereidden Lena en ik ons in Lena's kamer voor op het werk. We merkten niet veel van onze collega's in de andere kamers die ochtend; pas na een uur of drie kwam een onopgemaakte slaperige vrouw uit haar nest die zonder te groeten de badkamer in liep.

'Vreemde werktijden,' zei Lena, terwijl ze voor de duizendste keer de foto's op haar mobieltje bekeek.

'Ik vind het vreemd dat we hier al zo lang zitten en er nog niemand heeft aangebeld, bij ons niet, maar ook bij de anderen niet. Waar blijft dat topinkomen?' zei ik.

De overige collega's op onze verdieping, twee Hongaarse vrouwen, zagen we nauwelijks. Ze hadden het kennelijk druk met iets. In totaal belden er die dag ongeveer tien mannen bij ons aan, maar we werden het met geen van hen eens over de prijs. Er waren ook een paar buitenlanders bij die wilden onderhandelen. Ze wilden voor dertig, veertig euro neuken, zoenen en het liefst ook nog anale seks. En terwijl we stonden te soebatten over de prijs, zaten ze aan je te friemelen. En als je uiteindelijk zei dat ze maar moesten gaan, werden ze nog brutaal ook.

'Ik snap niet waarom ze ons zo afknijpen,' zei ik tegen Lena. Lars had ons verzekerd dat het minimumbedrag voor een nummertje vijftig euro was.

De Hongaarse vrouwen waren voortdurend op hun kamers bezig.

'Volgens mij doen we iets verkeerd.'

Rond middernacht waren we gefrustreerd en helemaal kapot. Ik had alleen een bezopen Rus gehad die een uur lang met zijn mobieltje mijn kont had gefotografeerd.

Om één uur 's nachts kwam Lars langs om de huur te vangen. Hij vertoonde er begrip voor dat we geen geld voor hem hadden. Ik verzweeg dat ik een kamerklant had gehad, want ik wilde het beetje dat ik had verdiend niet ook nog afgeven.

Een halfuur nadat Lars was gegaan, werd er aangebeld. Helaas was het geen klant, maar stonden er een oudere vrouw en een jongen met vier tassen voor de deur. Eerst dacht ik dat de vrouw bij ons werkte, maar ze was veel te oud en te dik. Bovendien was ze onverzorgd en ze stonk naar ranzig vet en rook. De jongen stotterde een paar woorden gebroken Duits en begon daarna in een taal die ik niet kende met zijn moeder te praten. Hij was klein, mager en hij had erge last van acne. Ik schatte hem niet ouder dan een jaar of zestien, maar al snel bleek dat hij die dag net achttien was geworden. Om dit te bewijzen, zwaaide hij met zijn Roemeense pas voor mijn neus. Hij wilde per se dat Lena en ik zijn gegevens controleerden.

'Lars beloofd, ik hier werken. Ik achttien,' zei hij de hele tijd, bijgestaan door zijn moeder die ook nog de hele tijd op hem in zat te praten.

'Dit is een bordeel,' probeerde Lena uit te leggen,' hier wonen alleen meisjes.'

Nadat we tien minuten langs elkaar heen hadden gepraat, liep de jongen met een kleine tas naar de badkamer en gingen we terug naar onze kamers.

In de keuken, een uurtje later, zagen we de jongen opeens weer. Alleen droeg hij nu een rok, schoenen met hoge hakken, een hele lading make-up en een rode pruik.

'Travestiet,' fluisterde de Hongaarse in mijn oor en sloeg haar ogen ten hemel.

Onze nieuwe collega was nogal schuchter. Hij zat maar een beetje tv te kijken en hij zei geen woord. Iemand vertelde dat hij een Roemeen was en dat hij sinds zijn vijftiende al in de prostitutie zat. Hij noemde zichzelf Tracy en zijn moeder kreeg het geld dat hij verdiende. Ook zijn zus had al bij Lars gewerkt.

'Van je moeder moet je het maar hebben,' was Lena's enige commentaar hierop. Ze drukte haar sigaret uit en we gingen samen in haar grote bed liggen.

Ik droomde net lekker toen ik door harde stemmen werd gewekt. Even dacht ik dat ik in Berlijn was en dat Ladja naast me lag, maar toen herkende ik Lena's blonde haar en de omtrekken van haar gezicht. Ik hoorde een vrouw schreeuwen en ik hoorde dingen op de grond vallen. En daarna hoorde ik drie harde knallen. Het leek wel of er in de kamer naast ons geschoten werd.

Naast me lag Lena rustig te ademen, maar ik begon te beven. Ik wist niet wat ik moest doen. De deur van onze kamer was niet afgesloten en het lawaai kwam van de overloop. In paniek stond ik op. Ik wilde door het sleutelgat kijken om te zien wat er aan de hand was, maar omdat er opnieuw geschreeuw klonk, durfde ik niet. Ik overwoog of ik de politie zou bellen, maar mijn mobieltje zat in mijn jas en die had ik dom genoeg op de overloop laten liggen.

Opeens werd het stiller. Daarna hoorde ik een deur dichtslaan en werd het doodstil. Ik lag in het donker te wachten of er nog iets zou gebeuren en op een gegeven moment moet ik daarbij in slaap zijn gevallen.

De volgende ochtend stond de zon al hoog aan de hemel toen ik wakker werd. Een bleek winterzonnetje dat geen warmte gaf, maar wel licht en dat was al heerlijk.

In de gemeenschapsruimte lagen al onze spullen nog net zo als we ze de nacht ervoor hadden achtergelaten. Daarom dacht ik eventjes dat alles wat ik had gehoord een nachtmerrie was geweest. Lena had ook niks gehoord en keek me verbaasd aan toen ik haar vertelde wat ik had meegemaakt.

Op weg naar de badkamer zag ik een van de Hongaarse vrouwen. Ze maakte een bange indruk. Ik vroeg haar naar het tumult van de afgelopen nacht, maar ze wilde er niet over praten.

'Vergeet het,' was haar enige onvriendelijke commentaar. Ze keek me niet aan.

Een tijdje later zat ik in de keuken een boterham te smeren. Tracy kwam binnen en ging zwijgend naast me zitten kijken naar hoe ik at. Daarna stond hij op, liep naar het raam en vertelde ongevraagd wat er die nacht was gebeurd, in een veel beter Duits dan ik tot nu toe van hem had gehoord.

Om twee uur die nacht hadden er twee bezopen Arabieren aangebeld. Ze hadden twee meisjes uitgezocht, ieder voor een halfuur. De ene Arabier was zo dronken geweest dat hij geen stijve meer kon krijgen. Toen een van de meisjes hem erop attent had gemaakt dat de tijd om was, flipte hij totaal en riep hij dat het allemaal haar schuld was, omdat de service niet deugde. Hij wilde nog een halfuur gratis. Dat weigerde zij natuurlijk, maar toen ze weg wilde gaan, had hij haar tegen de muur geduwd en haar keel dichtgeknepen. Ze kon zich op het nippertje bevrijden en vluchtte gillend de overloop op, waarop die dronkaard alles om hem heen kort en klein mepte. Zijn vriend probeerde tevergeefs hem te kalmeren en alle meisjes renden hysterisch gillend rond. Opeens trok die gozer zijn pistool en schoot in de lucht. Complete paniek. Het hele huis liep uit, Lars kwam er zelfs bij en kreeg prompt een dreun toen hij de boel wilde sussen. En toen uiteindelijk iemand op het idee kwam de politie maar eens te bellen, vluchtten de twee Arabieren de volledig verwoeste woning uit.

'Ik vond het al zo raar dat er hier geen beveiliging is,' zei Lena. 'De deur beneden staat altijd open. Iedereen kan zo naar binnen.'

Lena had jarenlange ervaring in dit milieu, vooral als barvrouw in clubs, en zei dat er in Berlijn nooit 's nachts zonder veiligheidsmaatregelen werd gewerkt.

'Wat doen we hier eigenlijk nog?' vroeg ik, terwijl we samen in de keuken een kippetje van de grill met patat zaten te ontbijten.

'Ik wil alleen nog maar naar huis,' zei Lena.

We wachtten tot de Hongaarse vrouwen bezig waren, pakten onze tassen en liepen zo onopvallend mogelijk de trap af. Toen we ver genoeg weg waren, haalde ik opgelucht adem. Hoewel het november was, stond het zweet me op de rug.

Lena, die bij deze hele actie zo cool was gebleven als altijd, stak een sigaret op en lachte. 'Dit tripje zal me nog lang heugen,' zei ze.

Bij de liftcentrale werden pas die avond twee plaatsen naar Berlijn aangeboden. In een auto die over een uur vertrok was maar één plek vrij.

'Neem jij die maar. Jij hebt kinderen die op je wachten,' zei ik.

'Meen je dat nou?'

'Ik wilde sowieso nog een beetje in München rondneuzen.'

En dat deed ik. Ik nam een van de toeristenbussen bij het centraal station en reed door München: Marienplatz, Maximilianstraße, Viktualienmarkt, Frauenkirche. In een Beiers restaurant at ik knapperig varkensvlees met knoedels en nadat ik had betaald, belde ik Ladja op. Ik zei dat ik pas na middernacht thuiskwam.

'Jammer,' zei hij en hij klonk verdrietig. 'Ik wou eigenlijk samen met je naar een verjaardag.'

'Een ander keertje, graag,' mompelde ik.

'En dan nog iets,' zei Ladja zachtjes.

'Ja?'

'Ben je ongesteld geworden?'

'Nee.'

Vlak voor ik was vertrokken had ik 's ochtends twee keer overgegeven en dat had ik Ladja verteld. Sindsdien had ik er niet meer aan gedacht, omdat er de afgelopen dagen zo veel was gebeurd, maar het was waar ook: ik was twaalf dagen overtijd.

'Ik zou maar even een zwangerschapstest gaan kopen,' zei Ladja aan het eind van ons gesprek.

Het duurde nog een uur voor ik vertrok, dus had ik nog tijd genoeg om rustig op zoek te gaan naar een apotheek. Ik dwong mezelf niet aan de gevolgen te denken, want het trauma van een jaar geleden was nog te erg.

Tijdens de rit naar Berlijn werd er in een wegrestaurant een rookpauze ingelast. Ik zocht een toilet op en deed de test. Zoals altijd bestond die uit een wit staafje en twintig pagina's gebruiksaanwijzing in elke taal van de wereld. Je plast erop, wacht twee minuten en als je dan één blauw streepje ziet is de test negatief, niet zwanger dus, ook deze keer heb je mazzel... en als je twee streepjes ziet, dan heb je bingo, het is je gelukt, je leven wordt nooit meer zoals het was.

Terwijl ik op het resultaat wachtte, staarde ik nerveus aan mijn sigaret trekkend naar het plafond. Gelukkig was er verder niemand op het toilet. Het duurde ontzettend lang, maar eindelijk waren de twee minuten om. Twee streepjes. Ik was weer zwanger...

10 WONDER BOVEN WONDER

Voor mijn huisdeur in Berlijn aangekomen, was ik euforisch en moe tegelijk. Het liefst zou ik Ladja meteen hebben verteld dat hij vader werd, maar toen ik binnenkwam zag ik dat hij voor de televisie lag te slapen. Dus hoorde hij het pas de volgende ochtend.

'Ik moet naar de dokter,' zei ik. En nadat ik diep adem had gehaald, voegde ik eraan toe: 'Ik denk dat ik zwanger ben.'

Ladja deed net of hij cool bleef. Hij reageerde heel kalm, maar ik merkte dat zijn hand een beetje trilde bij het inschenken van de koffie. En ik voelde de angst en de vreugde die achter zijn woorden verborgen zaten. Ik kende hem al zo goed. 'Nou, ga dan maar snel.'

De praktijk van de gynaecoloog was nog geen tweehonderd meter van mijn huis af. Volkomen in trance liep ik erheen. Ik merkte niets van wat er om me heen gebeurde, ook niet dat het was gaan sneeuwen. Pas in de praktijk merkte ik dat mijn trui wit en nat was geworden.

Al bij de balie viel ik met de deur in huis. 'Ik heb gisteren een zwangerschapstest gedaan en die was positief.'

'Nou, neemt u dan maar plaats in de wachtkamer,' zei de assistente laconiek. Ze leek niet erg onder de indruk van mijn opwinding. Maar ja, het was dan ook niet haar buik waar nieuw leven in ontstond. 'Het duurt minstens een uur, of misschien wel twee, voor u aan de beurt bent,' voegde ze er nog aan toe. Dat kon me niet schelen.

In de wachtkamer zat nog een zwangere. Ze was in de dertig en ze fluisterde haar partner voortdurend iets in zijn oor, terwijl hij teder haar buik streelde. Daarnaast zaten twee meisjes van rond de achttien te giebelen. Ze hadden allebei een truitje aan dat nog niet eens tot hun navel kwam, rode lippenstift op en afschuwelijke roze pluchelaarzen aan.

Ik bekeek de informatiefoldertjes 'Pil: ja of nee', 'Fit door de menopauze' en 'Zwakke blaas: wat nu?' Wat deprimerend allemaal. Ik had nooit van ziekenhuizen en dokterspraktijken gehouden. Ze deden me er altijd aan denken hoe zwak en kwetsbaar ons lichaam eigenlijk is en sinds mijn ervaring in Zwitserland had ik er een nog veel grotere hekel aan.

'Eens even zien,' zei de gynaecoloog met rustige stem toen ik eindelijk aan de beurt was. Het was niet de eerste keer dat ik bij hem was en ik vond hem een prettige man. Hij was groot, had sterke handen en rode dikke wangen. Hij had eigenlijk meer weg van een bakker dan van een gynaecoloog. 'Ah, daar is het,' zei hij en hij wees naar het display van het echoapparaat.

Ik deed mijn best om iets te herkennen, maar het enige wat ik zag was een hele hoop witte en grijze puntjes waar ik niks in kon ontdekken.

'Daar,' wees hij, 'die kleine witte vlek, zie u die? Een millimeter lang, zesde zwangerschapsweek.'

Ik was sprakeloos en kon mijn ogen niet van de monitor afhouden. Oké, de eerste keer dat je je kind ziet, stel je je misschien iets anders voor. Ik kon in dat hoopje puntjes nog geen mensje herkennen, maar toch was het mijn baby. Dat gevoel had ik ook.

Opnieuw kwam alles wat ik in Zürich had meegemaakt naar boven, maar nu leefde het niet meer zo. Het waren schaduwen uit het verleden. Het lot had me nog een kans gegeven en ik was dolblij. Ik zou mijn kind krijgen en ik zou ervan houden en het zien opgroeien, dat stond vast. De rest kon me niet schelen. Dat ik mijn studie nog niet had afgerond en dat ik geen geld had, interesseerde me even niet. Ik had het tot nu toe altijd gered, dus zou het deze keer ook wel goed gaan, dacht ik bij mezelf.

Natuurlijk druiste dit tegen elke rationele beslissing in en gooide ik mijn hele zorgvuldig uitgestippelde levensloop overhoop. Het ging ook in tegen alles wat mijn ouders me hadden geprobeerd aan het verstand te peuteren. Bovendien had ik geen voorbeelden, vrouwen bij wie ik had kunnen zien of wat ik van plan was wel haalbaar was. Er studeerden maar weinig vrouwen wiskunde en de vrouwen die het deden hadden geen kinderen. Maar ik voelde me opeens heel volwassen en oud genoeg. Het lot deed een beroep op me en ik nam de uitdaging aan. Dat hoort toch bij volwassen worden?

Op weg naar huis zag ik een paar schoolkinderen sneeuwballen gooien en zag ik al voor me hoe ik op een mooie winterdag met mijn zoontje sleetje zou rijden, hem met eenvoudige woorden de wereld uitleggen en op weg naar huis warme chocolademelk voor ons allebei kopen. Dit soort gedachten waren zo intens en zo anders dan alles waar ik tot nu toe van had gedroomd.

Ladja zat op de bank naar het nieuws te kijken: winterweer in Duitsland, verkeersongelukken, gijzeling in Irak.

'Ik ben definitief zwanger,' riep ik al met mijn jas nog aan.

Geen reactie.

'Ik moet er even een nachtje over slapen,' zei Ladja en hij trok zich terug in de slaapkamer.

Ik zat er niet mee, want ik wilde ook liever even alleen zijn. Ik belde Oase op om te zeggen dat ik ziek was. 'Een zware griep,' rochelde ik door de telefoon, 'ik denk dat ik de hele week bedrust nodig heb.'

Aan werken moest ik nu even niet denken. De gedachte dat ik met vreemde mannen naar bed zou moeten was afstotelijk. Tot nu toe had ik het gekrik van klanten boven op me laten gebeuren. Mijn lichaam was een lustobject en geldmachine voor me geweest, maar nu was het opeens het huis van een klein, kwetsbaar mensje en ik was bang dat daar iets mis mee kon gaan.

De dagen daarna raakte ik opeens dodelijk vermoeid. Ik ging niet naar college, at de hele dag cornflakes met melk, keek naar oude films als *The Godfather* en *Dirty Dancing* en peinsde over zwaarmoedige dingen als: blijven Ladja en ik samen, worden we wel goede ouders, hoe combineer ik mijn studie, mijn werk als hoer, mijn latere beroep en mijn kind en wat wordt er van mij en Milan?

Na een week besloot ik voorlopig niet naar Oase terug te keren. Ondanks Torstens voorspellingen waren de weken voor de kerst, normaal de beste tijd van het jaar, ontzettend slecht geweest en kon je al blij zijn als je na een dag honderd euro had verdiend.

Hoewel het al twee uur 's middags was, nam er niemand op bij Oase. Na een aantal pogingen gaf ik het op. Misschien had een griepepidemie de hele zaak geveld, dacht ik. Maar dezelfde avond kreeg ik een sms'je van Jana, waarin stond: OASE VOORGOED GESLOTEN.

Ik belde haar meteen op. 'Dat meen je niet!'

'Echt wel. Torsten heeft me gisteren een berichtje gestuurd. Hij zei dat het de moeite niet meer waard was. De kosten waren te hoog en de omzet te laag. Hij heeft het afgelopen halfjaar een hoop geld verloren, zei hij.'

De sluiting van Oase hield me de hele dag bezig. Tenslotte was het voor ons allemaal niet alleen een werkplek geweest, maar ook een plaats waar we ons thuis hadden gevoeld. Er was altijd iemand geweest met wie je kon praten. Maar goed, door deze nieuwe ontwikkeling werd de beslissing om voorlopig op te houden met tippelen me gemakkelijker gemaakt.

Aan de universiteit werd ik door mijn medestudenten gefeliciteerd met mijn zwangerschap. Voor de meesten van hen was het ondenkbaar op dit moment van hun jonge leven een kind te krijgen. Studie, stage en reizen tijdens de collegevrije perioden stonden hoog in het vaandel.

'Tjemig, een kind is vast iets moois, maar hoe doe je het met je studie? Dat lijkt me niet zo eenvoudig,' zei Paul, een medestudent met wie ik al vaak samen had zitten leren. Hij had een baantje als assistent en was bezig met zijn eindscriptie in samenwerking met een Nederlandse universiteit.

'Ik red me wel. Mijn man helpt me met de baby,' zei ik peinzend.

Nog diezelfde dag meldde ik me bij het examenbureau aan voor twee zware tentamens. Nu je moeder wordt, is het nog belangrijker dat je je studie zo snel mogelijk afrondt, dacht ik bij mezelf.

Er waren nog een paar praktische problemen die moesten worden opgelost. Een daarvan was ons bouwvallige appartement. De stopcontacten waren kapot, het tochtte door allerlei kieren, er zat schimmel in de badkamer en de keuken, het oude behang bladderde van de muur af en wat nog veel erger was: we woonden in Moabit, een van de ergste achterstandswijken van Berlijn. Je kwam je huis nog niet uit of je werd lastiggevallen door hangjongeren, dronkaards of dealers. Telefooncellen en wachthuisjes van bushaltes werden regelmatig vernield, overal rook het naar urine en hondenpoep en niet zelden kwam het tot vechtpartijen tussen rivaliserende jeugdbendes.

Tot nu toe had het me niet geïnteresseerd hoe en waar ik woonde, ik was sowieso bijna nooit thuis, maar voor mijn kind wilde ik iets beters. Ladja was het met me eens en na veel telefoontjes en overal rondkijken vonden we iets: een driekamerwoning in het noorden van Prenzlauer Berg. De woning kwam begin volgende maand vrij en had een betaalbare huur. Er was een park in de buurt en langs de lanen stonden oude eiken. Ladja ontdekte zelfs een egeltje onder een struik. Er was maar één probleem: we hadden de duizend euro voor de borg niet. In onze huidige woning hadden we nooit borg hoeven betalen.

'We gaan naar het arbeidsbureau,' zei Ladja. 'Ik heb een zwangere vrouw en dan moeten ze me wel helpen.'

'De borg betalen ze niet,' zei ik afwezig. Ik moest nadenken. Zelfs als ik ergens in Berlijn weer als hoer aan het werk zou gaan, zou ik die som nooit verdienen. Radeloos reed ik naar huis.

Een tijdje later ging mijn mobieltje. Het was Mimi, een collega van Oase. Ze belde om de laatste nieuwtjes te horen. Nadat ze me had gefeliciteerd met mijn zwangerschap, vroeg ze of ik geen zin had om naar Beieren te gaan. Een zaak waar zij had gewerkt was op zoek naar een gastvrouw. Het ging om veertien dagen vervanging.

'Je bedient de telefoon en je doet de afrekeningen en daar krijg je honderd euro per dag voor. Ik had het graag zelf gedaan, maar ik zit momenteel in een banenprogramma van het arbeidsbureau. Je mag ook naar achteren met een klant, als je dat wilt, je buik is nog niet zo dik dat iemand het zou merken.'

Ik had echt geen zin om nog een keer weg te gaan, vooral nu ik een kind verwachtte. Maar ik rekende toch even na wat ik in die twee weken kon verdienen.

'Veertienhonderd euro. Daar kunnen we de borg van betalen en dan blijft er zelfs nog iets over voor de babyuitzet,' zei ik tegen Ladja tijdens het avondeten.

Ladja was er natuurlijk tegen dat ik in mijn toestand naar Beieren zou gaan.

'Ik vind dat we gewoon naar de sociale dienst moeten gaan,' mopperde hij. 'Aan die trots van jou hebben we nu even niks.'

Een paar dagen later gaf hij toe, na het belletje dat de woning voor ons was als we hem wilden hebben. Ik sprong een gat in de lucht en omhelsde Ladja. Hij ging een fles schuimwijn kopen om op ons nieuwe huis te proosten. Ik dronk natuurlijk alleen een symbolisch slokje, want sinds ik wist dat ik zwanger was, had ik de alcohol afgezworen.

Het stond als een paal boven water dat ik naar Beieren moest, want we hadden dringend geld nodig, en erop vertrouwen dat de ambtenarij het geld op zou hoesten, kon je niet. Als je al het geluk had dat er een aanvraag werd goedgekeurd, zat je nog een maand op je geld te wachten.

Tot nu toe had Ladja meestal net gedaan of hij niet wist dat ik mijn geld vooral horizontaal verdiende. Maar natuurlijk wist hij het eigenlijk wel. Hij verdrong het alleen heel goed. Nu ik zwanger was, wilde hij opeens alles heel precies weten. Ik verzekerde hem dat ik het deze keer niet zou doen en dat meende ik ook. Ik wilde in het bordeel in Rosenheim uitsluitend als gastvrouw werken.

Nog diezelfde dag belde ik de bazin van de zaak in Rosenheim op, een hysterische trut die me aan Lorraine uit Freiburg deed denken. Al aan de telefoon klaagde ze over onmogelijke vrouwen die de gasten verdreven en niks voor elkaar kregen en roddelde ze over allerlei mensen die ik nog helemaal niet kende, omdat wij elkaar nog niet eens kenden. Kennelijk zijn al die bordeeleigenaresses mesjogge, dacht ik. Ik moest haar beloven dat ik zo snel mogelijk kwam.

Het afscheid van Berlijn was inmiddels routine geworden. Twee dagen later zat ik ontspannen in een trein richting zuiden. Ik dronk koffie verkeerd en luisterde naar muziek op mijn mp3. Ik genoot deze keer van de landschappen en steden waar we langsreden en probeerde me voor te stellen hoe het zou zijn om er te wonen. In Erfurt stapte een jonge dokter in die net aan een congres had deelgenomen en we kletsten met elkaar tot de trein München binnen reed, waar ik moest overstappen op de trein naar Rosenheim.

Rosenheim was niet groot en een typische Duitse provinciestad. Ik liep van het station een straat in en zag daar alles wat je zou verwachten: een postkantoor, een apotheek, een paar meter verderop de onvermijdelijke drogisten en supermarkten. Op een gegeven moment kwam ik op een plein met in het midden een klaterende fontein en rococohuizen eromheen. Er was geen hond op straat.

Na vijf minuten was ik bij het huisnummer aangekomen waar het bordeel moest zijn. Ik stond voor een huis met een witte gevel waarop een groot houten kruis prijkte. Hm, vreemd. Ik keek op de plattegrond die ik in Berlijn had geprint. Het was echt de juiste plek. Verward liep ik een paar meter verder. Ik ging een kleine wijnproeverij binnen waar nog licht brandde. Achter de bar stond een jonge kerel. Hij keek verrast op toen ik met mijn koffer binnenkwam.

'Ik zoek een zaak die Mond heet, een soort nachtclub,' fluisterde ik en ik probeerde niet te blozen.

Op het gezicht van de man verscheen een glimlach. 'O, je bedoelt het bordeel,' zei hij met een sterk Beiers accent. 'Dat is hiernaast, je kunt het niet missen.' Hij wees door het raam op het huis waar ik net voor had gestaan. Ik keek hem perplex aan.

'Je moet je niet laten afleiden door dat kruis. Vroeger hebben er nonnen gewoond,' zei hij, alsof het de normaalste zaak van de wereld was dat er in een klooster een bordeel huisde. Hij wreef met een doek een tafeltje bij de ingang schoon.

Ik bedankte de man en ging terug naar het klooster. Wat een bak. Mijn oma had ooit gezegd: 'Je wordt nog eens een non', omdat ik op mijn zeventiende nog steeds geen vriendje had gehad...

Ik belde aan. Een man met woest grijs haar in nachthemd en badslippers deed de deur open. 'Ken je Evelyn?' vroeg hij met een ondefinieerbaar Oost-Europees accent, terwijl ik mijn koffer naar de keuken droeg en mijn jas uittrok.

'Alleen van de telefoon,' zei ik.

'Hopelijk ontmoet je haar nooit in het echt,' zei de man. 'Gek is het juiste woord niet voor dat mens. Ze moet naar het gesticht.'

Ik ging er niet op in en liet me op een keukenstoel vallen. Ik was doodop van de reis.

In de loop van de avond leerde ik het hele team kennen. De meeste vrouwen hier waren Russen, Polen en Tsjechen, tien in totaal. De enige Duitse heette Julia, maar ze werd door iedereen 'Rosenrot' genoemd, omdat ze haar lippen altijd opvallend rood verfde terwijl ze een ongelooflijk bleek gezicht had, dat werd omlijst door gitzwart haar.

Ik ontdekte meteen hoe moeilijk het was om in deze tent de boel op orde te houden. Er was altijd wel een reden voor ruzie en meestal ging het om futiliteiten. Iemand ging op de stoel van een ander zitten, iemand zette muziek op die de anderen shit vonden en vaak vlogen de Poolse en Russische vrouwen elkaar in de haren, of de Poolse de Tsjechische en vice versa. En iedereen nam het natuurlijk voor zijn landgenoten op. Meestal bleef het bij woorden, maar als er voldoende alcohol in het spel was, vlogen er ook weleens boeken en schoenen door de kamer.

Kolja, de eigenaar, ging in zo'n geval in de deuropening staan kijken naar het spektakel. Zijn interesse ging niet zozeer uit naar de oorzaak van de ruzie, maar naar de borsten van de kemphanen die in de iets te kleine bustiers zo heerlijk op en neer wipten als ze door de kamer renden.

'Ach meisjes toch, het leven is mooi, wind je niet op,' zei hij dan glimlachend. Niemand sloeg acht op hem.

Al op de eerste avond kreeg ik hoofdpijn van het gekrijs. Ik was alleen maar bezig ruzies bij te leggen.

'Kom op, zeg! Het is hier toch geen kleuterschool! Waarom proberen we niet zonder gekissebis een beetje volwassen met elkaar om te gaan?' riep ik op een gegeven moment kwaad. Ik schrok een beetje van mijn eigen moed, want in het verleden was ik in een nieuwe omgeving altijd eerst erg terughoudend geweest. Maar kennelijk had ik in de jaren die ik in het bordeel had gewerkt geleerd dat je haar op je tanden moest hebben.

Uitgerekend Rosenrot gaf me rugdekking. Als enige Duitse had ze altijd nogal alleen gestaan en nu zag ze haar kans schoon van mij haar bondgenoot te maken. De overige vrouwen zwegen schuldbewust na mijn woede-uitbarsting en staarden naar de grond. Schoorvoetend ontstond er daarna zoiets als een gesprek, met als resultaat dat er duurzame vrede werd gesloten.

Vlak na middernacht formuleerden we in de diverse talen – waaronder in het Duits – een aantal regels om die vrede vorm te geven. Vervolgens werd onze overeenkomst met een magneet op de koelkast geplakt, zodat nieuwe collega's het meteen konden lezen. Het ging om heel simpele dingen. Bijvoorbeeld: eerst vragen voor je iets uit de koelkast opeet wat niet van jou is, of: afwassen als je gekookt hebt. De laatste keer dat zoiets nodig was geweest, was op de basisschool, herinnerde ik me grijnzend, maar misschien was dit allemaal wel een goede voorbereiding op het aanstaande moederschap.

De volgende dag moest Kolja weg. Hij ging naar Passau, naar zijn oudste dochter. Kolja had zes kinderen van vier verschillende vrouwen, had hij me verteld. Zijn jongste kind was vijf jaar oud.

'Vrouwen zijn erg gecompliceerd,' verzuchtte hij, 'maar ik kan er niet met mijn vingers van afblijven.'

Toen ik hem daarna vertelde dat ik zwanger was, nam hij me in zijn armen en omhelsde me stevig.

In Rosenheim was het niet beter dan in Freiburg en München. Het grootste deel van de werktijd bestond uit wachten. Om niet dood te gaan van verveling wisselden de meisjes en ik ervaringen uit over ons leven in het bordeel.

'Vorige maand werkte ik in een club in Keulen. Daar is me iets ongelooflijks overkomen,' zei een van de Poolse vrouwen. 'Er kwam een vent die een dominant nummertje wilde, maar niet met slaan en zo, daar hield hij niet van. Ik moest een roos gaan halen, zei hij.'

We keken haar vol verwachting aan, benieuwd hoe het verhaal verderging.

'Je gelooft het niet, maar ik moest hem die roos in zijn reet steken, de steel dus, met doorns en al, tot aan de bloem. En toen kroop hij met die bloem in zijn kont door de bar en riep: "Ik ben een vaas, ik ben een vaas!" Ik zweer het je. En hij was niet eens dronken! Ze zijn echt niet meer normaal,' zei ze zuchtend en ze draaide een pannenkoek om in de pan.

Iedereen lachte en schudde meewarig het hoofd.

'Ik heb ooit in een bordeel in Kassel gewerkt,' zei een van de Tsjechische vrouwen daarop langzaam, 'daar heb ik iets nog veel smerigers meegemaakt. Er belde een man op om te vragen of hij kaviaar kon krijgen. Zegt de bazin meer voor de grap dan serieus dat kaviaar duizend euro kost. Ze had er nooit op gerekend dat die vent de volgende dag voor de deur staat: knappe man, in het pak, stropdas, gespierd lichaam. Eerst wilde niemand zo'n smerig nummertje doen, maar uiteindelijk kon hij er toch eentje overhalen, met veel geld. Ze moest alleen op zijn gezicht gaan zitten en hem in zijn mond kakken. Hij heeft haar niet eens aangeraakt. Ze was er zo overstuur van dat ze een week niet kon eten. Zelfs de bazin was sprakeloos. Zoiets had ze in de dertig jaar die ze in de business zat nog niet meegemaakt.'

'Sorry, maar nu heb ik ook geen trek meer,' zei Rosenrot en ze schoof haar bord met *piroggi* van zich af.

'Als we het dan toch over bizarre gebeurtenissen hebben: kennen jullie het verhaal al van het ongeluk dat hier ooit gebeurd is?' vroeg de Cubaanse Chantal, de enige donkere vrouw van het team.

'Hier, in dit bordeel?' vroeg ik.

'Ja. Destijds werkte Evelyn nog, onze bazin. Een al iets oudere stamgast liet zich altijd met een cowboyhoed op wijdbeens vastbinden op een gynaecologische stoel en dan moest ze hem pijpen. Op een dag was het weer eens zo gegaan, de klant was aan zijn trekken gekomen en Evelyn had zich al aangekleed en de kamer verlaten. Toen ze na een paar minuten terugkwam, lag die kerel nog steeds op die stoel, met het condoom nog om zijn slappe piemel. Hij bewoog zich niet meer. Nou was het altijd al een slome kerel en hij was nooit erg spraakzaam, maar toen Evelyn hem wakker wilde schudden en hij zich niet bewoog, schrok ze zich te pletter.'

'Was hij dood?' vroeg ik verbijsterd.

Chantal knikte. 'Evelyn rende gillend als een kip zonder kop door de zaak. De volgende dag stond het hele verhaal breed uitgemeten in de lokale pers. Dat was geen goede reclame voor de zaak,' zei Chantal en ze stak een peuk op. 'De echtgenote van die vent wilde het bordeel voor de rechter slepen, maar dat kon natuurlijk niet. Hij was hier vrijwillig naartoe gekomen en op zijn leeftijd heb je altijd een zeker risico.'

'Beter zo'n dood dan met allemaal slangetjes in je arm en volgepompt met morfine creperen in het ziekenhuis,' zei een van de Russinnen.

Misschien bestaat er toch een god, dacht ik. Tenslotte zaten we in een klooster.

Terwijl ik in Rosenheim werkte, de telefoon aannam en gasten binnenliet, dacht ik natuurlijk ook aan mijn studie. Ik moest dringend een programmeertaak voor Statistiek afmaken. Gelukkig had ik mijn laptop bij me. Moeizaam probeerde ik er iets van voor elkaar te krijgen, maar de telefoon rinkelde de hele tijd en ik kwam dus niet echt verder. Op een avond las een van mijn medestudenten me de les.

'De rest heeft zijn deel allang klaar. Het is echt balen dat we door jou alles op het laatste moment moeten inleveren,' zei hij kwaad.

Ik verontschuldigde me en beloofde mijn deel nog diezelfde avond te mailen. (In dit bordeel kon ik al draadloos internetten.) Ik wilde niet dat ze me uit dit studiegroepje gooiden en vervloekte het feit dat ik weer eens in een bordeel zat en mijn studie verwaarloosde.

Na de dagafrekening om twee uur 's nachts zat ik nog twee uur aan de computer. De overige meisjes sliepen. Wat een belachelijke situatie. Ik bedacht wat mijn burgerlijke medestudenten ervan zouden hebben gezegd als ze wisten dat ik midden in de nacht in de keuken van een Beierse hoerenkast zat te zwoegen om een studietaak af te krijgen.

Ik belde elke avond met Ladja, maar had hem, net als bij mijn vorige reisjes, weinig te vertellen. Mijn enige contact met de buitenwereld was mijn dagelijkse ochtendwandeling door de winkelstraat bij het station.

'Ik zit net iets te drinken bij California,' zei Ladja op een dag.

Mijn man hing weer eens in de kroeg rond. Maar daar was ik niet eens kwaad over deze keer. Ik werd er weemoedig van, omdat de California me aan Milan deed denken. Ik had geen afscheid van hem genomen en hij wist nog niets van mijn kind.

Toen Ladja had opgelegd, toetste ik met trillende vingers Milans nummer in.

Verheugd nam Milan op. We kletsten over het weer en over wat kennissen uit de rosse buurt en toen kwamen we op mij. Tegen mijn zin vertelde ik hem dat ik in Beieren was om geld te verdienen voor mijn nieuwe woning. Milan zei niets, maar ik wist dat het hem niet beviel. Hij waarschuwde me sowieso al de hele tijd dat ik me meer op mijn studie moest concentreren.

'Het is echt de laatste keer,' zei ik euforisch.

'Dat zeg je elke keer,' zei Milan.

'Nee, deze keer meen ik het echt,' zei ik en nadat ik diep adem had gehaald vertelde ik mijn minnaar eindelijk de waarheid. 'Ik ben zwanger.'

Ik hoorde glas breken aan de andere kant van de lijn en stemmen en toen werd de verbinding verbroken. Had hij expres het gesprek beëindigd? Wat moest ik hem vertellen als hij terugbelde?

'Wat een lafaard is het toch!' zei Rosenrot. 'Hij staat nooit achter je. Zelfs als het kind van hem zou zijn ondersteunde hij je nog niet.'

Ik had Rosenrot over mijn situatie verteld, want in een bordeel weet iedereen sowieso binnen de kortste keren alles van elkaar.

'Hij wil alleen maar met je naar bed, omdat je een geile rakker bent. Maar zijn veilige gezinsleventje opgeven, ho maar. Dat moet je nou toch wel door hebben! Je bent toch geen vijftien meer?'

Ik knikte en nam nog een slokje kruidenthee. Ik wist dat Rosenrot gelijk had. Maar ik had Milan nodig. Ik hield zo veel van hem, dat ik alleen maar wilde dat hij gelukkig was, zelfs als dat betekende dat ik erbij in schoot.

Toen Milan vlak na middernacht opbelde, had ik al duizend keer gerepeteerd wat ik wilde zeggen.

'Het kind is van Ladja,' zei ik. 'Je hoeft je dus geen zorgen te maken,' voegde ik eraan toe voor het geval dat hij me niet geloofde.

'Weet je zeker dat je het wilt houden?' vroeg Milan.

'Heel zeker. Maar dat heeft geen invloed op jou, op ons. Voor ons verandert er niets. Ik wil alleen wel zeker weten dat we elkaar blijven zien,' zei ik bijna smekend. 'Dat is echt heel belangrijk voor me.'

'Kom gewoon naar California als je weer in Berlijn bent,' zei Milan ouderwets lief.

Mijn hart smolt. Er viel een loodzware last van me af en ik kon rustig naar bed.

Twee dagen voor ik vertrok, beleefde ik de spannendste middag in Rosenheim. Er was niet veel te doen bij Mond en we legden een kaartje in de keuken toen de telefoon ging. Iemand wilde graag huisbezoek: twee vrouwen voor twee uur, waarbij de één alleen hoefde toe te kijken.

Hoewel we met zijn tienen waren en niet echt onderbezet, wilde niemand, behalve Emilia, een slanke Poolse die net nieuw was en dus nog niet zo veel verdiend had.

'Dat is me te link,' zei Chantal. 'Heb je van die vrouw gehoord die bij een klant thuis is doodgestoken? Drie dagen later hebben ze haar naakt in de bosjes gevonden.'

'Een collega van mij is een keertje bij een gek terechtgekomen die haar kleren het raam uitsmeet en niet wilde betalen. Als de taxichauffeur niet zoals afgesproken na een uur had aangebeld, was ze er misschien ook wel geweest,' zei een andere collega.

'Ach, kom op. Ik ken deze kerel wel. Hij is onschuldig,' zei Rosenrot. 'Ik ben al eens bij hem geweest. Hij wil altijd nieuwe meisjes hebben, anders was ik wel gegaan. Bovendien wacht onze taxichauffeur altijd beneden, dus kan er eigenlijk niet veel gebeuren.'

'Ik ga met Emilia mee,' hoorde ik mezelf zeggen nog voor ik er erg in had. Ik was niet echt bang, moed had ik in mijn leven al vaak genoeg bewezen, en we waren toch met zijn tweeën? We zouden ieder honderdvijftig euro verdienen, niet slecht voor alleen maar toekijken.

Otto, de trouwe 'persoonlijke' taxichauffeur van het bordeel, stond na twintig minuten voor de deur. Hij kende de klant. 'Arme Mark. Zo langzamerhand moest hij maar eens op zoek gaan naar een vrouw,' mompelde hij terwijl we gemoedelijk over de rijksweg tuften. Hij en Mark zaten bij dezelfde kegelclub, zo bleek. Rosenheim was echt een dorp.

Mark woonde in een huis naast een korenveld. Emilia keek een beetje bang om zich heen. Behalve akkerland en bomen was er niets te zien. Ze had zich het liefst meteen omgedraaid.

Mark deed de deur open en nam ons mee naar de keuken. We gingen aan een tafel met een geruit tafelkleed zitten. De keuken was schoon en het rook er lekker naar vers gebakken taart. Warempel, op de koelkast stond een chocoladecake.

Mark bood ons iets te drinken aan en vroeg of we ook iets wilden eten. Daar hadden wij geen zin in, we wilden het allemaal zo snel mogelijk achter de rug hebben, dus vroegen we om een slok mineraalwater, meer niet.

Onze klant was groot en slank, droeg een studentikoos brilletje en had een hoog voorhoofd. Hij zag er een beetje uit als een intellectueel. Hij praatte heel zacht en kuchte om de paar zinnen, net of hij verlegen was. Toen we ons water hadden opgedronken, liepen we achter Mark aan naar boven. Zijn slaapkamer was klein en rommelig en leek op een studentenkamer, maar daar was Mark eigenlijk te oud voor. Op de grond lagen computer- en seksblaadjes, een papieren zak van Burger King en een vuile sportbroek. Mark ging hem snel in de wasmand gooien. Op zijn bureau stond een flatscreen, met Christina Aguilera als screensaver. Christina hing ook als poster aan de deur.

We kleedden ons uit en gingen op bed zitten. Het beddengoed rook fris naar wasmiddel. Mark kleedde zich ook uit en kwam tussen ons liggen. Hij was niet geschoren en had opvallend dikke zwarte lichaamsbeharing. Hij begon Emilia te strelen en af te likken, terwijl ik toekeek en mezelf streelde. Toch had hij zijn aandacht er niet echt bij.

Opeens stond hij op, ging zonder een woord te zeggen de kamer uit en keerde terug met een bruine, ouderwetse bh en een zwarte wollen maillot.

'Ik wil dit graag aanhebben terwijl jullie me verwennen, mag dat?' vroeg hij zacht en hij bloosde vreselijk.

Wij knikten. Ik moest hem helpen de bh en de maillot aan te trekken. Mark knipte nog een gat in de maillot zodat zijn piemel eruit kon kijken.

Hij neukte met Emilia en kwam na ongeveer tien minuten klaar. Ik keek de hele tijd toe en deed alsof ik masturbeerde. Toen hij uitgeput het bed verliet en de badkamer in ging, maakte hij een gelukkige indruk.

Plotseling hoorden we hoe beneden de deur werd dichtgeslagen en er een radio werd aangezet.

'Zijn vrouw,' siste Emilia in paniek en ze ging haastig op zoek naar haar linkersok.

'Nee, je hebt toch gehoord wat de taxichauffeur zei? Mark is single,' zei ik sussend.

Mark kwam de badkamer uit. 'Maak je geen zorgen. Dat is mijn oma. Ze hoort slecht en komt nooit naar boven.'

Om het huis te verlaten moesten we door de keuken waar de oude dame zat. Zo snel mogelijk probeerden we langs haar te glippen, maar ze draaide zich toch even naar ons om. Ze zat aan tafel, precies op de plek waar ik had gezeten, kauwde op een stuk cake en neuriede een liedje. Toen ze ons zag, staarde ze ons even aan. Ik wist niet zeker of ze ons wel echt zag. Het leek net of ze door ons heen keek. Daarna draaide ze zich weer om en at door alsof er niets gebeurd was. Behoedzaam sloten we de deur achter ons.

Twee dagen later ging ik naar huis. Vlak voor de taxi kwam om me naar het station te brengen, overhandigde Rosenrot me een cadeautje van het hele team. Ik scheurde het gekleurde pakpapier open en haalde er twee kruippakjes en een babymutsje uit. Hoewel ik naar Berlijn verlangde, vond ik het op dat moment bijna jammer dat ik Rosenheim nooit meer zou zien. Ik omhelsde alle meiden, pakte mijn reistas en liep naar de deur. De taxi stond al klaar.

Vlak na mijn terugkeer naar Berlijn verhuisden Ladja en ik. We woonden nu in Prenzlauer Berg. Het nieuwe appartement was als een nieuw begin voor mij. Nog diezelfde week togen Ladja en ik naar het arbeidsbureau waar men ons drie jaar geleden had afgewezen. Het heette inmiddels geen arbeidsbureau meer, maar jobcenter.

Deze keer kwamen we bij een man terecht. Doodkalm bladerde

hij door allerlei papieren en tussendoor nam hij slokjes koffie uit zijn beker.

'Tja, goed...' begon hij gemoedelijk alsof hij een lange voetbalwedstrijd moest gaan verslaan. 'Alles is compleet, behalve...' Er viel een beladen stilte. De man krabde aan zijn hoofd.

'Behalve?' zei ik, op mijn nagels bijtend.

'Waar hebt u tot nu toe van geleefd?' vroeg de ambtenaar zuchtend. 'Dat kan ik hier niet uit opmaken.' Hij bladerde nogmaals alle papieren door.

'Dat staat daar ook niet. Ik heb als hoer gewerkt,' zei ik kort.

De man trok zijn wenkbrauwen op, fluisterde een 'o', gevolgd door een 'hm' en keek nogmaals, maar nu verlegen, in zijn papieren.

Uiteindelijk overhandigde hij me een formulier, waar ik op moest noteren dat ik, zoals dat in ambtelijke taal heette, prostitutie had uitgeoefend om mijn levensonderhoud te verdienen, en dat dit in verband met mijn zwangerschap niet meer mogelijk was. Bovendien, bevestigde ik met nadruk schriftelijk, wilde ik met mijn echtgenoot en mijn kind een menswaardig bestaan opbouwen en mijn studie voltooien.

Doodgemoedereerd begon de ambtenaar alle informatie in zijn computer te typen. Hij kopieerde nog een paar dingen, merkte nog van alles op en al die tijd durfden Ladja en ik geen woord te zeggen, laat staan iets te vragen.

'Zo, dat was het. U hoort binnenkort van ons, dat wil zeggen, u krijgt post van ons. Het kan wel drie of vier weken duren, voor alles verwerkt is,' zei hij ten slotte en hij glimlachte beroepsmatig.

'Nou, ze hebben ons er deze keer in elk geval niet uitgegooid,' zei ik opgelucht toen we thuis waren. 'En ze hebben het ook niet over de IND gehad.'

'Het komt allemaal goed,' zei Ladja en hij gaf me een zoen op mijn wang. 'We zijn op de goeie weg.'

Ondanks het feit dat we waarschijnlijk zoiets als een uitkering zouden krijgen, was me duidelijk dat ik een baan moest zoeken. Daar hoefde ik alleen maar voor op mijn bankafschriften te kijken. Er stond nog iets meer dan honderd euro op mijn rekening. Daar konden we misschien nog net een week van rondkomen. Alles wat ik in Rosenheim had verdiend was opgegaan aan de borg en de verhuizing en ik was bang dat er weinig initiatief van Ladja uit zou gaan.

In een bordeel werken kwam eigenlijk niet meer in aanmerking. In mijn toestand nog met mannen neuken was het laatste waar ik op dat moment zin in had. Bovendien was ik veel te bang om mijn kind te verliezen. In een massagesalon kon ik echter ook geld verdienen, zonder me te laten wippen. Ik kon me ertoe beperken de klant aan het einde van de massage af te trekken. De cirkel was rond. Zo was ik mijn carrière in de prostitutie begonnen en zo zou het nu eindigen. Ik hield mezelf voor dat ik het allemaal voor mijn kind deed. Ik wilde het tenslotte iets kunnen bieden: een mooie kinderkamer, mooie kleertjes en speelgoed.

Ik bekeek mezelf nog eens goed in de spiegel in de slaapkamer. Er was nog geen ronding te zien. Ik was aan het einde van de derde maand, voor rondingen was het nog te vroeg. Mijn borsten waren echter zo opgezwollen dat het wel leek of ik ze had laten vergroten. Een, twee maanden kun je nog grof geld verdienen, zei ik tegen mezelf. Dan hou je op en concentreer je je op je studie tot de baby komt.

Ik had op dat moment graag een man gehad die voor me zorgde. Een sterke man, die een arm om je heen slaat en vraagt wat je vanavond wilt eten. Een man die je met de auto naar een mooi restaurant aan een meertje rijdt en die samen met je een babyzaak in gaat om mooie kleertjes en knuffelbeesten uit te zoeken. Ik keek naar

Ladja, die net met een sigaret in zijn mondhoek bezig was sokken te sorteren in de wasmand en dacht: ik weet dat hij van me houdt, maar hij is veel te zwak om mij en zijn ongeboren kind te beschermen. Ik moest, hoe dan ook, mezelf zien te redden.

De massagesalon in Lichterfelde die ik had uitgekozen, zag er meer uit als wellnessoase dan als bordeel. Toen ik kwam stak de eigenaresse net een paar wierookstaafjes aan. Er ontstonden dunne rookslierten die een aangename kaneellucht verspreidden. Het appartement was groot en licht, op de houten vloer van de ontvangstkamer lagen met oriëntaalse patronen geborduurde zijden kussens en bij de zithoek stond een kaarsenkandelaar van messing. De overige drie kamers waren ook stijlvol ingericht. Elke kamer had een eigen kleur voor beddengoed, gordijnen en handdoeken.

Er werkten altijd maar twee vrouwen per dienst. Het voordeel hiervan was dat je op die manier makkelijker geld kon verdienen. De concurrentie was niet zo groot. Er kwamen weliswaar ook niet zo veel gasten, maar de prijzen lagen hoger dan bij Oase, zodat ik aan het einde van mijn dienst altijd minstens honderdvijftig euro mee naar huis nam.

De sfeer leek op die van een yogastudio, maar dat beviel me wel. De Duitse eigenaresse noemde zich Shiva en leek een ontspannen, opgeruimd en ordentelijk type. Ze had jarenlang als masseuse gewerkt en had daar zelfs een opleiding voor gedaan. In haar Massagetempel, zo heette de zaak, voelde ik me meteen thuis, ook omdat de gasten verzorgd en de collega's aardig waren.

Desondanks moest ik nog vaak aan de middagen bij Oase denken en de kaartspelletjes, de roddelverhalen en de alcohol. Ik miste de meiden enorm. Soms belde ik met Jana, die inmiddels in een ander bordeel werkte. Vera stond bij haar vriend in het solarium aan de kassa en verveelde zich stierlijk en Lena smeedde plannen om een discotheek te openen. Ze had er alleen het geld nog niet voor. Momenteel ging al haar aandacht naar de kinderen.

Op een gegeven moment moest ik Shiva wel vertellen dat ik zwanger was. Ze zat net een appel te schillen en liet van schrik het mesje vallen.

'Je meent het!' zei ze. 'Hoe lang blijf je nog hier? In welke maand ben je?'

'Begin vierde maand,' zei ik kalm. 'Ik werk nog maar een paar weken, tot ik het geld voor de babyspulletjes heb. Dan stop ik ermee.' Door het hardop te zeggen, probeerde ik mezelf ervan te overtuigen dat het echt zo was. Ik dacht met angst en beven aan de dag dat ik geen inkomsten uit de salon meer zou hebben.

Hoewel het de meeste klanten nog niet opviel, werd mijn buikje langzaam ronder. Over maximaal één maand zou het overduidelijk zijn.

Shiva had nog nooit een zwangere in haar zaak gehad en maakte zich zorgen. Ik verzekerde haar dat het allemaal geen probleem voor me was, qua gezondheid niet en ook psychisch niet, waarna we overlegden hoe we het beste gebruik konden maken van de situatie.

'Sommige mannen vinden het geil,' mompelde Shiva en ze wierp me een onzekere blik toe.

Daar had ik ook al van gehoord. Het probleem was, dat er niet direct reclame mee mocht worden gemaakt, maar er waren een paar subtiele formuleringen waarmee je het verbod kon omzeilen. SENSUELE, RONDE STELLA WACHT OP JE, schreven we dus in de advertentie, waarbij het woord 'rond' vet werd afgedrukt.

Meteen de eerste dag stond de telefoon niet stil. Natuurlijk waren er bellers die dachten dat het in de advertentie om een zwaarlijvige vrouw ging, maar sommige mannen hadden de hint begrepen. Ze vroegen naar de meest wilde dingen. Een pedant precies formulerende man belde bijna elke dag en vroeg of het mogelijk was moedermelk uit mijn borst te drinken. Hij zou er extra voor betalen. Shiva poeierde hem af: 'Ze heeft nog helemaal geen moedermelk en bovendien doen we niet aan van die smerige dingen.'

Ik vroeg me de hele tijd af wat er zo geil aan was je te laten aftrekken door een vrouw met een vormeloze buik, maar helaas hoorden zulke buitensporigheden bij het werk, net als de regel dat je klanten geen vragen stelde naar waarom ze iets wilden. Vooral de excentriekelingen moest je het gevoel geven dat ze bij jou in goede handen waren.

Na een paar weken had ik een tamelijk grote klantenkring. Mijn inkomen was stabiel en ik hoefde maar twee dagen per week te werken. Dat betekende dat ik weer naar college kon. Ik was in het achtste semester en moest nog acht tentamens doen voor ik aan mijn scriptie kon beginnen. Ik had uitgerekend dat ik de helft van die tentamens nog voor de bevalling kon doen en zat dus elke avond braaf te leren. Dat kostte niet echt veel moeite, want stappen wilde ik toch niet.

Jule was al bezig met haar eindscriptie. Ik was jaloers dat zij haar studie bijna achter de rug had. Aan de andere kant werd ik binnenkort moeder en als ik daaraan dacht, kreeg ik het helemaal warm van blijdschap.

'Je hebt een afspraak met Hans, voor een uur,' zei Shiva op een dag. Ik kon me niet herinneren dat ik een klant had die zo heette. Het was een ijskoude maandagavond in maart en ik was aan het einde van de vijfde zwangerschapsmaand.

Even later belde Hans aan. Ik liep een beetje gespannen en nerveus naar de voordeur, want het was ongebruikelijk dat een vreemde klant meteen een uur boekte.

Toen ik Hans zag, schrok ik geweldig, want ik kende hem van

Oase. Hij was stamgast van Isa geweest. Hans was een beer van een kerel van rond de vijftig die waarschijnlijk in zijn beste jaren redelijk knap was geweest. Hij had markante gelaatstrekken en hij droeg zijn grijze krullende haar losjes naar achteren gekamd, als een dandy uit de negentiende eeuw. Hans kwam altijd in het pak en hij rook naar aftershave. Maar wie hem als klant had gehad, wist dat achter het elegante uiterlijk een viezerik schuilging. Hij deed nog niet eens veel moeite om het te verbergen.

Hans had Isa leuk gevonden omdat ze zo'n onschuldige uitstraling had en daarom bijzonder geschikt was geweest voor de rollenspelletjes die hij leuk vond. Hij was de leraar, zij de scholiere, of hij was haar oom, of haar vader en dan moest ze hem pijpen om haar zakgeld te krijgen. Ondertussen stelde hij steeds dezelfde vragen: op welke leeftijd ben je begonnen met naaien? Heb je als kind je kersenpit al gestreeld? Enzovoort...

'Je moet stalen zenuwen hebben met die vent,' had Isa altijd gezegd. En nu was ik aan de beurt. Hans zocht altijd een bepaald soort meisje. Dat hield hij dan net zolang tot hij iets anders ontdekte wat hij lekker vond. Hij stond bekend als de bonte hond bij alle bordelen in Berlijn en nu was hij kennelijk verzot op zwangere meisjes.

Ik trilde een beetje toen hij me de overeengekomen tweehonderd euro in de hand duwde. Het beste aan Hans was dat hij erg goed betaalde, soms wel het dubbele van de gangbare prijs, en dat zonder af te dingen.

Ik was bang dat hij me over wilde halen om seks met hem te hebben, maar hij bleef correct en liet het bij wat gefriemel aan mijn achterste. Hij bleef wel zeuren dat hij mijn poesje wilde fotograferen, wat ik uiteindelijk toeliet om van het gezeur af te zijn.

'Er is niets geilers dan in de kut van een zwangere hoer kijken,' steunde hij terwijl ik hem aftrok. Na een paar oneindig lijkende minuten kwam hij klaar. Hij kleedde zich aan en nam afscheid. Zijn gezin zat in een restaurant aan de Potsdamer Platz op hem te wachten...

Later vertelde Shiva me bij een kop koffie en een stuk taart dat ze Hans' vrouw kende van de tennisclub. Hans was rechter en erg uithuizig vanwege zijn beroep, dat wil zeggen, als hij niet in een bordeel rondhing.

'Hij haalde zijn vrouw ooit op, op de club,' giebelde Shiva. 'Je had zijn gezicht moeten zien toen hij me zag. Hij keek meteen de andere kant op en sleepte z'n vrouw bij me vandaan alsof ik besmettelijk was.'

'Ik vind dat je moet ophouden met werken. Ik wil niet dat je nog langer in die massagesalon zit, in jouw toestand,' zei Ladja op een dag. Ik zat aan mijn bureau te leren voor een belangrijk algebratentamen.

Ik deed net of ik Ladja niet hoorde en bladerde in mijn papieren.

'Ik heb binnenkort een baantje bij een maat in een volkstuin,' zei Ladja. 'Ik help hem onkruid wieden en bloemen planten en daar krijg ik een beetje zakgeld voor. Je kunt dus gewoon thuis blijven en leren. Dat lijkt me veel beter.'

Ik twijfelde eraan of Ladja genoeg zou verdienen voor ons twee, maar dat zei ik niet hardop want ik wilde hem niet kwetsen. Het was belangrijk voor me de touwtjes in handen te houden en onafhankelijk te blijven, ook dat zei ik niet. Toch belde ik de volgende dag wat rond en kreeg ik een baantje bij een callcenter. Je moest er enquêtes houden, een eenvoudig en ontzettend saai baantje. Je zat voor een beeldscherm, de computer koos willekeurige telefoonnummers uit en dan moest je de uitverkorenen vragen wat ze vonden van de grote coalitie, de benzineprijzen of de wereldkampioenschappen voetbal in Duitsland. Je werd betaald voor het aantal interviews dat je deed, maar die moesten dan wel compleet zijn. Dat klonk niet echt winstgevend, maar ik was best goed in het aanhouden van een gesprek. Mijn rustige, zachte stem zorgde ervoor dat de mensen niet meteen de verbinding verbraken, en op die manier kwam ik op een best redelijk uurloon. Na een dag ondertekende ik een contract. Ladja hield eindelijk op met zeuren en we hadden weer vrede thuis. Naar de massagesalon ging ik alleen nog op zaterdag en dan was ik al volgeboekt voor ik begon.

Mijn buik werd van dag tot dag ronder en mijn broeken pasten niet meer. Ik kocht twee trainingspakken met een elastische boord, want ik had zwangerschapsmode altijd ouderwets en lelijk gevonden. Bij de gynaecoloog keek ik elke keer enthousiast naar de monitor, want er was steeds meer te zien.

'Hier ziet u de beentjes, hier de ruggenwervel en hier het hoofdje,' legde de aardige gynaecoloog uit. 'En hier, tussen de beentjes...' voegde hij er grinnikend aan toe... Hij hoefde de zin niet af te maken, want ik had vanaf het begin af aan geweten dat het een jongetje werd.

Ik zou graag naar California zijn gegaan om Milan het nieuws te vertellen, maar ik had besloten dat ik hem voorlopig niet wilde zien, om mijn eigen kleine gezinnetje een kans te geven. Ik had sowieso nauwelijks tijd om in de kroeg rond te hangen, want ik ging trouw naar college en deed mee met allerlei studieprojecten.

Het interessantst was het college economie, een keuzevak van me. Verschillende docenten gaven er les in logistiek en marketing en ter afsluiting van het vak bezochten we met zijn allen een marketingbedrijf. De directeur ontving ons persoonlijk en sprak met ons over de mogelijkheden die wij als wiskundigen na onze studie hadden.

Wat ons na de universiteit op de arbeidsmarkt te wachten stond was iets wat alle medestudenten bezighield en mij in het bijzonder. Een vaste baan na mijn studie zou het veel eenvoudiger maken voorgoed uit de prostitutie te stappen. Ik maakte me er wel zorgen over of ik als vrouw, en dan ook nog als jonge moeder, niet in het nadeel was op de arbeidsmarkt, maar mijn tot nu toe zeer acceptabele cijfers gaven hoop op een solide toekomst.

Tijdens de vier jaar in de prostitutie was het mij nooit gebeurd dat ik verliefd was geworden op een klant. Ik had dat ook altijd voor onmogelijk gehouden... tot ik Jimmy ontmoette.

We zaten net te eten, toen de bel ging. Eigenlijk had er ik altijd een gloeiende hekel aan als ik werd gestoord onder het eten, maar de nieuwe klant overtrof alleen al optisch alle verwachtingen, dus smolt mijn irritatie als sneeuw voor de zon.

De man was eind twintig, had zwarte ogen, bruin haar en zijn huid had de kleur van koffie met melk. Hij had Nike-schoenen, een wit, strak shirtje en een witte, wijde corduroy broek aan. Er hing een zware gouden ketting om zijn hals. Typisch de outfit van een Turk uit Neukölln, dacht ik grijnzend.

'Ik ken de prijzen, ben hier vroeger al vaker geweest, dus je kunt meteen blijven,' zei hij glimlachend in accentvrij Duits en hij liet daarbij twee rijen tanden zien die zo keurig en zo wit waren dat iedere tandarts er blij van zou zijn geworden.

Hij kleedde zich uit, ging op de matras liggen en liet zich een halfuur lang door me kneden. Hij had een mooie rug, prachtige spieren, een lekker kontje en brede schouders. Zijn huid rook naar doucheschuim, net als zijn haar. Ik moest toegeven dat hij de knapste man was die ik sinds lange tijd had gezien, behalve Milan dan.

'Waar moesten jullie zo om lachen toen ik binnenkwam?' vroeg hij terwijl ik zijn kuiten masseerde.

'O, niks, vrouwenpraat,' zei ik vaag en ik schaamde me een beetje, want het gesprek was over Milan en mij gegaan. 'We zijn tot de conclusie gekomen dat het met mannen altijd hetzelfde liedje is: vroeg of laat bedriegen ze je. Dus kun je net zo goed zelf vreemdgaan.'

'Is dat zo? Nou, ik niet. Met mijn ex-vriendin was ik zes maanden samen en ik ben tijdens die hele periode niet hier geweest,' zei hij en hij was verbaasd dat ik begon te lachen.

'Respect!' zei ik.

Toen hij zich omdraaide en ik zijn lid vastpakte, keek hij me strak aan. Als een klant dat deed, wendde ik mijn blik altijd af, of ik deed mijn ogen dicht, al was het maar om niet in lachen uit te barsten. Meestal was ik als ik een klant af stond te rukken namelijk helemaal niet geil of opgewonden. Niet zelden dacht ik op zo'n moment aan welke boodschappen ik nog moest doen of welk tentamen er voor de deur stond. Maar deze keer was het anders. Ik lag naast deze nieuwe klant en het was lekker om hem te strelen. Ik kroesde door zijn haar, kuste zijn voorhoofd en hield met mijn vrije hand zijn hand vast, alsof hij mijn minnaar was en niet mijn klant. Toen hij klaar was gekomen, lagen we stil samen op de matras elkaar aan te kijken. Soms complimenteerden gasten me aan het eind van een nummertje met woorden als 'Het was heerlijk,' of 'Je bent echt geweldig,' maar in dit geval had ik geen feedback nodig.

'In welke maand ben je?' vroeg Jimmy in de deuropening.

'Zesde. Hoezo?'

'Gewoon. Ik vind het een beetje vreemd dat je hier werkt. Je bent zwanger. Wat zegt je man ervan?' vroeg Jimmy en hij keek strak naar de trouwring om mijn rechterringvinger.

'Niks. Hij vindt het oké,' zei ik kort. Ik deed de deur voor Jimmy open, maar hij aarzelde nog.

'Weet je, ik heb me niet meer zo gevoeld sinds mijn vriendin me heeft verlaten,' stotterde hij en hij keek me diep in de ogen.

'Een Turkse?' vroeg ik, hoewel het niets met zijn opmerking te maken had.

'Sorry?'

'Was ze Turks?' herhaalde ik.

In zijn ogen stond onbegrip te lezen. 'Nee, een Duitse,' zei hij zichtbaar geïrriteerd. 'Waarom ook niet? Ik ben dan wel een buitenlander, maar ik ben hier geboren en ik hou zeker niet van die thuiszittende hoofddoekjes. Mijn ex-vriendin had een baan en mijn moeder heeft ook altijd gewerkt, net als mijn zusjes overigens. Ik mishandel vrouwen ook niet. En het interesseert me niet wat andere mannen doen, waar ze ook vandaan komen.'

Beschaamd zei ik gedag. Ik had hem met mijn opmerking kennelijk beledigd. Hij had het als vooroordeel opgevat en ik was bang dat hij zich nooit meer zou laten zien. Ik was dan ook heel verbaasd dat hij regelmatig terugkwam en altijd een uur boekte.

Tijdens de massage werd er nauwelijks gesproken. Jimmy was geen spraakzaam type. Alleen als ik direct iets vroeg, vertelde hij iets over zichzelf. Op die manier hoorde ik dat hij eigenlijk Ismail heette, maar dat hij zich Jimmy liet noemen en dat hij graag voetbalde en aan hobbyboksen deed. Hij wilde nooit zeggen wat hij precies voor werk deed, maar hij zei dat het 'iets met auto's' was.

Hoewel hij erg stoer deed, was hij heel teder. Dat uitte zich in kleine dingen. Hij stootte bijvoorbeeld een keer een olieflesje om en begon onmiddellijk de vlek met een zakdoek op te vegen.

'Jij moet voorzichtig met jezelf doen,' zei hij met een blik op mijn kogelronde buik.

Een andere keer kwam hij vlak voor het einde van mijn dienst. Na de massage verlieten we samen de zaak. Het regende hard en Jimmy bood aan me met de auto naar huis te brengen. Ik aarzelde even, maar sloeg het aanbod af omdat ik mijn adres niet wilde verraden. Jimmy zeurde net zolang tot ik hem toestond me naar het dichtstbijzijnde station te rijden.

'Maar niet verder,' zei ik nog eens duidelijk.

We liepen naar zijn wagen, een grijze BMW, waarin het heerlijk naar lavendel rook. We luisterden naar jazzmuziek en ik keek naar de regen die ritmisch op de ramen roffelde, als trommels in de verte.

Bij het station stopte Jimmy. Hij stond erop dat ik zijn paraplu meenam en ik bedankte hem met een vluchtige kus op zijn lippen voor ik uitstapte.

Terwijl ik op de trein stond te wachten, neuriede ik een liedje en speelde er een dromerig lachje om mijn lippen. Foei, zei ik tegen mezelf. Hij is een klant en je mag je in geen geval emotioneel met hem inlaten. En ik probeerde me Ladja's gezicht voor te stellen als hij had geweten dat ik op mijn werk flirtte met een Turk.

Eind mei liet ik twee zaterdagen uitvallen bij de massagesalon, omdat ik moest leren voor een belangrijk tentamen. Daarna hoorde ik dat Jimmy had gebeld en naar me had gevraagd.

'Hij zei dat hij vandaag langs zou komen,' zei Shiva. Ze stond de planken af te stoffen. 'Klikt het tussen jullie twee?'

'Hij is oké,' zei ik zo koel mogelijk.

'Ik bedoel maar, want een paar meisjes hebben problemen met hem gehad. Hij had te veel gesnoven en werd verbaal agressief,' zei Shiva.

Ik ging er niet verder op in, hoewel ik graag had geweten waarom ze er zo zeker van was dat hij drugs nam. Elke keer dat het klikt tussen een man en mij is er een probleem, dacht ik. Of hij krijgt niks voor elkaar of hij is getrouwd. Deze keer heb je kennelijk het twijfelachtige genoegen van een snuiver.

Toen Jimmy kwam, deed ik zo normaal mogelijk. Na twee minuten was ik er al van overtuigd dat Shiva het bij het verkeerde eind had. Waarschijnlijk had ze alleen maar wat geruchten gehoord en die doorverteld.

'Ik vlieg volgende week voor zaken naar Londen en dan blijf ik daar een paar maanden,' zei hij en hij wachtte op mijn reactie.

'Dan zien we elkaar niet meer, want ik werk nog tot het eind van de maand. Daarna kap ik ermee,' zei ik.

Toen het uur bijna voorbij was, voelde ik de drang iets te doen waar ik al lang van droomde. Ik stond op en haalde een klein metalen doosje uit de kast waarvan ik wist dat daar de condooms in zaten voor collega's die seks aanboden. Jimmy keek verrast toen hij het condoom in mijn hand zag en hij straalde van de voorpret toen ik hem het condoom aantrok. Ik knielde voor hem neer. Hij moest me van achteren nemen, want mijn enorme buik maakte elk ander standje onmogelijk. Ik was heerlijk ontspannen terwijl hij penetreerde. Zo goed had ik me lang niet meer gevoeld. Kleine golven van opwinding vibreerden door mijn wervelkolom.

Jimmy deed erg zijn best behoedzaam en voorzichtig te doen. Toch kwam hij al na een paar minuten klaar. Normaal kostte seks extra, maar ik wilde geen geld van hem.

'Waanzin. Ik had nooit gedacht dat dit me hier zou gebeuren, dat ik hier zulke goede seks zou hebben,' zei Jimmy kuchend, bezweet en uitgeput op de matras.

Ik gluurde door de vitrage naar buiten. Er was een straatfeest aan de gang. Tussen de frietkraampjes en de draaimolen dacht ik heel even Milan met zijn gezin te hebben gezien. Ik deinsde achteruit. Gelukkig had ik het mis, zag ik opgelucht toen de vrouw zich omdraaide.

Jimmy had zich ondertussen aangekleed. Hij schreef zijn telefoonnummer op een blaadje. 'Ik zou het leuk vinden als je belt. En zo niet, dan wens ik je veel geluk met je zoon,' zei hij.

We kusten elkaar op de lippen en weg was Jimmy. Ik stond nog een tijdje met het papiertje met zijn telefoonnummer in mijn hand na te denken over wat ik ermee moest. Maar ik kwam tot de conclusie dat mijn leven al ingewikkeld genoeg was. Ik liep de keuken in, liet het papiertje in de prullenbak vallen en ging aan tafel bij de andere meiden zitten. Jimmy heb ik nooit meer gezien.

Een paar weken later zat ik in de overvolle mensa een colaatje te drinken toen mijn mobieltje ging.

'Hallo, met Sabine,' zei een zachte stem.

'Kennen wij elkaar?' vroeg ik verbaasd. Ik slurpte verder aan mijn koffie en spoelde alle namen af van de mensen die ik ooit in de kroeg had ontmoet.

'Ik ben de vrouw van Wolfgang,' zei Sabine. 'We hebben elkaar ooit heel even gezien in een restaurant. Ik wilde je alleen even zeggen dat Wolfgang een hartinfarct heeft gehad. Hij verkeert in levensgevaar.'

Ik liet mijn beker vallen. De koffie droop over mijn benen en vormde een plasje op de grond. Niemand merkte het. Iedereen liep gewoon door, rugzak op, de collegevrije periode in. De tentamenweken waren voorbij, lang leve de zomer.

'Hallo?'

'Ik ben er nog,' stotterde ik.

'Ik heb Tanja ook gebeld. Ze komt over twee dagen. En Natascha heb ik bereikt. Wolfgang ligt op de intensive care in het ziekenhuis in Friedrichshain. De dokters geven hem niet veel kans.'

Ik luisterde al niet meer. Er ging zo veel door mijn hoofd. Wolfgang was bijna dood en ik had geen afscheid van hem genomen. Ik dacht eraan hoe hij me de laatste keer een afschuwelijke Zuid-Afrikaanse wijn cadeau had gedaan en ik de hele fles had weggegooid. En toen dacht ik hoe vreemd het was dat ik daar nu juist aan moest denken. Maar waarschijnlijk is het zo dat je aan zulke banale dingen moet denken als er aangrijpende zaken in het leven gebeuren.

Op weg naar het ziekenhuis in de metro dacht ik de hele tijd aan Wolfgangs verhalen. Ik had ze zo vaak gehoord dat ik ze uit het hoofd kende. Hoe hij als kind de bombardementen van Berlijn had overleefd; zijn eerste liefde die naar het westen was gevlucht; zijn huwelijk dat was geëindigd in een vriendschap; de val van de Muur, die voor Wolfgang een soort seksuele revolutie had betekend door de vele meisjes die opeens ter beschikking stonden maar die de eenzaamheid ook niet hadden kunnen verdrijven; de demonstraties op het Alexanderplein tegen het onrecht van het nieuwe uitkeringenstelsel, waarbij hij ook had gevochten tegen een wereld die hij niet meer begreep. En nu het gevecht met de dood, terwijl het leven op deze hete zomerdag gewoon doorging. Het WK voetbal maakte iedereen in het land enthousiast. Die middag speelde Duitsland tegen Zweden. Kleine kinderen tekenden Duitse vlaggetjes op elkaars wangen.

Wat voor goeds kon je over Wolfgang zeggen? Er schoot me niets te binnen. Maar ik kon ook niets slechts over hem zeggen. Hij had gewerkt, drie kinderen gekregen, gevierd, gezopen, hij was oud geworden en nu lag hij te creperen. Niets bijzonders dus.

Natascha, mijn vriendin uit Freiburg, zat voor het ziekenhuis onder een boom een Russische krant te lezen. Ik zag meteen hoe mager ze was geworden; ze had geen schoenen aan. Verder was ze sinds onze tijden in Freiburg niet erg veranderd. Ze herkende me meteen.

'Zo zie je elkaar nog eens,' zei ze ironisch en ze liet haar krant zakken.

'Onder andere omstandigheden had ik het leuker gevonden,' zei ik. 'Ik wilde je de hele tijd bellen, maar...'

'Zeg niet dat je geen tijd had,' onderbrak Natascha me. 'Aan dat smoesje heb ik zo'n hekel.'

'Nee, dat is het niet,' zei ik. 'Ik wist dat we elkaar snel weer zouden terugzien, en... zoals je ziet heb ik gelijk gekregen. Ik zeg altijd maar: de wereld is zo klein...'

'Onze wereld zeer zeker,' zei Natascha lachend. 'Ik heb onlangs in Thüringen een stamgast van me teruggezien uit de tijd dat ik nog in

Tsjechië werkte. Hij was vroeger vrachtwagenchauffeur en kwam altijd langs als hij voor zijn werk de grens over moest. Nu is hij met pensioen en woont hij in zo'n snertkuroord in de bergen. Hij gaat naar het bordeel als zijn vrouw naar de kapper gaat. En wie zoekt hij uit? Je raadt het al: mij. En dat na tien jaar. Natuurlijk herkende hij me niet, want ik zag er toen heel anders uit. Ik had lang haar toen, en zo. Waanzinnig verhaal, of niet?'

'Zeg dat wel,' zei ik, kauwgum kauwend.

In het ziekenhuis rook het naar desinfecterende middelen. Op de gangen wemelde het van de dokters in groene schorten, verpleegsters en patiënten. Wolfgangs gezwollen gezicht was bijna niet meer te zien door de slangetjes. Een enorme machine naast het bed liet een regelmatige pieptoon horen.

'Zijn zieke hart,' jammerde Sabine in plat Berlijns. 'Ik zo vaak gezegd dat hij op moest houden met paffen. Ach, aan de andere kant...' zei ze en ze pakte me bij mijn schouders: '...als hij het niet redt, heeft hij in elk geval een goed leven gehad... en hij had jullie.'

Twee weken later belde Sabine nog een keer. Wolfgang was buiten levensgevaar. Het zou nog wel even duren voor hij echt genezen was, maar hij had het ergste achter de rug.

Ik was opgelucht. Hoewel Wolfgang niet meer dan een 'klant' was, had ik hem in mijn hart gesloten.

Ik haalde alle tentamens zonder problemen en met alleen maar achten. Ik had er ontzettend hard voor geleerd.

'Zie je wel, een beetje pauze doet jou ook goed,' zei Ladja. Hij was inmiddels daadwerkelijk begonnen twee keer per week in een tuin te werken voor een kennis en hij verdiende voor het eerst sinds jaren voldoende om me de helft van de huur te kunnen geven. We sausten samen de muren van de toekomstige kinderkamer en zetten het babyledikant in elkaar. Ik kocht bedlakentjes met hondjes en clowns erop en zag al voor me hoe het kleine mannetje in zijn nestje zou liggen dromen, omgeven door dingen die zijn ouders liefdevol voor hem hadden uitgezocht. Misschien werd Ladja toch nog de man die ik nodig had.

'Waarom rijden we niet naar de kust, naar de Oostzee?' opperde ik op een dag. 'We nemen de bus. De rit kost maar acht euro. Je wil er al zolang heen en we hebben onszelf al tijden niets meer gegund.'

Ladja had niets tegen op een dagje uit, dus stonden we de volgende ochtend om zes uur op het Alexanderplein. In de bus naar zee zaten alleen maar mensen van boven de zestig.

Ik had bij dagjes uit tot nu toe altijd pech gehad met het weer, maar deze keer was het geluk met ons. De hemel was zo blauw als op een schilderij van Gauguin, de zon brandde op mijn huid en de zee was vlak en kalm. Ladja had een vol programma gepland. We bekeken een oude vuurtoren, peddelden op een waterfiets, aten gebakken visfilet in de haven en zaten nog een tijdje op een steiger. Er waaide een briesje vanaf zee dat mijn voorhoofd streelde. Ik liet mijn benen in het water bungelen. Vlak voor ik mijn ogen sloot dacht ik hoe fijn het zou zijn geweest als Milan nu bij me was. Hij had me ooit beloofd dat hij me mee zou nemen naar zee, maar het was er nooit van gekomen.

'Is het niet mooi hier?' vroeg mijn man.

'Prachtig,' antwoordde ik.

11 EEN NIEUW BEGIN

Fynn kwam in een augustusnacht ter wereld, twee weken na de uitgerekende datum. Zonder een woord te zeggen legde de vroedvrouw het bloederige bundeltje op mijn buik, waarop het kereltje heel hard en geschrokken begon te huilen. Ik vond het wel een passende begroeting voor een gekke wereld die hij nog niet eens kende.

'Hij is zo lief en zo vredig,' zei Ladja met tranen in zijn ogen toen Fynn na zijn eerste maaltijd naast me in slaap viel. Zijn gezicht weerspiegelde trots en vermoeidheid. Hij had het twintig uur lang op een bed in de verloskamer uitgehouden.

Jule en haar vriend Rudy bezochten ons nog diezelfde dag. Ik was alleen zo gaar door de bevalling dat ik er maar een beetje duf bij lag en niet veel te vertellen had. Ik kon mijn ogen niet van mijn baby afhouden. Ik hield zijn kleine vingertjes in mijn hand, aaide over zijn kale bolletje en voelde me gelukkig en dankbaar.

Na vier dagen mocht ik naar huis. Ik leefde in het ritme van Fynn. Ik sliep veel en gaf hem de borst op het balkon, zodat hij de zonnestralen kon voelen. 's Nachts lag hij in de wieg naast Ladja en mij en dan keken we hoe zijn kleine borst regelmatig op en neer ging en hoe vredig hij lag te dromen. Over één ding waren we het eens: we hadden een klein wonder volbracht. Ik dacht er niet één keer over na of ik op een dag misschien weer moest gaan tippelen voor geld. De rosse wereld was net zo ver weg als de maan en ik dacht dat het geluk en de blijdschap nog maanden zou voortduren. Tot een caissière me op een ochtend bij de supermarkt mijn bankpasje teruggaf.

'Er is geen saldo,' fluisterde ze met medelijdende blik.

Ik legde de boodschappen uit mijn tas terug op de band, griste de bankpas uit de hand van de caissière en liep met grote passen de winkel uit. Achter me was een hele rij ontstaan en ik werd aangestaard of ik een dievegge was. Ik wist meteen dat Ladja tijdens mijn verblijf in het ziekenhuis geld opgenomen had, anders kon ik het gebrek aan geld op mijn rekening niet verklaren. En hoewel ik nog zwak was van de bevalling, rende ik zo snel ik kon naar huis en stormde de trap op. Mijn echtgenoot lag op de bank televisie te kijken. Fynn lag vredig op zijn schoot te slapen.

'Wat heb je met het geld gedaan?' gilde ik. Ik griste Ladja de afstandsbediening uit de hand en smeet hem kapot op de grond.

Fynn werd wakker van het lawaai en begon te huilen. Ik nam hem in mijn armen en troostte hem. Ladja maakte van de gelegenheid gebruik en sloot zichzelf op in de badkamer.

Toen Fynn weer rustig was geworden klopte ik net zolang op de deur tot mijn man murw opendeed.

'Ik heb op mijn zoon gedronken. Bij ons in Polen doen we dat zo. Ik heb maar een beetje gevierd, niet uitbundig of zo,' zei hij deemoedig.

'Het was geld van mijn familie. Het was voor Fynn bedoeld, jij stomme, nutteloze idioot!' schreeuwde ik. Met bevende handen stak ik een sigaret op, de eerste sinds lange tijd. Ik werd er duizelig van en de kalmerende werking bleef uit.

Na een paar minuten marcheerde Ladja fris gedoucht de badkamer uit. Hij had alleen een handdoek om zijn middel.

'Ik ben niet van plan nog langer naar je beledigingen te luisteren,' zei hij. 'Je kunt me niet verbieden met mijn maten te drinken op de geboorte van mijn zoon.'

Ik drukte de sigaret uit in de asbak, keek hem aan en schudde mijn hoofd.

'Je snapt het echt niet, hè?' begon ik. 'Ik heb ons er al die jaren doorheen gesleept, maar dat kan ik nu niet. Ik ben net bevallen! Ik kan nu toch niet het bordeel in om te neuken!'

'Heb ik je daar ooit toe gedwongen?' vroeg Ladja zacht.

'Wat moet het kind dan aan binnenkort? Hij heeft dringend een winterjas nodig. Het wordt kouder, voor het geval je dat nog niet had gemerkt. En wat eten we morgen? En overmorgen? De koelkast is bijna leeg!'

'Eigenlijk ben je net mijn vader,' zei Ladja. 'Hij deed het met een pak slaag en jij doet het met woorden. Ik ben in jullie ogen een niets, een mislukkeling.' Hij kleedde zich aan, verliet de woning en kwam pas diep in de nacht terug.

In mijn wanhoop belde ik mijn vader, in de hoop dat hij nog een paar honderd euro zou sturen voor zijn pasgeboren kleinzoon. En wel zo snel mogelijk.

'Hoezo heb je geen geld? Dat snap ik niet. Wat doet die man van jou eigenlijk de hele dag? Begrijpt hij niet dat hij nu een gezin moet onderhouden?' vroeg mijn vader bezorgd.

'Jawel, en hij heeft ook een baan, maar ze hebben hem nog niet betaald,' loog ik. Ik schaamde me ervoor dat Ladja zich niet interesseerde voor ons welzijn, zelfs niet in deze situatie. 'Maak je maar geen zorgen, we redden ons wel,' zei ik aan het eind van het gesprek. Ik wilde eigenlijk huilen, maar de baby en zijn gelukzalige ronde gezichtje leidden me af.

'Mammie zorgt ervoor dat alles weer goed komt, maak je maar geen zorgen,' fluisterde ik en ik aaide Fynns handje. Hij klampte zich met zijn vingertjes aan mijn duim vast.

Het enige wat ik kon bedenken was Wolfgang bellen. Hij was de man die me geld zou geven zonder met me te willen wippen. Bovendien was ik al een tijdje niet meer bij hem geweest en verheugde ik me op een weerzien.

'Hoe gaat het met jou en al die kerels van je?' vroeg Wolfgang olijk aan de telefoon.

Op de achtergrond klonk zwierige jazz. Ondanks zijn labiele gezondheid liet Wolfgang nog regelmatig meisjes langskomen, ook al gebeurde er niet veel meer.

'Wat dacht je ervan als ik eens bij je langskwam? Je wilt vast de baby wel zien,' zei ik. Ik wilde niet dat hij dacht dat ik geld nodig had. Ik schaamde me zo!

'Prima idee, joh! Ik ben overmorgen jarig. Mijn hele gezin is er dan ook. Ik zou het leuk vinden als je met Phil langskwam,' zei Wolfgang.

'Fynn!' zei ik. 'Mijn zoon heet Fynn.'

Twee dagen later reed ik met Fynn naar Wolfgang. Zijn gezin zat al om de tafel. Ik werd met mijn echte naam voorgesteld en iedereen begroette me beleefd. Ze wisten vast allemaal wel in welke relatie ik met Wolfgang stond, maar niemand zei iets stoms. Ze vroegen me allemaal naar mijn studie en mijn toekomstplannen, net alsof ik een normale studente was. Sabine, Wolfgangs vrouw, zat net in een computeromscholing en we kletsten gezellig over computers en programmeertalen. Fynn lag ondertussen de hele tijd in de kinderwagen te slapen en werd door alle aanwezigen geliefkoosd en bewonderd.

Wolfgang maakte geen geheim van zijn liefhebberijen. Passie was iets waar je volgens hem mee moest pronken. 'Andere mannen van mijn leeftijd moeten genoegen nemen met een rimpelige oma en ik heb mijn knappe vriendinnen,' zei hij altijd.

'Zullen we een ander keertje friemelen?' vroeg ik vlak voor het feestje voorbij was. 'Ik voel me nog niet zo goed.'

Wolfgang begreep het en we liepen terug naar de keuken. Daar verorberde ik binnen een paar seconden drie stukken kwarktaart. Van mijn laatste twintig cent had ik die ochtend voor het ontbijt een broodje gekocht. Mijn maag knorde.

Voor ik wegging gaf Wolfgang me zwijgend een witte envelop. Er stond SONIA op. Er zat, zoals altijd, een gloednieuw honderdeurobiljet in. Ik vroeg me af of hij elke keer naar de bank ging als ik kwam.

Na een maand was mijn verlof voorbij. Het wintersemester begon en ik bezocht regelmatig colleges. Gelukkig waren de meeste colleges 's ochtends of vroeg in de middag. Ik kon altijd vroeg naar huis. Ladja zat tijdens mijn afwezigheid met Fynn thuis ging helemaal op in zijn vaderrol. Hij verschoonde luiers, gaf flesjes en vertelde overal trots rond hoe goed hij voor zijn zoontje zorgde. 'De ideale baby. Hij slaapt de hele dag en huilt alleen als hij honger heeft.'

Aan het einde van de maand begon ik weer bij Shiva. Ondanks de ouderbijdrage van de staat, de kinderbijslag en Ladja's uitkering, was onze huishoudkas zo krap dat ik weer twee dagen per week ging werken. Ik begon op een vrijdagmiddag en het was best een vreemd gevoel. Ik was sinds twee maanden niet meer in de Massagetempel geweest, de langste onderbreking in de prostitutie voor mij. Ik zat in de keuken, kletste met de collega's vooral over mijn zoon en mijn studie en was stiekem een beetje huiverig voor mijn eerste beurt. Het was net als in Neukölln, vier jaar geleden, toen ik het bij Extase voor het eerst voor geld had gedaan.

Mijn eerste klant boekte een halfuur. In het begin stond ik er een beetje schuchter en klungelig bij. Pas toen hij naakt voor me stond ging er een knop om en flirtte ik met hem, zodat hij zich op zijn gemak kon voelen. Daarna trok ik hem zo vakkundig af dat hij al na een paar minuten klaarkwam. Goh, dacht ik, tippelen is net fietsen, je verleert het nooit.

'Hoe was het?' vroeg ik mijn op zijn matras naar lucht happende klant.

'Heel fijn,' zei hij zacht. Ik was gerustgesteld. De ouwe Stella was terug.

Tijdens mijn zwangerschap had ik bij Shiva een grote klantenkring gehad. Nu was mijn buik weg en bleven ook de gasten weg die daar speciaal voor gekomen waren. Ik was weer slank en niemand kon zien dat ik net een kind had gekregen. Als 'normaal' meisje verdiende ik niet meer zo goed. Vaak ging er maar vier of vijf keer de bel tijdens de drie uur durende dienst en ik werd het niet met alle klanten eens over de prijs. Ook mijn collega's waren gefrustreerd. Er werd veel gespeculeerd over de mogelijke oorzaken van de teloorgang. Het leek allemaal veel op de slotfase bij Oase.

Mijn leven was altijd ingewikkeld geweest en nu was ik ook nog moeder. De afgelopen jaren had ik al moeite genoeg gehad met mijn rol als studente, hoer, echtgenote en vriendin. Behalve Jule wist niemand op welke onorthodoxe wijze ik mijn studie had gefinancierd. Jule was weliswaar erg tolerant en vroeg af en toe bezorgd of alles oké was bij mij, maar eigenlijk wist ze ook niets van mijn leven. Zij had een studiebeurs. De overige medestudenten met wie ik af en toe een kop koffie dronk, dachten dat ik met ouderschapsverlof was en niet hoefde te werken.

'Gelukkig ondersteunt mijn familie me,' loog ik tegen Paul en een vriend van hem in het café van de UB. Dat namen de jongens klakkeloos van mij aan, want ze hadden er geen idee van dat mijn familie niet bepaald vermogend was.

'Kom je volgende week maandagavond ook bij me langs?' vroeg Paul. 'We organiseren een dvd-avondje en kijken de hele *Star Wars*-serie.'

'Dat hang ervan af of Ladja thuis is en op Fynn kan passen,' zei ik afwerend, terwijl ik donders goed wist dat ik op die avond tot negen uur dienst had in de Massagetempel. Naderhand bedacht ik dat Paul en de anderen vast niet zo aardig tegen me zouden zijn geweest als ze hadden geweten hoe ik mijn geld verdiende.

Als Jule verhalen vertelde over hoe ze de hele nacht met vrienden bij Watergate had gefeest, werd ik weemoedig. In de weekeinden was ik vroeger ook zelden 's ochtends mijn bed uit gekomen, maar nu werd ik elke ochtend om zeven uur door Fynn gewekt en dan had ik 's avonds echt geen puf meer om te gaan stappen. Elk lachje van mijn zoon compenseerde het gemis aan disco-uitjes, maar toch miste ik mijn vrijheid van vroeger weleens. Door de week paste Ladja op, maar in het weekend vond hij het vanzelfsprekend dat hij met zijn maten ging stappen.

'Weet je, ik wil ook wel weer eens een avondje weg,' zei ik op een vrijdagavond toen Ladja me weer eens alleen achter wilde laten.

'Je bent toch elke dag weg?' zei Ladja en hij trok zijn jas aan.

'Ik ga naar college, ja, en ik zit op mijn werk!'

'Wat wil je nou eigenlijk?' zei Ladja verveeld. 'Je bent er nooit en toch zit je te klagen. Ik vind het ook niet goed dat je zo veel doet. Een baby moet zo veel mogelijk tijd bij zijn moeder zijn.'

Tot zover de emancipatie, dacht ik. Uiteindelijk blijven de vrouwen met hun kinderen opgescheept zitten, behalve dan dat ze vandaag de dag ook nog het geld moeten verdienen. Gelukkig was Ladja zo'n sukkel en had ik hem zo goed onder de duim dat hij tenminste door de week op Fynn paste.

Op een zondag ging mijn mobieltje. Ik zat net aan een werkstuk voor mijn studie. Een paar seconden later hoorde ik de bekende, aangename stem die ik zo lang had gemist. Gelukkig kon ik het balkon op vluchten voor Ladja iets merkte van het gesprek.

'Kun je komen? Het is belangrijk. Ik móét je zien,' smeekte Milan.

'Ik doe mijn best,' fluisterde ik, hoewel ik al zeker wist dat ik hemel en aarde zou bewegen om Milan te zien.

'Sinds wanneer spreken jullie op zondag af op de universiteit?' vroeg Ladja geïrriteerd. Ik had hem een verhaal over een projectgroep op de mouw gespeld om ervoor te zorgen dat hij op Fynn paste. Wat hij uiteindelijk ook deed.

Ik had met Milan in het appartement van Mario afgesproken, waar we elkaar al zo veel uren hadden bemind, met elkaar hadden gekletst, of gewoon hadden liggen nietsdoen. Ik vloog in Milans armen en we hielden elkaar stevig vast.

'Ik ga scheiden,' zei Milan. 'Ik heb ruzie met Natalie. Het heeft geen zin meer.'

Ik voelde mijn hart tekeergaan. 'Ik geloof je niet,' zei ik en ik probeerde rustig te blijven.

'Wil jij met mij leven?' vroeg Milan alsof hij me niet had gehoord. 'We huren iets samen. Het belangrijkste is dat niemand er iets van weet. Ik wil niet dat er gekletst wordt in de rosse buurt.'

'Op het Viktoria-Luiseplein?' fluisterde ik in zijn oor. Ik was de waanzinnige nacht drie jaar geleden niet vergeten, waarin we stomdronken over onze toekomst hadden gedroomd. En dat werd nu werkelijkheid? Ik kleedde me snel uit, smeet mijn kleren op de grond en ging op Milan zitten, die met een sigaret in de hand al naakt op de bank was gaan liggen.

De twijfel kwam midden in de vrijpartij op. Ik maakte me los uit Milans omarming en staarde hem aan.

'Jij trekt helemaal niet hoe ik mijn geld verdien. Het werkt niet,' zei ik.

'Dan hou je er toch gewoon mee op?' zei Milan. 'Kun je je niet voorstellen alleen nog met mij het bed te delen?'

Waar slaat dat nou weer op? dacht ik, dat gezeik over trouw nadat we allebei al jaren onze partners bedrogen.

'We moeten wachten tot je klaar bent met je studie,' zei Milan. 'Dan knijpen we ertussenuit, scheiden en ik trouw met je. Voor mijn part krijgen we ook nog een kind samen, als jij dat wilt. Ik wil ergens wonen waar het altijd warm is en het leven niet zo verdomd hectisch is als hier. Een dorpje in Spanje. En, lijkt het je wat?'

Het klonk allemaal te mooi om waar te zijn. Toch twijfelde ik. We lagen nog steeds tegen elkaar aan toen Milan met zijn vrouw ging bellen. Ik kon Natalies scherpe woorden horen, soms schreeuwde ze zelfs en ik merkte hoe Milan steeds sneller begon te ademen, met mijn hoofd op zijn borst. Er viel sneeuwregen uit de grijze hemel. November in Duitsland.

Op een gegeven moment kreeg ik een sms'je van Ladja met de eenvoudige tekst: WAAR BEN JE VERDOMME??? Hij had me al een paar keer gebeld, zag ik.

'Ik moet naar huis. Ladja zit alleen thuis met de baby,' zei ik tegen Milan.

Milan maakte een afwezige indruk en knikte kort met zijn hoofd. 'Ik moet het goedmaken met Natalie. Ik wil mijn gezin niet kwijt,' zei hij zacht.

'Wat je wilt,' zei ik en ik kuste hem vluchtig. Ik verliet Mario's appartement en liep terug mijn oude leven in. Dit leven zou ik nog een tijdje leven, dat was me duidelijk. 'Maak er maar het beste van,' zei ik hardop tegen mezelf, voor ik de metro in stapte.

In januari verliet ik Shiva's massagesalon, waar het steeds slechter ging, en ging ik in een bordeel in Reinickendorf werken. Het gesprek van de dag was de nieuwe prostitutiewet. Iedereen was kwaad op de belastingdienst, omdat er sinds kort werd geëist dat je een sofinummer had, waardoor je belastingplichtig was. Iedere hoer moest elke dag een vast bedrag van dertig euro aan de belastingdienst afdragen en dat hoewel in Berlijn de prijzen voor seks veel lager waren dan elders in het land en in veel bordelen een vluggertje maar dertig euro kostte. 'Een keer per dag neuken voor de belastingdienst, belachelijk!' was het veelgehoorde commentaar.

Een gast meer of minder maakt ook niets uit, dacht ik. Ik rekende in mijn hoofd uit met hoeveel mannen ik in mijn leven al naar bed was geweest en kwam tot de conclusie dat het er meer dan duizend moesten zijn geweest. Af en toe vroeg ik me af of het toch niet eenvoudiger zou zijn om als student-assistent aan de universiteit te gaan werken, maar de betaling was bij lange na niet goed genoeg om ervan te kunnen leven.

Inmiddels probeerde ik de klanten ervan te overtuigen me van achteren te nemen, zodat ik hun gezicht niet hoefde te zien en ik moest er steeds aan denken dat dit allemaal noodzakelijk was om een 'toekomst op te bouwen' zoals mijn familie het altijd uitdrukte.

Dus bleef alles bij het oude. Ik was er gewoon helemaal aan gewend geraakt op maandag en vrijdag in een hoerenkast te zitten en de overige dagen aan mijn studie te besteden.

Degene die mijn problemen het best begreep heette Klara. Ze was amper twintig en tippelde pas een paar maanden om haar studie aan de kunstacademie te financieren. Ze had soms een hekel aan zichzelf en het ergerde haar dat ze sinds ze als hoer werkte geen zin meer had in een vriendje, omdat ze mannen alleen nog maar smerig vond. Daar kon ik wel in komen, want dat had ik tussendoor ook gehad, ondanks mijn vaste partner. Eerst ben je blij met het geld in je portemonnee, daarna komt het slechte geweten en dan de tijd waarin niks je meer kan schelen. En op dat punt was ik nu aanbeland.

Het maakte me niet meer uit het met vertrouwde mensen over mijn werk te praten. Ik schaamde me er niet meer voor. Het was nu eenmaal de enige mogelijkheid om te kunnen studeren zonder afhankelijk te zijn van de sociale dienst. Op een avond vertelde ik zelfs een medestudent over mijn bijbaantje, omdat ik het gevoel had dat hij wat moderner dacht dan de rest. We hadden het hele semester samen aan een project gewerkt en waren ook vaak uitgegaan.

'Ik ben bijna jaloers op je,' was zijn commentaar geweest op mijn ontboezeming. 'Ik moet elke zaterdagavond achter de bar staan om een beetje geld in mijn portemonnee te hebben.'

'Zo eenvoudig is het allemaal niet,' had ik gezegd, al vermoedend dat hij mijn antwoord niet zou begrijpen.

Voor Klara was het nog moeilijker, omdat ze nog niet zolang in de business zat. 'Op een gegeven moment wordt seks iets heel normaals, net als naar de wc gaan,' zei ze op een dag in de rookkamer van het bordeel waar we werkten.

'Vind je dat erg?' vroeg ik. Ik had die ochtend al vijf mannen achter de rug.

'Tja, wat zal ik zeggen? Nou, aan het wonder der liefde geloof ik niet meer sinds mijn dertiende en de jongen met wie ik toen wat heb liggen knuffelen niets meer van zich liet horen. Man, wat is dat lang geleden,' zei Klara melancholiek en ze stak nog een sigaret op.

'Je bent pas twintig en je praat als iemand van veertig,' zei ik lachend en ik dacht: wat wordt een mens toch snel volwassen in deze handel.

'Fynn is ziek, kom naar huis,' zei Rudy op een dag aan de telefoon. Ik stond me net aan te melden voor een nieuw statistiekproject aan de universiteit.

'Waar is Ladja?' vroeg ik bezorgd.

'Die ligt zijn roes uit te slapen,' zei Rudy droog. 'Ik heb geprobeerd hem wakker te krijgen, maar Ladja zei dat ik niet zo'n ophef moest maken en dat de baby het waarschijnlijk alleen maar warm had.'

Ik kon me thuis nog net beheersen om geen koekenpan naar Ladja's hoofd te smijten. Fynn had hoge koorts. Ik gaf hem een zetpil en bleef bij hem zitten tot hij in slaap viel.

'Je moet weg. Ik wil je hier niet meer zien,' zei ik heel rustig tegen Ladja, toen die tegen de middag uit zijn bed opstond en richting badkamer liep.

Ladja keek verbluft, alsof mijn woorden niet echt tot hem doordrongen. Ik had gemeend wat ik zei en begon zijn kleren in een tas te stoppen. Dat maakte Ladja kwaad, hij zocht ruzie. Maar mijn beslissing stond vast.

'Straks smeek je me op je knieën om terug te komen,' zei hij smalend, voor ik de deur achter hem dicht deed 'Alleen met de baby lukt het nooit met die studie van je!'

Toen Ladja weg was ontstond er een gespannen rust, vergelijkbaar met de bedrieglijke stilte die er heerst als het net heeft gebliksemd, maar je nog op de donder zit te wachten.

'Gooi hem eruit en haal hem niet terug!' hadden mijn collega's al zo vaak gezegd. Over Ladja waren ze het al lange tijd eens.

Die avond op de bank leegde ik een fles rode wijn bij een mierzoete Italiaanse film en dacht aan Milan.

Nu moest ik thuisblijven met Fynn. Papa was weg. Mijn werk moest ik afzeggen en voor college had ik ook geen tijd. Ik leerde 's nachts en viel voortdurend aan mijn bureau in slaap. Mijn medestudenten toonden begrip en stuurden me per mail aantekeningen van de colleges. Desondanks begreep ik maar al te goed dat ik op deze manier geen enkel tentamen ging halen en bovendien binnenkort bankroet zou zijn.

Als mijn zoontje sliep, ging ik aan de telefoon hangen om een crècheplaats voor hem te regelen, maar dat bleek op de korte termijn onmogelijk. Het stadsdeel moest toestemming geven dat je recht had op zo'n plek, en dat duurde twee maanden. Dat het hier ging om een noodgeval interesseerde niemand iets.

'Over twee maanden is het semester voorbij. Als ik nu niet naar college kan, heb ik een halfjaar van mijn leven verprutst,' zei ik opgewonden tegen de vrouwelijke ambtenaar van het stadsdeelkantoor. Ze keek me wezenloos aan.

'Ik begrijp uw problemen wel, maar ik kan er niets aan doen. We behandelen hier honderd aanvragen per week, sneller gaat het gewoon niet,' zei ze heel langzaam en duidelijk, alsof ik gestoord was.

Met de kinderwagen liep ik onverrichter zake naar huis.

Na drie dagen stond Ladja opeens weer voor de deur. Zijn kleren waren smerig, zijn schoenen zaten onder de modder en zijn ogen waren bloeddoorlopen. Hij had in een bouwval geslapen waarvan de eigenaar, een junkie, net in de gevangenis zat wegens drugshandel.

'Ik wil mijn gezin niet kwijt,' snotterde hij en hij liet zich voor mijn voeten vallen.

Als ik hem niet zo goed had gekend, had ik medelijden met hem gehad.

'Gooi je spullen in de wasmachine. Ze stinken,' zei ik koeltjes. Ik kleedde Fynn aan en ging met hem naar buiten.

In het voorjaar werd ik op sollicitatiegesprek uitgenodigd door een IT-beveiligingsbedrijf. Ik had er gesolliciteerd naar een betaalde stageplaats. Het was een tip geweest van een onopvallende medestudent van me, die bij mij in het college financiële wiskunde zat en die zijn aantekeningen voor me kopieerde als ik het college weer eens had gemist.

Zenuwachtig streek ik het enige pak dat ik had. Het was voor het eerst van mijn leven dat ik solliciteerde naar een echte baan, afgezien dan van mijn baantjes bij callcenters en restaurants, waar ik het nooit lang had uitgehouden.

De baas van het bedrijf was een grote, slanke veertiger met grijs haar en een hoog voorhoofd. Hij droeg een T-shirt en een spijkerbroek en maakte een joviale indruk, niet stijf en arrogant of zo. Hij stelde me een paar vragen over mijn studie, over de informaticavakken die ik had gedaan en over mijn cv, en ik kon op alle vragen heel overtuigend en spontaan antwoord geven. Ik voelde me in de loop van het gesprek in het kantoor van de man zo ontspannen, dat ik mijn benen over elkaar sloeg en in mijn stoel achterover leunde alsof ik zat te kletsen met een oude bekende.

'Ik denk wel dat we het eens worden,' zei de man aan het eind van het gesprek glimlachend.

Op de terugweg voelde ik me ondanks mijn mantelpakje ongelooflijk licht en onbezwaard. Ik besefte dat deze baan, hoe onbeduidend hij misschien ook was, de eerste stap weg was uit de prostitutie. De woorden van Torsten, mijn oude baas bij Oase, schoten me te binnen. Hij had gezegd dat het maar één op de duizend lukte de dans te ontspringen. Misschien was het nu zover en was ik de gelukkige.

Begin juli lag er post van het bedrijf in de brievenbus. Het was een contract dat ik ondertekend terug moest sturen. Dolgelukkig danste ik met Fynn in mijn armen door de woonkamer en Fynn lachte de zorgeloze kinderlijke lach van een elf maanden oude baby.

Natuurlijk moest ik het belangrijkste zelf regelen. Nadat ik de hele middag op het stadsdeelkantoor had gezeten, kreeg ik eindelijk een plek voor Fynn in een kinderdagverblijf. Ik was daar erg opgelucht over, want hij zou het daar veel beter krijgen dan bij zijn vader die alleen nog maar stoned was.

Tijdens mijn eerste stageweken had ik het gevoel een ander mens te worden. Ik verliet het huis al vroeg in de ochtend, bracht Fynn naar het kinderdagverblijf, ging met een dampende kop koffie aan mijn bureau zitten en deed mijn werk. De collega's waren sympathiek en voor het eerst sinds jaren speelde seks bij het werk geen rol. We hadden het over onderwerpen die met het vak te maken hadden, of tijdens de lunch over familie, vrije tijd en ander wereldschokkend nieuws. Het hele team was waarschijnlijk in katzwijm gevallen als ze hadden geweten wat mijn bijbaantje was. Ik had intussen zelf het gevoel dat het bordeel en mijn klanten daar een soort parallelwereld waren.

Het was dus ook een drastische omslag als ik zaterdags naar het bordeel ging om mijn magere stagesalaris aan te vullen. Mijn collega's daar vroegen honderduit over mijn nieuwe werk en ook al konden ze met de meeste vakbegrippen niets beginnen, toch vonden ze het geweldig dat iemand uit 'onze kringen' het maakte. Ik was er ook echt trots op en ik was blij dat mijn beroepsleven niet meer beperkt bleef tot mijn borsten en mijn kont. Tijdens mijn jaren in de prostitutie is dat misschien wel mijn grootste angst geweest: dat ik er nooit uit zou komen.

Op mijn stageplek miste ik echter soms de familiaire sfeer die er in de meeste bordelen heerst. Op kantoor kletsen de mensen alleen in de pauze met elkaar. Tijdens werktijd hingen mijn collega's de hele tijd aan de telefoon, of ze zaten boven dossiers te broeden of ze staarden naar hun monitor. Communicatie bleef beperkt tot vragen die betrekking hadden op het project. Er werd niet geroddeld over mannen, niet over seks gesproken bij het ontbijt en er werden geen schuine moppen verteld. Soms schoot me weleens een grappige anekdote te binnen uit mijn 'tweede leven' en dan zat ik onwillekeurig te ginnegappen.

'Wat is er zo grappig?' vroeg Frauke dan. Ze zat naast me.

'O, niks,' zei ik en ik ging door met mailtjes lezen.

Frauke was de hele tijd ontzettend aardig en vroeg vaak naar Fynn. Toch vertelde ik haar niets over mijn dubbelleven. De anderen op kantoor overigens ook niet. Hoewel ik het gevoel had dat ik goed geïntegreerd was in het team, was er een kloof tussen ons waar het normale kantoorvolk geen idee van had. Zij hadden allemaal normaal gestudeerd, met bijbaantjes in kroegen en fabrieken. De meesten waren getrouwd en hadden kinderen. Soms wilde ik weleens dat ik een van hen was, iemand die niets wist van de wereld van de prostitutie en die in het weekend met haar gezin naar een eiland gaat, in plaats van naar het bordeel. Maar dan bedacht ik weer dat de een of andere mannelijke collega wellicht best ooit een bordeel opzocht, zonder dat toe te geven natuurlijk, en dan realiseerde ik me eens te meer dat de prachtige perfecte wereld waar ik altijd van had gedroomd gewoon niet bestond.

'Een ding begrijp ik niet,' zei Sebastian. Hij was een stamgast van me en ik had hem tijdens zijn geboekte uur over mijn nieuwe leven verteld. We lagen op het grote bed in kamer vijf en het gevulde condoom hing nog om zijn slappe lid. De seks was al een tijdje voorbij. 'Wat doe je eigenlijk nog met die man van je?'

'Mag je na een paar jaar huwelijk er gewoon een punt achter zetten en opnieuw beginnen alsof er niets gebeurd is?' vroeg ik zuchtend.

'Alles is vergankelijk in dit leven. Uiteindelijk blijft er niets meer van ons over dan een hoopje botten. Zelfs onze massiefste bouwwerken vervallen ooit tot ruïnes en worden begraven onder een hoop zand,' zei Sebastian lyrisch en hij staarde naar de rode papieren lamp aan het plafond alsof hij zich afvroeg wat ermee zou gebeuren als wij er niet meer waren.

Sebastian was architect. Ik kende hem al een paar maanden en vond hem wel sympathiek, omdat hij er geen bijzondere seksuele wensen op na hield, maar het wel heerlijk vond om erna lekker te gaan liggen kletsen.

'Wat interesseert mij een gebouw? Ik heb het over mensen.' Ik stond op en trok mijn ondergoed weer aan. Het geboekte uur was bijna om.

'Ik ben vorig jaar na vijftien jaar huwelijk gescheiden,' zei Sebastian ernstig. Hij stond zijn lid in de wastafel af te spoelen. 'En nu weet ik dat ik het al veel eerder had moeten doen. Dan waren veel dingen een stuk eenvoudiger geweest.'

In de rookkamer gaf de eigenaresse van de zaak, Miriam, later die dag ook goede adviezen: 'Ik spreek uit ervaring, meiden: grijp een kerel voor het te laat is. Het maakt niet uit of hij knap of interessant is. Als hij maar een goede baan heeft, verantwoordelijk is en goed voor jullie zorgt. De rest is bijzaak.'

Overal klonk verontwaardigd gemompel, maar daar trok Miriam zich niets van aan.

'Toen ik jong was, kreeg ik een huwelijksaanzoek van een klant, een stinkend rijke vijftigjarige Oostenrijker. Hij verafgoodde me. Natuurlijk vond ik hem een engerd, met zijn bierbuik en de diepe groeven in zijn gezicht. En ik had uiteraard een enig vriendje. Zag eruit als Patrick Swayze. Lachte zich een hoedje om die oude viezerik. Maar goed, een jaar later was het met mijn leuke vriendje voorbij en ik had geen geld, dus probeerde ik in mijn wanhoop die ouwe zak nog om te praten. Ik schreef hem een aardige brief en hoopte dat hij contact met me zou opnemen.' Miriam streek met haar hand haar lange haar glad en zuchtte.

'En?' vroeg Klara nieuwsgierig.

'Ik kreeg antwoord van zijn kersverse echtgenote. Ik moest maar geen moeite meer doen. Meneer was al onder de pannen. Ik heb ooit een foto van die twee in de plaatselijke krant gezien. Zij was minstens tien jaar ouder dan ik en klein en dik,' zei Miriam en ze strekte haar benen nog maar eens, alsof ze wilde benadrukken hoe absurd het allemaal was. Haar benen waren ook op haar leeftijd nog glad en slank. Miriam was in de veertig.

'En nu dobbert zij op zijn jacht over de Middellandse Zee en jij zit hier alleen in een hoerenkast,' zei iemand.

'Precies,' zei Miriam melancholiek. 'Dus luister nou maar goed: sla die solide kerel zolang je nog jong bent aan de haak, iemand die je zekerheid biedt. Ga niet altijd af op je ogen en luister vooral niet naar je domme hart. Knappe mannen worden ook oud, of ze laten je in de steek zolang ze bij jongere vrouwen nog iets kunnen bereiken, en jij blijft alleen achter.'

Miriams verhaal zette me aan het denken. Ik zou nooit met iemand samen willen zijn om zijn geld. Alleen de gedachte al elke nacht naast iemand in slaap te moeten vallen tot wie je je noch lichamelijk, noch geestelijk aangetrokken voelde, vond ik afschuwelijk. Aan de andere kant: was ik gek om na vijf jaar als hoer nog te geloven in de ware liefde? Ik zag Milan voor me, in de zomer, op het terras bij California, met zijn handen losjes in zijn broekzakken, de zonnestralen op zijn krachtige bovenarmen. Compromissen maken het leven misschien gemakkelijker, dacht ik, maar wat is het leven waard als er geen passie is?

In dat jaar, op een zondag vlak voor kerst, gaf ik Ladja definitief de bons. Sinds ik was begonnen met mijn stage, was de situatie tussen ons alleen maar verslechterd. Ik kon steeds minder beginnen met de manier waarop Ladja in het leven stond, de resignatie waarmee hij elke dag opstond. Wanneer ben je voor het laatst gelukkig geweest met hem? vroeg ik me af. Het toppunt van geluk in onze relatie, afgezien van de seks, was een rustige avond waarbij ik op de bank zat te lezen of te leren en Ladja een aflevering van *Star Trek* zat te kijken. En zelfs dat deden we bijna nooit meer.

Het had lang geduurd, maar opeens drong het tot me door dat ik nooit meer een verliefde dag met Ladja door zou brengen. Als ik me wilde herinneren hoe het in het begin was geweest, was het of ik me mijn eerste schooldag herinnerde, zo lang geleden leek het allemaal.

'Ik wil van je scheiden. Het heeft geen zin meer,' zei ik dus op die avond in december heel kalm nadat ik Fynn naar bed had gebracht.

Ladja keek me even spottend aan en richtte zijn blik daarna weer op de televisie. Hij zat naar een cartoon te kijken. Ik ging in beeld staan, griste de afstandsbediening uit zijn hand en deed de televisie uit.

Ladja maakte een verveelde indruk. 'En, wanneer bel je me weer? Over twee dagen, drie misschien?' vroeg hij honend.

'Het gaat gewoon niet meer,' zei ik moedeloos.

'Je gaat op je bek.' Ladja lachte. Ik zag verachting en gekrenkte trots in zijn ogen.

'Dat plezier gun ik je niet,' zei ik. En wonder boven wonder liep hij zonder tegen te stribbelen de woonkamer uit om zijn spullen te pakken.

In de slaapkamer op mijn boekenkast stonden nog altijd de kitscherige, elkaar omhelzende plastic muizen die Ladja me ooit in het begin van onze relatie cadeau had gedaan. Ik zuchtte. Het enige wat was overgebleven van onze liefde was verbitterdheid en medelijden. Zes jaar geleden was hij met een rugzak bij me komen binnenvallen en zo ging hij nu ook weer weg.

'Ik heb het overigens altijd geweten, van Milan en jou,' zei Ladja. Hij stak met bevende handen nog een laatste sigaret op.

Ik zweeg.

'Je zult altijd een hoer blijven,' waren zijn laatste woorden voor hij de woning verliet. Hij had zijn sleutels op de salontafel laten liggen.

De dagen die volgden kwamen er van Ladja eerst wanhopige en daarna woedende telefoontjes, gevolgd door verwijten over en weer. Ten slotte werd het stil.

Opgelucht vloog ik twee dagen voor de kerst naar mijn familie in

Italië. Ik wilde niet eenzaam samen met Fynn thuiszitten en in Italië kregen we zo veel bezoek dat ik niet de tijd kreeg om somber te gaan zitten doen. Niemand bij mij thuis vond het gek dat ik Ladja had verlaten. Ze hadden de straatjongen uit Polen aan mijn zijde altijd al niets gevonden.

Vlak voor oudejaar vloog ik terug naar Berlijn. En op oudejaarsdag had ik met Jule en haar nieuwe vriend in de kroeg afgesproken.

'Je bent met je gedachten ergens anders,' zei Jule. 'Komt het door Ladja?'

'Ach welnee, dat is ouwe koek,' zei ik lachend en ik meende het. 'Ik vroeg me af waar Milan is. Hij zit vast bij California.'

'Ga toch naar hem toe,' zei Jule. 'Dat vinden wij niet erg, hoor.'

Ik bestelde een taxi naar Schöneberg.

'Gaat u naar een feestje?' vroeg de taxichauffeur bij een rood stoplicht.

'Nee, ik heb een afspraakje met een vriend,' zei ik en ik keek door de achterruit hoe de glazen toren van het Sony Center uit het zicht verdween.

'Dat moet dan wel een speciaal vriendje zijn,' zei de taxichauffeur.

'Hoe weet u dat nou? U kent me helemaal niet!' protesteerde ik.

'Uw ogen stralen,' zei de man en hij lachte veelzeggend.

Bij California was het ontzettend druk, maar ik herkende Milan onmiddellijk in de meute rokende mensen.

'Ik ben bij Ladja weg,' zei ik.

Milan knikte kort, alsof ik iets heel banaals had gezegd. Toen ik er nog een keer probeerde op terug te komen, was het enige wat hij zei: 'Je bent hier en dat is het belangrijkste.' En hij kuste me.

Het werd een perfecte avond. We negeerden de jaarwisseling totaal en deden spelletjes tot we erbij neervielen. Zelfs toen de laatste gast wankelend de kroeg verliet, dachten we er niet over om ook naar huis te gaan. De barkeeper moest ons er om zeven uur 's ochtends uitgooien.

'Ik ga niet meer naar het bordeel, definitief niet,' zei ik tegen Milan. We liepen hand in hand door de ochtendschemer. Het was een spontane beslissing na een doorgehaalde oudejaarsnacht, maar toen ik het had gezegd, voelde ik me bevrijd. Ik had de afgelopen maanden onbewust naar deze stap toegeleefd. Vijf jaar lang was het bordeel mijn werkplek en deel van mijn leven geweest. Maar nu had ik andere plannen en ik wilde niet dat mijn seksleven nog langer met geld te maken had.

'Hoe kom je aan geld?' vroeg Milan.

'Over zes maanden ben ik afgestudeerd. En dan krijg ik vast wel een gave baan.'

'Mooi voornemen,' zei Milan en hij kuste me opnieuw. 'Zullen we naar Mario gaan?' Het was bijna negen uur 's ochtends.

Elke verhouding heeft zijn rituelen en dit was het onze. Ik zou waarschijnlijk nooit op zondagochtend in mijn badjas met Milan ontbijten, ik zou ook nooit zijn schouders masseren na een zware werkdag en ik zou nooit samen met hem een weekend aan de Oostzee doorbrengen, maar daar kon ik wel mee leven. Dat besefte ik voor het eerst op dat moment. Ik klampte me niet aan hem vast bij het afscheid en ik wilde ook geen valse beloftes horen. Ik genoot gewoon van zijn glimlach en zijn handen op mijn huid en ik dankte het lot voor deze onvolkomen liefde.

De glimlach stond op weg naar het station nog steeds op mijn lippen. De worstkraam bij het station ging net open. Moeizaam schoof de verkoper de luiken naar boven. Ik kocht een gehaktbal met ketchup en werkte die hongerig naar binnen. Een man op het perron probeerde me een gebruikt kaartje te verkopen, maar in mijn zweverige toestand liep ik hem straal voorbij.

Na twee stations stapte er een dakloze in. Hij verkocht de daklozenkrant en zwaaide er vervaarlijk mee voor mijn neus.

'Het nieuwe jaar wordt een gelukkig jaar!' voorspelde hij om de interesse van de reizigers te wekken.

En toen begon ik te huilen. Net was ik nog zo gelukzalig geweest, maar opeens... Het overkwam me gewoon.

'Kerels zijn het niet waard,' zei de krantenverkoper.

Maar ik huilde niet om mannen. Ik huilde om de tijd die voorbijging zonder dat ik hem stop kon zetten, met herinneringen als enig overblijfsel. Vijfentwintig jaar was ik nu, een kwart eeuw, en wat had ik bereikt? Een kapot huwelijk, vijf jaar carrière als hoer, een hopeloze liefde... En wat nog meer? Een bijna voltooide studie en een prachtig kind. Zo was het leven dus, dacht ik, en ik werd iets rustiger. Het was mooi, maar het kon ook pijn doen. En wie weet wat je nog te wachten staat.

Ik deed mijn ogen dicht en sliep tot aan het eindstation.

DANKWOORD

Het schrijven van dit boek was een waanzinnig mooie en opwindende ervaring, vooral omdat ik op deze manier de afgelopen wilde jaren in gedachten nog een keertje doorleefde. Schrijven vond ik altijd al leuk, ook al betekende het in dit geval dat ik een aantal maanden lang vaak hele nachten aan mijn laptop zat. Ik zou het zo weer doen. Nu ik ben afgestudeerd en mijn volwassen leven definitief begint, kijk ik ontspannen terug op mijn spannende eerste jaren in Berlijn, die in dit boek staan beschreven. Gelukkig had ik genoeg mensen om me heen die me bij het schrijven aanmoedigden en goede raad gaven. Op de eerste plaats wil ik Heike Faller bedanken. Zonder haar was dit project nooit van de grond gekomen en ze had altijd een paar goede tips paraat. Verder wil ik de literaire agentuur Simon bedanken voor hun ondersteuning, en wel in de persoon van Alexander Simon en Gila Keplin. Ze stonden altijd voor me klaar. En niet in de laatste plaats wil ik de medewerkers van uitgeverij Ullstein bedanken, in het bijzonder Katharina Amin en Christoph Steskal voor de constructieve samenwerking.

Mijn zoon verdient natuurlijk een enorm applaus. Hij moest zijn mama maandenlang delen met een laptop. We halen het wel weer in. Beloofd!

En ten slotte wil ik al mijn familieleden en vrienden die me aanmoedigden en op mijn zoon pasten als ik bezig was met het boek bedanken. Zonder jullie had ik het nooit gered.

Sonia Rossi
Berlijn, juni 2008

NOTEN

[1] In de meeste bordelen werken de vrouwen in lingerie, maar dat is geen must. Als je liever een jurk aanhebt kan dat ook. De meeste vrouwen dragen er hoge hakken of laarzen bij, kanten ondergoed of een korsetje, meestal in het zwart of rood. Ik weet niet waarom dit zo is: of het een vreemdsoortige stille overeenkomst is, een beroepsuniform, net als een blauwe overall voor klussers, of dat in de loop van de evolutie gebleken is dat mannen daar het meeste opgewonden van raken. In die jaren ontwikkelde ik een voorliefde voor lingerie die ik nu nog steeds heb. (Ik ga ook privé nooit het huis uit als mijn slip en bh niet bij elkaar passen. Ik kan uren bezig zijn met het kopen van lingerie, hoewel ik eigenlijk iets beters te doen heb dan altijd maar shoppen.) De voorbereidingen voor het werk duurden bij mij altijd minstens een halfuur, en daarmee behoorde ik tot de snelle henkies in de branche. De avond ervoor begon het al: benen, oksels en schaamstreek scheren. Ik gaf de voorkeur aan een complete scheerbeurt, ook in de schaamstreek, maar sommige vrouwen laten een smal streepje staan, een kwestie van smaak. Ik maakte me nooit dik op, omdat ik dat vulgair vond en ook ontdekte ik dat mannen de voorkeur gaven aan een natuurlijke look. Meestal had ik wel een foundation op en trok ik met een oogpotlood een streep langs mijn ogen. Ten slotte deed ik zilveren of gouden oorbellen in, sproeide ik een vleugje parfum op mijn hals en kamde ik mijn haar nog een keer. De klant kiest een hoer – in elk geval bij de eerste keer – op haar uiterlijk. Het is dus zaak er sexy en vrouwelijk uit te zien. Onopgemaakte vrouwen in een slobberlook hebben de meeste mannen al thuis op de bank zitten. Wie voor seks betaalt, wil als het ware zijn droomvrouw voor zich zien.

[2] Ik heb me altijd afgevraagd wat die lieve achttienjarige jongens in een bordeel te zoeken hebben. Dit was niet de enige jonge kerel die gebruikmaakte van onze diensten. Waarschijnlijk beschouwen jongens een bezoek aan een bordeel als een soort initiatieritueel. Net als voor het eerst naar de kroeg. Na een num-

mertje met een hoer ben je volwassen. Het was niet zelden zo dat die jongens oudere vrouwen uitkozen die makkelijk hun moeder hadden kunnen zijn. Ik vroeg me altijd af of ze misschien ooit verliefd waren geworden op de beste vriendin van hun moeder en dat ze hun verlangen om met die vriendin naar bed te gaan bij ons compenseerden.

3 Een collega vertelde ooit met stralende ogen over een beroemde televisiepresentator die vaak bij haar in de zaak was geweest. 'Hij wilde nog niet eens neuken,' zei ze. 'Hij boekte vijf meisjes tegelijk. Ze moesten op een glazen tafel pissen. Het varken lag onder de tafel te masturberen.' Ik was niet erg onder de indruk van haar verhaal, want ik had al te veel gehoord en gezien. Wat ik me wel afvroeg was waarom zo'n stinkend rijke kerel zulke diensten verlangt. Volgens een oudere collega zat het zo: 'De meeste sterren zijn gewoon verveeld. Ze kunnen de mooiste vrouwen krijgen. De wijven liggen gewoon voor het oprapen. Normale seks is niet interessant meer. Ze willen iets nieuws en opwindends.' Er waren ook voorbeelden van sterren die een gewoon nummertje wilden. Een nieuwkomer onder de Duitse stand-upcomedians kwam vaak bij een nachtclub in Charlottenburg. Hij nam elke keer een andere vrouw en naaide die nogal heftig. 'Dat gierige varken neemt elke keer het goedkoopste programma en geeft nog niet eens een fooi,' zei een collega die het genoegen had gehad hem als klant te hebben.

4 Discretie is heilig voor een hoer en een van de eerste dingen die je leert in het vak. Onmiddellijk na binnenkomst worden de mannen naar de ontvangstkamer begeleid. Belt er nog een gast aan, moet hij in een andere ruimte plaatsnemen. Klanten mogen elkaar nooit in het bordeel tegenkomen. Elke klant moet het idee hebben dat hij de enige aanwezige man is. Als je een klant aan het afwerken bent, is het niet anders. Als hij vanuit zichzelf iets over zijn leven vertelt, is dat oké, maar je mag nooit vragen stellen. De meeste mannen kletsen echter graag en sommige stamgasten laten nog wel eens een visitekaartje achter, of een telefoonnummer. Ze weten dat ze niet bang hoeven te zijn dat wij een werkgever of een echtgenote gaan bellen om te vertellen dat meneer een hoerenloper is. Dat zou niet alleen slecht zijn voor de zaken, maar voor de hele branche, die uiteindelijk leeft van lust en discretie. Het voordeel van een

grote stad is dat je mensen niet vaak toevallig op straat tegenkomt. Toch is het me tijdens mijn carrière een paar keer gebeurd dat ik in de trein of in de supermarkt klanten herkende. Meestal kijken de klanten dan de andere kant op, maar soms werd ik ook vriendelijk glimlachend begroet. Ik heb wel eens meegemaakt dat ik een klant met zijn vrouw en twee kinderen tijdens de kerstmarkt op het Alexanderplein tegenkwam. Ik was met Ladja. De klant fluisterde zachtjes 'hallo' voor hij met zijn hotdogs en gezin in de menigte opging.

5 De prijzen in de prostitutie zijn in Berlijn de laagste van heel Duitsland. Dat ligt ten dele zeker aan de hoge werkloosheid in de stad, waardoor mannen niet zo veel geld op zak hebben als in Hamburg of München. Bovendien is in Berlijn de concurrentie moordend. Er zijn erg veel bordelen en massagesalons die door het dumpen van de prijzen proberen klanten aan te lokken. De vele buitenlandse vrouwen die na de val van de Muur naar Berlijn kwamen om de armoede in hun vaderland te ontvluchten hebben er ook toe bijgedragen dat je in de hoofdstad al voor 20 euro seks kunt kopen. Natuurlijk zijn er ook exclusievere etablissementen waar een uurtje seks 200 euro kost, maar daar zijn er maar heel weinig van.

6 In steden als Hannover en Frankfurt plaatsen bordelen al een maand voor grote beurzen advertenties met slogans als 'top verdienen'. Inderdaad zijn eenzame, rijke zakenlui die na een vermoeiende dag willen relaxen en niet op geld letten het beste wat een hoer kan overkomen. Toch weet je in de prostitutie nooit of het echt meer gasten oplevert. Tijdens de WK 2006 bijvoorbeeld, was de verontwaardiging groot toen in de Duitse media werd bericht over duizend hoeren die uit heel Europa naar Berlijn stroomden. Er werd van uitgegaan dat supporters na de wedstrijd aangeschoten en geil zouden zijn en er dus veel geld te verdienen viel. Uiteindelijk bleken de voetbaltoeristen geen interesse te hebben in een bordeelbezoek. Er werden in de prostitutie tijdens het WK middelmatige zaken gedaan. Misschien hadden de fans hun vrouwen meegenomen of scoorden ze op een van de vele feestjes die overal werden georganiseerd.